L'EMPIRE PERDU

DU MÊME AUTEUR

Série Dirk Pitt

LE TRÉSOR DU KHAN (avec Dirk Cussler), coll. « Grand Format », Grasset, 2009.
VENT MORTEL (avec Dirk Cussler), coll. « Grand Format », Grasset, 2007.
ODYSSÉE, coll. « Grand Format », Grasset, 2004.
WALHALLA, coll. « Grand Format », Grasset, 2003.
ATLANTIDE, coll. « Grand Format », Grasset, 2001.
RAZ DE MARÉE, coll. « Grand Format », Grasset, 1999.
ONDE DE CHOC, coll. « Grand Format », Grasset, 1997.
L'OR DES INCAS, coll. « Grand Format », Grasset, 1995.
SAHARA, Grasset, 1992.
DRAGON, Grasset, 1991.
TRÉSOR, Grasset, 1989.

Série Numa
Avec Paul Kemprecos

LE NAVIGATEUR, coll. « Grand Format », Grasset, 2010.
TEMPÊTE POLAIRE, coll. « Grand Format », Grasset, 2009.
À LA RECHERCHE DE LA CITÉ PERDUE, coll. « Grand Format », Grasset, 2007
MORT BLANCHE, coll. « Grand Format », Grasset, 2006.
GLACE DE FEU, coll. « Grand Format », Grasset, 2005.
L'OR BLEU, coll. « Grand Format », Grasset, 2002.
SERPENT, coll. « Grand Format », Grasset, 2000.

Série Oregon
Avec Jack du Brul

CORSAIRE, coll. « Grand Format », Grasset, 2011.
CROISIÈRE FATALE, coll. « Grand Format », Grasset, 2011.
RIVAGE MORTEL, coll. « Grand Format », Grasset, 2010.
QUART MORTEL, coll. « Grand Format », Grasset, 2008
PIERRE SACRÉE, coll. « Grand Format », Grasset, 2007.
BOUDDHA, coll. « Grand Format », Grasset, 2005.

Série Isaac Bell

POURSUITE, coll. « Grand Format », Grasset, 2010.

Série Chasseurs d'épaves
Avec Craig Dirgo

CHASSEURS D'ÉPAVES, Grasset, 2010.
CHASSEURS D'ÉPAVES, *nouvelles aventures*, coll. « Grand Format », 2010.

Série Isaac Bell
Avec Justin Scott

L'ESPION, coll. « Grand Format », Grasset, 2013.
LE SABOTEUR, coll. « Grand Format », Grasset, 2012.

Série Fargo
Avec Grant Blackwood

L'OR DE SPARTE, coll. « Grand Format », Grasset, 2012.

CLIVE CUSSLER & GRANT BLACKWOOD

L'EMPIRE PERDU

roman

Traduit de l'américain
par
JEAN ROSENTHAL

BERNARD GRASSET
PARIS

L'édition originale a été publiée par G.P. Putnam's Sons, à New York, en 2010 sous le titre :

LOST EMPIRE

Couverture :
Océan : Kim Westerkov/Getty Images ;
Sous-marin : Andrew Watson/Getty Images ;
Avions : Angelo Bufalino Photography/Getty Images.

ISBN : 978-2-246-78871-3
ISSN : 1263-9559

Prologue

Londres, Angleterre, 1864

JUSTE AVANT L'AUBE, l'homme – il s'appelait Jotun – avançait d'un pas décidé dans le brouillard toujours plus épais, le col de son caban relevé et un foulard protégeant sa gorge et sa bouche.

Il s'arrêta soudain. Avait-il entendu un bruit de pas ? Il tendit l'oreille et tourna la tête d'un côté puis de l'autre. Quelque part devant lui, il perçut un cliquetis étouffé, comme le bruit d'une semelle heurtant un pavé. Avec une souplesse surprenante pour un homme de sa taille, il recula dans l'ombre d'un portail voûté serrant, au fond de sa poche, le manche d'une matraque de cuir plombé. Les petites rues de Tilbury n'étaient jamais très accueillantes, et encore moins entre le coucher et le lever du soleil.

– Foutu patelin, marmonna Jotun. Sombre, humide, glacé, tout pour plaire.

Sa femme lui manquait, son pays lui manquait. Mais ses chefs avaient décidé qu'on avait besoin de lui ici. Il leur faisait confiance même si, à certains moments, il aurait préféré se trouver sur un vrai champ de bataille. Il connaîtrait du moins son ennemi et saurait quoi faire : le tuer, ou sinon… Au moins c'était simple. Son épouse n'était pas de son avis : « Mieux vaut que tu sois loin et vivant plutôt que proche et mort », lui avait-elle dit quand il avait reçu son ordre de mission.

Jotun attendit quelques minutes mais tout était calme. Il regarda sa montre : trois heures trente. D'ici une heure, les rues commenceraient à s'animer et, si sa proie décidait de s'enfuir, ce serait avant.

Il recula dans la rue et continua jusqu'à Malta Road ; il tourna alors à gauche en direction des docks. Il percevait au loin le tintement d'une bouée et il sentait les relents qui montaient de la Tamise. Devant lui, malgré le brouillard, il aperçut au coin de Dock Road une silhouette solitaire qui fumait une cigarette. À pas de loup, Jotun traversa la rue et s'avança afin de mieux découvrir le carrefour : l'homme était bien seul. Jotun recula dans l'entrée de la ruelle et donna un bref coup de sifflet. L'homme se retourna. Jotun craqua une allumette, la laissa brûler brièvement puis l'éteignit entre le pouce et l'index. L'homme s'approcha de Jotun.

– Bonjour, chef.

– Ça se discute, Fancy.

– On peut le dire, chef, répondit Fancy en inspectant le passage.

– Nerveux ? s'enquit Jotun.

– Moi ? Pourquoi voudriez-vous que je sois nerveux ? Un petit bonhomme comme moi se promenant en pleine nuit dans ces ruelles. Que pourrait-il y avoir de mal à ça ?

– Bon, voyons.

– Le navire est là, chef. Toujours à quai, depuis quatre jours. Mais avec des amarres simples. J'ai discuté avec un copain qui fait des petits boulots sur les quais. On dit qu'il s'apprête à remonter le fleuve.

– Jusqu'où ?

– Jusqu'aux docks de Millwall.

– Les travaux n'y sont pas encore terminés, Fancy. Pourquoi me racontes-tu des craques ?

– Mais non, chef, c'est ce que j'ai entendu. Millwall. Dans le courant de la matinée.

– Fancy, j'ai déjà un homme à Millwall et il m'a dit qu'il y en a encore pour une semaine de travaux.

– Je suis désolé, chef.

Jotun entendit distinctement derrière lui un frottement de cuir sur la brique et comprit aussitôt pourquoi Fancy était désolé. Il éprouva un certain réconfort à se dire que cette petite fouine ne l'avait sans doute pas trahi par malice mais par appât du gain.

– File, Fancy… Décampe. Ne reste pas à Londres. Si jamais je te revois, je t'ouvre le ventre et je te fais bouffer tes tripes.

– Vous ne me reverrez plus, chef.

– Ça vaudrait mieux pour toi.

– Encore pardon. J'ai toujours bien aimé…

– Un mot de plus et ce sera ton dernier. Fous le camp.

Fancy partit en courant et disparut dans le brouillard.

Jotun envisagea rapidement les options qui s'offraient à lui. Fancy avait menti à propos des docks de Millwall, il mentait donc aussi à propos du navire : autrement dit, au lieu de le remonter, le bateau descendrait le fleuve. Il fallait l'en empêcher. Se posait alors la question de savoir ce qui était le plus sage : échapper aux hommes qui arrivaient derrière lui ou les affronter ? Sa fuite déclencherait une poursuite, or il voulait avant tout éviter une bagarre aussi près du quai car l'équipage du navire était probablement sur les dents, et il tenait à prendre les hommes au dépourvu.

Jotun se retourna donc vers la ruelle.

Ils étaient trois, le premier légèrement plus petit que lui, les deux autres nettement moins grands, mais ils avaient tous une solide carrure et des têtes de brutes. De vraies gueules de tueurs. Si l'éclairage avait été suffisant pour lui permettre de distinguer leur visage, Jotun était certain qu'il aurait vu très peu de dents, beaucoup de cicatrices et de petits yeux au regard mauvais.

– Bonjour, messieurs. En quoi puis-je vous être utile ?

– Ne va pas compliquer les choses, répondit le plus costaud des trois.

– Au couteau, aux poings ou les deux ? s'informa Jotun.

– Quoi ?

– Peu importe. À vous de choisir. Alors, avancez, qu'on en finisse.

Jotun sortit les mains de ses poches.

Le grand gaillard se précipita. Jotun vit le poignard jaillir de la ceinture de l'homme, un coup calculé pour trancher une artère fémorale ou ouvrir le bas-ventre. Mais Jotun dépassait son adversaire non seulement en taille mais aussi en longueur de bras – une dizaine de centimètres –, et en profita pour lui décocher un violent uppercut. Au dernier moment, il fit pivoter sa matraque, et l'extrémité de cuir plombé frappa de plein fouet le menton de l'homme dont la tête bascula en arrière ; il recula, trébucha sur ses partenaires puis chuta lourdement sur ses fesses, tandis que son couteau giclait sur les pavés. Jotun fit un grand pas en avant et, levant le genou jusqu'à sa taille, abattit de toutes ses forces le talon de sa botte sur la cheville de son adversaire, lui brisant l'articulation. L'homme se mit à hurler.

Les deux autres hésitèrent, un instant – dans de telles circonstances, une meute de loups a tôt fait de se disperser quand son chef est à terre –, mais il s'agissait d'hommes habitués aux combats.

Celui qui se trouvait à sa droite contourna son compagnon cloué au sol et chargea comme un taureau furieux. Une ruse, bien sûr : il cachait un poignard dans une main et, dès que Jotun aurait agrippé l'homme, la lame aurait jailli. Jotun recula donc d'un pas sur sa jambe gauche, la replia puis bondit en avant tout en lançant son pied droit. Le coup frappa son agresseur en plein visage et Jotun entendit le bruit un peu mou du cartilage écrasé. L'homme tomba à genoux, oscilla un moment puis s'effondra le nez sur le pavé.

Le dernier des trois était en train de comprendre que l'instant était critique et que, s'il ne prenait pas la bonne décision, il allait mourir.

– Eux sont en vie, déclara Jotun, mais toi, si tu ne tournes pas les talons pour filer, je te tuerai. L'homme restait planté là, le poignard dressé devant lui. Allons, petit, est-ce qu'ils t'ont vraiment assez payé pour ça ?

L'homme abaissa son couteau, avala péniblement sa salive, secoua la tête et s'enfuit en courant.

Jotun en fit autant : il partit à toutes jambes, dévala la rue jusqu'à Dock Road, franchit quelques haies et traversa St. Andrews. Un petit passage le conduisit jusqu'à deux hangars entre lesquels il se précipita ; il escalada une clôture et continua jusqu'à ce qu'il sente des planches sous ses pieds. Les quais. Il regarda à gauche, puis à droite, mais ne vit que le brouillard.

Quelle direction prendre ?

Il se retourna, lut le numéro du bâtiment au-dessus de sa tête puis repartit vers le sud sur une cinquantaine de mètres. Sur sa droite, il entendit un clapotis vers lequel il s'élança. Une forme noire se dressait devant lui. Il s'arrêta en glissant, heurta des caisses entassées puis, reprenant son équilibre, sauta sur la plus petite et s'éleva un peu. Quelques mètres plus bas, il distingua la surface de l'eau. Il regarda en amont, ne vit rien et pivota pour regarder en aval.

À vingt mètres, il aperçut une faible lueur jaunâtre derrière une fenêtre à petits carreaux et, au-dessus, derrière le bastingage, la timonerie d'un bateau.

– Bon Dieu ! s'écria Jotun. Bon sang de bon Dieu !

Le navire se perdit dans le brouillard et disparut.

Chapitre 1

Île de Chumbe, Zanzibar,
Tanzanie

LES REQUINS FONÇAIENT à la lisière de leur champ visuel, leurs silhouettes grises et luisantes ne dévoilant à Sam et Remi Fargo que des ailerons effilés et des queues fouettant l'eau avant de disparaître dans un tourbillon de sable. Comme d'habitude, une occasion unique de prendre des photos que Remi ne pouvait laisser passer et, comme d'habitude, elle avait demandé à Sam de servir d'appât pendant qu'elle réglait son appareil. Sam, pour sa part, s'intéressait moins aux requins qu'au précipice derrière son dos : le banc de sable dominait de cinquante mètres les sombres profondeurs du canal de Zanzibar.

Remi écarta son visage du viseur, regarda Sam en souriant et lui fit OK avec les doigts. Soulagé, il donna quelques coups de palmes pour la rejoindre et tous deux s'agenouillèrent sur le sable pour observer le spectacle. On était en juillet au large de la côte de Tanzanie, donc en pleine saison de la mousson : cela signifiait que les eaux chaudes du courant côtier est-africain (EACC) remontaient du sud-est jusqu'à l'extrémité sud de Zanzibar où elles se divisaient en deux branches, l'une allant vers la terre et l'autre vers le large. Pour les requins, cela créait un vivier en entonnoir dans le goulot de dix-huit milles séparant Zanzibar du continent où leurs proies étaient entraînées vers le nord. Ce que Remi appelait un irrésistible buffet ambulant.

Sam et Remi veillaient à bien rester dans ce qu'ils appelaient la Zone de sécurité, ce couloir d'une cinquantaine de mètres d'eau d'une pureté cristalline qui bordait l'île de Chumbe. Si on en sortait, on entrait dans le canal. La démarcation était visible : le courant, s'écoulant à la vitesse de six nœuds ou davantage, bouillonnait en frôlant le banc de sable de l'île. Pour Sam et Remi, c'était la Zone good-bye : un pas de trop sans un filin rattaché au bateau et on avait droit à un aller simple jusqu'à la côte.

Malgré le danger – ou peut-être à cause de cela –, ce voyage annuel à Zanzibar était un de leurs déplacements préférés. Avec ses requins, ses poissons prêts à se faire dévorer, ses courants impitoyables et ses tempêtes de sable sous-marines pouvant durer des mois, le courant côtier est-africain regorgeait de trésors – même s'il n'avait généralement à offrir qu'un bric-à-brac tout juste bon à éveiller leur curiosité, mais Sam et Remi n'en demandaient pas davantage. Au fil des siècles, des navires avaient sillonné la côte orientale de l'Afrique, de Mombasa à Dar es Salaam, souvent chargés d'or, de pierres précieuses et d'ivoire à destination des villes des empires coloniaux. Nombre d'entre eux avaient fait naufrage dans le canal de Zanzibar ou à proximité, leur cargaison se répandant au fond de l'océan et n'attendant que les caprices des courants pour émerger du sable ou passer à la portée de plongeurs curieux comme les Fargo. Ainsi, au fil des années, ils avaient récupéré des pièces d'or ou d'argent datant de l'Empire romain couvrant jusqu'à l'Espagne, des céramiques chinoises, des jades de Ceylan, des plats d'argent… Des trouvailles allant du fascinant au banal. Dans ce voyage-là, ils n'avaient trouvé qu'un seul objet digne d'intérêt : une pièce d'or en forme de losange tellement incrustée de coquillages qu'ils n'avaient même pas pu en distinguer les détails.

Sam et Remi observèrent encore quelques minutes le repas des requins puis, d'un commun accord, retournèrent à grands coups de palme vers le sud ; suivant le fond, chacun à son tour s'arrêtait brièvement pour labourer le sable avec une raquette de ping-pong dans l'espoir que le renflement qui avait attiré son regard dissimulerait quelque trésor caché.

L'île de Chumbe, longue d'à peu près dix kilomètres et large d'environ trois, a la forme d'un escarpin dont le coup de pied, la cheville et la partie antérieure seraient tournés vers le chenal alors que l'arrière du mollet, le talon effilé et la semelle feraient face à Zanzibar. Juste au-dessus de la cheville, il y avait une brèche dans le banc de sable, un goulet permettant d'accéder au lagon créé par la pointe du talon.

Sam et Remi l'atteignirent au bout d'un quart d'heure de pêche dans le sable ; ils virèrent alors à l'ouest jusqu'à une dizaine de mètres de la plage avant de reprendre la direction du nord afin de poursuivre leurs recherches tout en redoublant de précautions. Ils progressaient en effet le long de cette partie du banc de sable que le chenal principal poussait dangereusement près de la plage, un saillant en forme de bulle qui réduisait leur Zone de sécurité à moins d'une douzaine de mètres. Remi nageait vers le rivage, précédant Sam d'un mètre ou deux, chacun s'assurant régulièrement que l'autre n'avait pas dérivé vers le précipice.

Du coin de l'œil droit, Sam vit briller une lueur fugitive, un reflet doré. Il cessa de nager, s'agenouilla sur le sable puis tapa sur sa bouteille d'oxygène pour attirer l'attention de Remi. Elle s'arrêta à son tour, se retourna et vint le rejoindre. Il désigna l'endroit et elle acquiesça de la tête. Sam en tête, ils nagèrent vers le rivage jusqu'au moment où ils distinguèrent les bancs de sable. Hauts de près de quatre mètres, ils bordaient une sorte de précipice où la profondeur de l'eau tombait d'un peu plus d'un mètre à quelque six mètres. Ils s'arrêtèrent au bord et regardèrent autour d'eux.

Remi haussa les épaules – *Où ça ?* – et se mit à examiner attentivement le banc. Là : à six mètres sur sa droite, il aperçut de nouveau le reflet doré. Ils nagèrent dans cette direction et, une nouvelle fois, s'arrêtèrent : tout près, à moins de trois mètres derrière eux, la Zone good-bye. Même à cette distance, ils ressentaient les remous du courant cherchant à les aspirer dans les profondeurs.

Dépassant du banc de sable, se dressait à hauteur de la taille une sorte de cercle de barrique d'une quinzaine de centimètres. Bien que terni et incrusté de coquillages, il avait été par endroits décapé par le sable et l'on pouvait distinguer le métal luisant.

Sam agita la main pour dégager les abords du cercle. La partie ainsi révélée s'élargit à vingt, puis trente centimètres avant que la courbure du bandeau ne le fît disparaître dans le sable. Sam se mit à creuser dans l'espoir de dégager davantage la surface de la barrique au cas où le bois aurait été épargné par la moisissure.

Puis il s'arrêta et regarda Remi qui, derrière son masque, ouvrait de grands yeux : il ne s'agissait pas de bois pourri mais d'une surface métallique incurvée marbrée de taches vertes de patine. Sam s'agenouilla et s'approcha jusqu'à ce que son torse touchât presque le banc puis tendit le cou et agita sa raquette sous le cercle. Au bout de trente secondes d'effort, une cavité apparut. Lentement, doucement, Sam glissa sa main dans le creux et, les doigts écartés, sonda l'intérieur.

Il retira son bras et recula pour rejoindre Remi. Elle tourna vers lui un regard interrogateur. Il répondit en hochant la tête. Pas de doute : la barrique était en réalité la cloche d'un navire.

– Eh bien, s'exclama Remi quand ils eurent refait surface quelques minutes plus tard, je ne m'attendais pas à cela.

– Tu peux le dire, répondit Sam après avoir retiré son masque. Jusqu'à maintenant, notre plus volumineuse découverte reste le tranchoir en argent provenant d'un Liberty Ship torpillé au cours de la Seconde Guerre mondiale.

Elle ôta ses palmes et les lança par-dessus le plat-bord sur le pont de leur bateau de location – une vedette rapide de vingt-cinq pieds avec un pont en teck – puis, suivie de Sam, grimpa par l'échelle. Lorsqu'ils se furent débarrassés de leur équipement et qu'ils l'eurent rangé dans la cabine, Remi sortit deux bouteilles d'eau de la glacière et en lança une à Sam. Puis ils s'assirent sur les transats.

– À ton avis, depuis combien de temps est-elle là ? interrogea Remi.

– Difficile à dire. La patine s'installe assez rapidement. Il faudrait mesurer l'épaisseur de la couche sur le reste. L'intérieur paraissait relativement intact.

– Et le battant ? demanda Remi.

– Je n'ai pas pu le tâter.

– Je pense qu'il va falloir prendre une décision.

– Absolument.

Le gouvernement tanzanien appliquait en effet quelques lois peu orthodoxes en matière de récupération des épaves et, de plus, l'île de Chumbe était officiellement reconnue comme un parc corallien dont une bonne partie avait été classée en Sanctuaire marin et en Réserve forestière. Avant de faire quoi que ce soit, Sam et Remi devaient d'abord déterminer si la cloche ne se trouvait pas dans l'un de ces secteurs protégés. Une fois cette étape franchie, ils pourraient alors légalement passer à la suivante : découvrir la provenance de la cloche et/ou son pedigree, condition nécessaire s'ils entendaient faire valoir leurs droits, avant d'alerter les autorités de sa présence. Un délicat numéro d'équilibriste. A l'arrivée, soit, dans la meilleure des hypothèses, ils auraient entre leurs mains une trouvaille historique, soit des textes de loi seraient invoqués, et on confisquerait leur découverte et, dans le pire des cas, ils seraient poursuivis en justice. La loi leur permettait de garder tout objet fabriqué de la main de l'homme qui ne nécessiterait « aucune méthode d'excavation particulière ». Des babioles comme une pièce de monnaie ne posaient pas de problème ; la cloche d'un navire, c'était autre chose.

Tout cela, les Fargo le savaient. Sam et Remi Fargo avaient presque toute leur vie recherché des trésors, des objets, des souvenirs historiques, ensemble et séparément, à titre privé ou professionnellement. Ils connaissaient les règles en usage.

Marchant sur les traces de son père, Remi était sortie de Boston College avec deux diplômes : un d'anthropologie et un d'histoire consacré aux routes commerciales dans l'Antiquité.

Le père de Sam, disparu quelques années plus tôt, avait été l'un des principaux responsables des programmes spatiaux de la NASA alors que sa mère, une femme très active, gérait une affaire de bateaux de plongée charters.

Sam avait obtenu un diplôme d'ingénieur de la Caltech ainsi qu'une collection de trophées de hockey sur gazon et de football.

Alors qu'il terminait ses études, Sam fut approché par un homme de l'APRA, comme il le découvrit plus tard. Il s'agissait de l'Agence de développement des projets de recherche avancée : un service gouvernemental qui coiffait tous les projets et lui proposait à la fois de servir son pays et de continuer ses recherches en technique pure. Sam n'avait pas hésité.

Après sept années passées à l'APRA, Sam revint en Californie où il rencontra Remi dans une boîte de jazz de Hermosa Beach : le Phare. Il y était entré pour boire une bière et Remi y fêtait sa dernière trouvaille : l'épave d'un vaisseau espagnol coulé au large de la crique d'Abalone.

Même si ni l'un ni l'autre n'avaient jamais parlé de « coup de foudre », ils ne se quittèrent plus et six mois plus tard, célébraient au Phare leur mariage.

Encouragé par Remi, Sam se lança tête baissée dans des recherches techniques et, en un an, ses efforts avaient payé : il avait mis au point un laser à argon capable de détecter et d'identifier à distance métaux et alliages, de l'or à l'argent au platine et au palladium. Chasseurs de trésors, universités, sociétés privées et compagnies minières se battirent pour acheter les droits d'exploitation de l'invention de Sam et, au bout de deux ans, le Groupe Fargo encaissait un bénéfice annuel net de trois millions de dollars. Bientôt, les grosses sociétés commencèrent à faire des propositions. Sam et Remi acceptèrent l'offre la plus élevée : ils vendirent leur entreprise assez cher pour s'assurer une vie confortable jusqu'à la fin de leurs jours et purent alors s'adonner à leur véritable passion : la chasse au trésor.

L'argent ne les intéressait pas, ils étaient principalement attirés par l'aventure et voulaient que leur fondation se développe. Depuis une dizaine d'années, la Fondation Fargo distribuait des subventions aux associations venant en aide aux enfants défavorisés ou luttant pour la protection des animaux et la conservation de la nature ; l'année précédente, elle avait distribué près de vingt millions de dollars à diverses organisations. Une grande partie de ces sommes provenait de la fortune personnelle de Sam et Remi et le reste de dons privés. Leurs exploits suscitaient l'intérêt des médias, et, par ricochet, attiraient des donateurs riches et connus.

Ils étaient en train de se demander si la cloche du navire pourrait générer des fonds pour leurs activités philanthropiques ou si elle ne représentait qu'une curiosité historique fascinante. Dans un cas comme dans l'autre, ils savaient par où commencer.

– Il est temps d'appeler Selma, dit Remi.

– Allons-y, acquiesça Sam.

Une heure plus tard, ils étaient de retour dans le bungalow qu'ils avaient loué à Kwenda Beach, sur la pointe nord de Zanzibar. Pendant que Remi préparait une salade de fruits accompagnée de tranches de prosciutto et de mozzarella, et du thé glacé, Sam appelait Selma. Au-dessus de leur tête, un grand ventilateur brassait l'air tandis que par la large porte-fenêtre une brise fraîche venant du large agitait le tulle des rideaux.

Bien qu'il ne fût que quatre heures du matin à San Diego, Selma Wondrash comme d'habitude décrocha à la première sonnerie. Selma ne dormait que quatre heures par nuit, sauf le dimanche où elle s'octroyait cinq heures de sommeil.

– Pendant tes vacances, lança sans préambule Selma, tu ne m'appelles que quand tu as des problèmes ou que tu vas en avoir.

– Faux, riposta Sam. L'année dernière nous avons appelé des Seychelles…

– Parce qu'une troupe de babouins avait débarqué dans votre maison sur la plage, saccagé le mobilier avant de décamper avec toutes vos affaires et que la police vous avait pris pour des cambrioleurs.

– *Elle a raison*, marmonna Remi de la cuisine. Elle lança de la pointe de son couteau une tranche d'ananas à Sam, qui l'attrapa dans sa bouche, puis elle applaudit en silence.

– Bon, admit Sam, c'est vrai.

Née en Hongrie dont elle n'avait jamais perdu l'accent, sévère mais au fond un cœur d'artichaut, Selma Wondrash était veuve depuis dix ans : son mari, pilote de chasse dans l'Air Force, avait disparu dans un accident. Elle complétait l'équipe et coordonnait les activités de la Fondation Fargo.

Après avoir terminé ses études à Georgetown, Selma avait dirigé le département des Collections spéciales de la bibliothèque du Congrès jusqu'au jour où elle s'était laissé entraîner par Sam et Remi. Plus qu'une directrice d'études, Selma s'était révélée un extraordinaire agent de voyages et un gourou de la logistique, les envoyant vers les destinations les plus variées et les en ramenant avec une efficacité digne d'un militaire. Selma mangeait, buvait et vivait uniquement pour la recherche : pour le mystère qui refusait obstinément de se laisser éclaircir, pour la légende où n'apparaissait qu'une infime étincelle de vérité.

– Alors, de quoi s'agit-il ? demanda Selma.

– D'une cloche de navire, cria Remi.

Ils entendirent un froissement de papier : Selma dégageait un bloc-notes sur son bureau.

– Vas-y, dit-elle.

– Côte ouest de l'île de Chumbe, répondit Sam en donnant les coordonnées qu'il avait enregistrées sur son GPS avant de regagner la vedette. Il faudra que tu vérifies…

– Les limites des réserves et des sanctuaires, oui, répondit Selma, son crayon crissant sur le papier. Je demanderai à Wendy de se pencher sur la loi maritime de Tanzanie. Rien d'autre ?

– Une pièce de monnaie. En forme de losange, à peu près de la taille d'un demi-dollar américain. Nous l'avons trouvée à environ cent vingt mètres au nord de la cloche… d'après Remi. Nous allons essayer de la nettoyer un peu mais, pour l'instant, la face est à moitié visible.

– Je vois. Ensuite ?

– Il n'y a pas d'ensuite. C'est tout. Occupe-toi de ça dès que possible, Selma. Plus tôt nous pourrons passer un crochet sous cette cloche, mieux ce sera. Le banc de sable n'a pas l'air bien stable.

– Je te rappelle, dit Selma avant de raccrocher.

Chapitre 2

Mexico, Mexique

QUAUHTLI GARZA, LE PRÉSIDENT DES ÉTATS-UNIS DU MEXIQUE et le chef du parti Mexica Tenochca contemplait par la grande baie vitrée la Plaza de la Constitución où s'élevait jadis le Grand Temple. Il n'en restait plus désormais que des ruines imposantes, une attraction pour les touristes désireux de s'extasier devant les tristes vestiges de la magnifique ville de Tenochtitlán et les vingt tonnes de la Pierre du Soleil large de près de quatre mètres.

– Quelle farce, marmonna Quauhtli en observant la foule qui se pressait sur la place.

Une farce qui perdurait malgré ses efforts. Depuis son élection, les Mexicains prenaient conscience de leur passé et comprenaient mieux la véritable histoire de leur pays, que l'impérialisme espagnol avait gommé. Même ce nom de Parti aztèque, dont les journalistes se servaient pour désigner Mexica Tenochca, était une insulte et évoquait cette imposture. Hernan Cortès et ses conquistadors assoiffés de sang avaient baptisé Aztèques le peuple des Mexica, en altérant le nom de son foyer légendaire, Aztlán. Un artifice nécessaire, pour l'instant, Aztèque étant un terme que les Mexicains comprenaient et auquel ils pouvaient s'identifier. Avec le temps, Garza ferait leur éducation.

C'était, en fait, une poussée de nationalisme qui avait amené au pouvoir Garza et le Mexica Tenochca, mais l'espoir que nourrissait ce dernier de voir l'Histoire prendre un tournant commençait à se dissiper. Il se rendait compte que leur victoire aux élections tenait en partie à l'incompétence et à la corruption de l'administration précédente et en partie à ce « sens du spectacle inné des Aztèques » pour reprendre les termes d'un expert de la politique.

Le sens du spectacle ! Quelle absurdité !

Garza n'avait-il pas renoncé depuis des années à Fernando, son prénom de baptême, pour celui de Nahuatl ? Les membres de son cabinet n'en avaient-ils pas fait autant ? N'avait-il pas rebaptisé ses propres enfants pour leur donner des prénoms nahuatl ? On avait même éliminé des programmes scolaires la littérature et les représentations évoquant la conquête du Mexique par les Espagnols ; remplacé les noms des rues et des places par des mots nahuatl, enseigné cette langue et la véritable histoire du peuple mexica ; et plusieurs fois par an, des fêtes religieuses célébraient les grandes dates du folklore mexica. En dépit de ces efforts, les sondages montraient que le peuple mexicain ne voyait là que des occasions de ne pas travailler, de boire et de faire la fête. Les mêmes sondages suggéraient pourtant que, si on leur en laissait le temps, d'authentiques changements se manifesteraient probablement. Garza et le parti Mexica Tenochca avaient besoin d'un second mandat et, pour y parvenir, Garza devait maintenir sous sa coupe le Sénat, la Chambre des députés ainsi que la Cour suprême. Pour le moment, la charge présidentielle se limitait à un mandat non renouvelable de six ans. Pas assez pour accomplir ce que projetait Garza, pas suffisant pour obtenir ce dont le Mexique avait besoin, à savoir une histoire bien à lui, expurgée des mensonges de la conquête et de ses massacres.

Garza revint à son bureau et, pressant un bouton, actionna dans le même temps la descente de stores qui atténuèrent le soleil de midi et l'allumage d'un éclairage indirect qui baigna d'une lumière douce le tapis bordeaux et le lourd mobilier de bois massif. Le bureau de Garza, comme tout ce qui touchait à sa vie, reflétait son héritage mexica : chacun des tableaux ou des tapisseries accroché aux murs évoquait l'histoire aztèque. Ici, un codex de près de quatre mètres et ses illustrations peintes à la main racontant en détail la fondation de Tenochtitlán sur une île marécageuse du lac Texcoco ; là, une image de la déesse aztèque de la lune, Coyolxauhqui ; à l'autre bout de la pièce, du dessus de la cheminée jusqu'au plafond, une tapisserie représentant Huitzilopochtli, le « génie oiseau-mouche », et Tezcatlipoca, le « Miroir fumant », réunis pour veiller sur leur peuple. Au-dessus de son bureau, une peinture à l'huile de Chicomoztoc, sur « la Place des Sept Grottes », d'où venaient selon la légende tous les peuples parlant le nahuatl.

Mais aucune de ces pièces ne le touchait vraiment. Seul, dans un coin de la salle, juché sur un piédestal de cristal et protégé par un cube de verre épais, l'impressionnant Quetzalcoatl, le dieu serpent à plumes des Aztèques. Bien sûr, les représentations du dieu ne manquaient pas ; on les trouvait sur des poteries, des tapisseries et sur d'innombrables codex, mais celle-là était unique en son genre : véritable chef-d'œuvre, cette statuette de dix centimètres de hauteur sur environ quinze de longueur avait été taillée il y a un millénaire par des mains inconnues dans un bloc de jade presque translucide.

Garza s'assit en face du piédestal. Éclairée par une ampoule halogène fixée au plafond, la surface de la statuette semblait tourbillonner, révélant des formes fascinantes et d'irréels reflets de couleurs. Le regard de Garza, suivant les plumes et les écailles de Quetzalcoatl, s'arrêta sur la queue – ou plus exactement, se dit-il, là où elle aurait dû se trouver. Car, au lieu de s'effiler comme une queue de serpent normale, la statuette s'élargissait sur quelques centimètres avant de s'arrêter brusquement sur une verticale dentelée, comme si on l'avait arrachée d'un objet plus grand – théorie avancée par les équipes de savants de Garza et qu'il s'était toujours efforcé de combattre.

La statuette de Quetzalcoatl, ce symbole des Mexica Tenochca, était incomplète. Garza savait ce qui manquait – ou, plutôt, savait que le morceau manquant ne ressemblerait à rien du panthéon aztèque. Cette idée l'empêchait de dormir. Symbole du mouvement Mexica Tenochca dès sa fondation par Garza, cette statuette incarnait la vague de nationalisme qui l'avait amené au pouvoir et, s'il planait maintenant un doute sur sa crédibilité… Une question que Garza n'osait même pas envisager. Il n'acceptait pas l'idée qu'un navire de guerre du XIXe siècle pût anéantir tout ce qu'il avait édifié. Tout cela à cause d'une babiole découverte fortuitement par un plongeur qui la montre à un soi-disant historien, lequel demande l'avis d'un expert. Une sorte de domino qui ferait s'écrouler l'orgueil retrouvé de toute une nation.

La sonnerie de la ligne intérieure tira Garza de sa rêverie. Il éteignit le projecteur à halogène et revint à son bureau.

– Oui, fit-il.

– Il est ici, monsieur le Président.

– Fais-le entrer, répondit Garza en s'asseyant.

Un instant plus tard, Itzli Rivera franchissait les doubles portes. De loin, Rivera paraissait un peu fluet ; il était en effet très maigre – soixante-dix kilos pour un mètre quatre-vingts – et avait un visage étroit et anguleux où pointait un nez de faucon ; mais, quand il s'approcha, Garza se rappela combien son aspect était trompeur. Il n'y avait qu'à voir la cruauté du regard et de la bouche, la démarche déterminée, les muscles tendus et les tendons de ses avant-bras nus. Même sans connaître Itzli Rivera, un observateur avisé discernerait la dureté chez cet homme, qui sur ses ordres en avait fait usage contre de nombreux pauvres bougres, en majorité des adversaires politiques ne partageant pas la vision du Mexique de Garza. Heureusement, il s'avérait plus facile de trouver une vierge dans un bordel qu'un membre incorruptible au Sénat ou à la Chambre des députés, et Rivera avait l'art de découvrir le point faible d'un homme pour l'utiliser à bon escient. Rivera était un partisan convaincu des thèses de Garza et il avait renoncé à son prénom espagnol d'Hector pour celui d'Itzli – « obsidienne » en nahuatl –, un nom qui lui convenait bien, pensait Garza.

Ancien commandant du Groupe aéroporté des Forces spéciales, dit GAFS, et ancien membre de la Deuxième Section de Renseignement du Secrétariat à la Défense, ou S-2, Rivera avait quitté l'armée pour devenir le garde du corps de Garza. Le président, ayant rapidement décelé son véritable potentiel, en avait fait son directeur personnel du renseignement et des opérations.

– Bonjour, monsieur le Président, dit Rivera.

– Bonjour, Rivera. Assieds-toi, assieds-toi. Je peux t'offrir quelque chose ? (Rivera secoua la tête.) Quelle est la raison de cette visite ? demanda Garza.

– Nous sommes tombés sur une chose que vous aimeriez certainement voir, une vidéo. J'ai demandé à votre secrétaire de la charger.

Rivera braqua la télécommande vers l'écran d'un mètre trente encastré dans le mur et appuya sur le bouton Marche. Au bout de quelques secondes de silence, un homme et une femme d'une trentaine d'années apparurent, assis côte à côte sur un fond d'océan. Hors champ, un journaliste posait des questions. Bien que Garza parlât couramment l'anglais, les techniciens de Rivera avaient ajouté des sous-titres en espagnol.

L'interview était brève : pas plus de trois minutes. Quand ce fut terminé, Garza regarda Rivera.

– Et ça veut dire quoi ?

– Ce sont les Fargo : Sam et Remi Fargo.

– Un nom qui devrait signifier quelque chose pour moi ?

– Vous rappelez-vous, l'an dernier, l'histoire à propos de la cave perdue de Napoléon… les Spartiates disparus ?

Garza hochait la tête.

– Oui, oui…

– Les Fargo étaient derrière tout cela. Ils sont très forts dans leur genre.

Garza était maintenant très attentif. Il se pencha en avant dans son fauteuil.

– Où cette interview a-t-elle été enregistrée ?

– À Zanzibar. Par un correspondant de la BBC. Bien sûr, il s'agit peut-être d'une simple coïncidence.

Garza fit non de la main.

– Je ne crois pas aux coïncidences. Et toi non plus, sinon tu ne m'aurais pas parlé de cela.

Pour la première fois depuis son entrée dans le bureau, Rivera manifesta une trace d'émotion : un sourire, de requin certes, mais qui lissa son regard impassible.

– C'est vrai.

– Comment es-tu tombé là-dessus ?

– Après la… révélation…, j'ai demandé à mes techniciens de créer un programme spécial : il repère sur Internet certains mots clés. Dans ce cas : « Zanzibar », « Tanzanie », « Chumbe », « Épaves » et « Trésor ». Les deux derniers, évidemment, concernent les spécialités des Fargo. Dans l'interview, ils ont bien insisté sur le fait qu'il ne s'agissait que de vacances de plongée, mais…

– Juste après le dernier incident… la femme anglaise…

– Sylvie Radford.

Radford, songea Garza. Par chance, cette idiote n'avait pas la moindre idée de ce qu'elle avait trouvé : pour elle, juste une babiole qu'elle avait exhibée partout dans Zanzibar et Bagamoyo en demandant aux gens du pays ce que cela pouvait bien être. Regrettable, mais indispensable, il avait fallu la supprimer, ce dont Rivera s'était occupé avec son talent habituel : une attaque à main armée en pleine rue qui a mal tourné, avait conclu la police.

La découverte de madame Radford ne constituait que le plus ténu des fils : il aurait fallu le démêler avec soin et d'une main experte pour ne pas le rompre. Mais voilà, les Fargo... avaient l'art de suivre les pistes les plus hasardeuses et savaient découvrir quelque chose à partir de rien.

– Aurait-elle parlé de sa trouvaille à quelqu'un ? demanda Garza. Les Fargo disposent de leur propre réseau de renseignements, j'imagine. Auraient-ils eu vent de quelque chose ? précisa Garza en tournant vers Rivera un œil sévère. Dis-moi, Itzli, tu es sûr que rien ne t'a échappé ?

Ce regard qui avait pétrifié plus d'un adversaire politique laissa Rivera de marbre : il se contenta de hausser les épaules.

– J'en doute mais c'est possible, admit-il en souriant calmement.

L'idée d'une éventuelle révélation de madame Radford concernant sa trouvaille ne plaisait guère à Garza ; en revanche, il constatait avec satisfaction que Rivera était capable de reconnaître sans problème qu'il avait pu commettre une erreur. En tant que président, Garza était quotidiennement environné de sycophantes et de béni-oui-oui. Il comptait sur Rivera pour lui dire la vérité sans fard et pour arranger l'inarrangeable et, dans les deux cas, il n'avait jamais été déçu.

– Trouve-moi ce qui se passe, ordonna Garza. Va à Zanzibar et vois un peu ce que mijotent les Fargo.

– Et s'il ne s'agit pas d'une coïncidence ? Ce serait plus difficile à régler que pour l'Anglaise.

– Je suis sûr que tu trouveras un moyen, déclara Garza. Si l'Histoire nous a appris une chose, c'est bien que Zanzibar peut être un endroit dangereux.

Chapitre 3

Zanzibar

Après leur coup de fil à Selma suivi d'une petite sieste, Sam et Remi prirent une douche, se changèrent et enfourchèrent leurs scooters pour descendre le long de la route côtière de Stone Town jusqu'à leur restaurant tanzanien préféré, l'Ekundu Kifaru – en swahili, le « Rhino rouge ». Surplombant le bord de mer, le Rhino rouge était niché entre l'ancien bâtiment des douanes et le Grand Arbre, un vieux figuier géant qui servait de lieu de rendez-vous aux petits constructeurs de bateaux et aux capitaines proposant des excursions pour la journée à Prison Island ou à Bawe Island.

Pour Sam et Remi, Zanzibar (Unguja en swahili) représentait l'Afrique du Vieux Monde. Au cours des siècles, l'île avait été alternativement gouvernée par des chefs guerriers locaux et des sultans, des trafiquants d'esclaves et des pirates, elle avait abrité le siège de compagnies commerciales et été le point de rassemblement de milliers de missionnaires européens, d'explorateurs et de chasseurs de gros gibier. Sir Richard Burton et John Hanning Speke avaient utilisé Zanzibar comme base quand ils cherchaient les sources du Nil ; c'était de là, dans le dédale des ruelles de Stone Town, qu'Henry Morton Stanley avait entamé sa fameuse poursuite de David Livingstone ; et là aussi, à en croire les récits, que le capitaine William Kidd avait sillonné les eaux autour de Zanzibar aussi bien comme pirate que comme chasseur de pirates.

Ils avaient découvert que chaque rue, chaque cour avait une histoire et que chaque édifice avait ses secrets. Jamais ils n'avaient quitté Zanzibar sans en rapporter d'attachants souvenirs.

Lorsqu'ils s'arrêtèrent devant le restaurant, le soleil descendait rapidement vers l'horizon, projetant sur la mer des reflets rouges et or. Il flottait dans l'air une odeur d'huîtres grillées sur les braises.

– Content de vous revoir, monsieur et madame Fargo, lança le responsable du parking en hélant deux serveurs en veste blanche qui se précipitèrent pour ranger les scooters.

– Bonsoir, Abasi, répondit Sam en lui serrant la main tandis que Remi avait droit à une chaleureuse accolade. Ils avaient rencontré Abasi Sibale, toujours souriant, lors de leur premier voyage à Zanzibar six ans auparavant ; ils s'étaient vite liés d'amitié et dînaient au moins une fois avec lui et sa famille lors de leur visite annuelle.

– Comment vont Faraja et les enfants ? demanda Sam.

– Contents de vivre et en bonne santé, merci. Vous viendrez dîner pendant que vous êtes ici ?

– Pas question de manquer ça, acquiesça Remi en souriant.

– Je crois que votre table est prête, dit Abasi.

Sur le pas de la porte les attendait Elimu, le maître d'hôtel. Lui aussi connaissait les Fargo depuis des années.

– Content de vous voir, content de vous voir. Votre table habituelle donnant sur le port est prête.

– Merci, dit Sam.

Elimu les escorta jusqu'à une table d'angle éclairée par une lampe tempête et placée devant des fenêtres ouvertes qui donnaient sur la mer. Au loin, brillaient les lumières de Stone Town.

– Du vin, n'est-ce pas ? demanda Elimu. Voulez-vous voir la carte ?

– Vous avez encore ce pinot noir… le Chamonix ?

– Bien sûr, un 98 et un 2000.

Sam regarda Remi qui dit :
– Je me souviens encore du 98.
– Comme le souhaite madame, Elimu.
– Très bien, monsieur.
Elimu disparut.
– C'est vraiment beau, murmura Remi en contemplant l'océan.
– Je suis d'accord.
Elle détourna son regard de la fenêtre, fit un sourire à son mari et lui pressa la main.
– Tu as pris trop de soleil, observa-t-elle.
On ne sait pourquoi, Sam Fargo avait toujours des coups de soleil sur des parties inattendues de son corps : aujourd'hui, seuls l'arête du nez et le bout des oreilles étaient un peu rouges. Demain, ils seraient bronzés.
– Cela va te démanger plus tard.
– Ça me brûle déjà un peu.
– Alors, toujours aucune idée ? questionna Remi en exhibant la monnaie en forme de losange.
La pièce, après avoir passé l'après-midi dans une cuvette d'acide nitrique à dix pour cent puis dans la préparation secrète de Sam à base de vinaigre blanc, de sel et d'eau distillée, avait été frottée avec une brosse à dents à poils doux. Il restait de nombreuses taches sombres, mais on distinguait quand même un profil de femme ainsi que deux mots, « Marie » et « Réunion », détails qu'ils avaient transmis à Selma avant de quitter le bungalow.
– Pas la moindre, reconnut Sam. Drôle de forme pour une pièce de monnaie.
– Une frappe spéciale, peut-être.
– Possible. Dans ce cas, c'est du beau travail. Le tranchant est bien net, le ciselage précis…
Elimu revint avec le vin qu'il décanta soigneusement ; il leur servit une gorgée à chacun et attendit leur hochement de tête approbateur avant d'emplir à moitié leur verre. Ce pinot

noir était sud-africain, un rouge au bouquet somptueux avec un soupçon de girolle, de cannelle, de noix de muscade et d'autre chose que Sam n'arrivait pas à reconnaître.

Remi but une seconde gorgée et dit :

– Chicorée.

Le téléphone de Sam sonna. Il regarda l'écran, murmura tout bas *Selma* puis répondit :

– Bonsoir, Selma.

Remi se pencha pour écouter.

– Pour moi c'est bonjour. Pete et Wendy viennent d'arriver. Ils s'attaquent au problème du droit tanzanien.

– Parfait.

– Laisse-moi deviner. Vous êtes assis à l'Ekundu Kifaru et vous admirez le coucher de soleil.

– On a ses habitudes, confirma Remi.

– Tu as des nouvelles ? interrogea Sam.

– À propos de ta pièce ? Te voilà devant un autre mystère ?

– Attends une minute, dit Sam en voyant le serveur approcher.

Ils commandèrent un Samakai wa kusonga avec du wali, des beignets de poisson accompagnés de riz et de papadoms et, comme dessert, du N'dizi no kastad – une crème anglaise à la banane. Le garçon repartit et Sam reprit leur conversation.

– Vas-y, Selma. Nous sommes tout ouïe, dit Sam.

– La pièce a été frappée vers le début des années 1690. On n'en a fabriqué que cinquante et on ne les a jamais mises officiellement en circulation. En fait, il s'agissait d'un témoignage d'affection, faute d'un meilleur terme. Le « Marie » sur la face de la pièce fait partie de « Sainte-Marie », le nom d'une commune française située sur la côte nord de l'île de la Réunion, à environ quatre cent milles à l'est de Madagascar.

– Qui est cette femme ?

– Adelise Molyneux, la femme de Demont Molyneux, l'administrateur de Sainte-Marie de 1685 à 1701. À ce qu'on raconte, pour leur dixième anniversaire de mariage, Demont a fait fondre son stock d'or personnel et a fait frapper ces pièces à l'effigie d'Adelise.

– Fichtre, joli geste, apprécia Remi.

– Les pièces étaient censées représenter le nombre d'années que Demont espérait vivre avec elle avant de mourir. Il ne s'est pas trompé de beaucoup : ils sont morts à un an d'intervalle, juste avant leur quarantième anniversaire de mariage.

– Comment cette pièce a-t-elle pu aller jusqu'à Zanzibar ? interrogea Sam.

– C'est ici que la vérité se mêle à la légende, répondit Selma. Tu as entendu parler de George Booth, je présume.

– Le pirate anglais, avança Sam.

– Exact. Il a passé le plus clair de son temps sur l'océan Indien et la mer Rouge. Il a débuté comme canonnier à bord du *Pélican* en 1696, puis du *Dauphin*. Vers 1699, le *Dauphin* a été acculé par une flotte britannique à proximité de l'île de la Réunion. Une partie des membres de l'équipage s'est rendue ; d'autres, parmi lesquels Booth, ont réussi à gagner Madagascar où Booth et un autre capitaine pirate, John Bowen, ont uni leurs forces pour s'emparer du *Vengeur*, un vaisseau négrier de quatre cent cinquante tonneaux, armé de cinquante canons. Booth fut élu capitaine et, aux alentours de 1700, il emmena le *Vengeur* jusqu'à Zanzibar. Ils y débarquèrent pour se ravitailler mais furent attaqués par des troupes arabes. Booth fut tué mais Bowen survécut. Il ramena alors le *Vengeur* dans les eaux de Madagascar avant de mourir quelques années plus tard à Maurice.

– Le *Dauphin* a été acculé près de l'île de la Réunion, répéta Sam. Sait-on à quelle distance de Sainte-Marie ?

– À quelques milles de la côte, répondit Selma. Toujours selon la légende, Booth et son équipage venaient tout juste de faire une descente sur la commune.

– Après avoir raflé les pièces d'Adelise, conclut *Remi.*

– C'est ce que dit la légende. Tout comme Demont Molyneux dans une lettre adressée au roi de France Louis XIV.

– Récapitulons, dit Sam. Booth et les autres rescapés du *Dauphin* emportent les pièces d'Adelise puis rencontrent Bowen. Ensuite, ils s'emparent du *Vengeur* et mettent le cap sur Zanzibar où ils… ils font quoi ? Ils enterrent leur butin sur l'île de Chumbe ? L'immergent dans une eau peu profonde pour le récupérer plus tard ?

– Et si le *Vengeur* n'était jamais reparti ? intervint alors Remi. Peut-être que toutes ces histoires sont fausses et qu'il a été coulé dans le canal.

– Cinquante-cinquante, répliqua Selma, mais, dans un cas comme dans l'autre, la pièce que vous avez trouvée fait partie du lot frappé pour Adelise.

– La question est, reprit Sam, de savoir si notre cloche appartient au *Vengeur ?*

Chapitre 4

Zanzibar

LA TEMPÊTE QUI S'ÉTAIT ABATTUE sur l'île aux premières heures de la matinée s'était éloignée ; l'air était frais et le feuillage autour du bungalow luisant de rosée. Assis sur la véranda dominant la plage, Sam et Remi prenaient leur petit déjeuner : fruits, pain, fromage et café noir. Dans les arbres autour d'eux des oiseaux piaillaient.

Soudain, pas plus gros qu'un petit doigt, un gecko parti du pied du siège de Remi grimpa le long des jambes de la jeune femme, se hissa sur la table, navigua entre les plats pour finalement se réfugier sous le fauteuil de Sam.

– Il a fait fausse route, observa Sam.

– Les reptiles m'aiment bien, affirma Remi.

Une dernière tasse de café avalée, puis ils firent la vaisselle, bouclèrent leur sac et descendirent sur la plage où ils avaient échoué leur vedette. Sam lança leurs affaires par-dessus le bastingage puis se tourna vers Remi.

– Tu remontes l'ancre ? lui demanda-t-elle.

– J'arrive.

Il s'accroupit sur le sable pour la dégager puis la tendit à Remi. Elle disparut et il entendit ses pas s'éloigner sur le pont ; quelques secondes plus tard, le moteur se mit à rugir.

– Ralentis, cria Sam.

– À vos ordres, commandant, répondit Remi.

Sam, les pieds enfoncés dans le sable, poussa la vedette vers la mer et puis sauta à bord.

– Île Chumbe ? demanda Remi par le hublot ouvert du poste de pilotage.

– Île Chumbe, confirma Sam. Nous avons un petit mystère à éclaircir.

Ils se trouvaient à quelques milles de Prison Island quand le téléphone satellite de Sam se mit à sonner. Assis sur la plage arrière, il fouilla dans ses affaires pour prendre l'appareil et appuya sur Marche. C'était Selma.

– J'ai de bonnes et de mauvaises nouvelles, annonça-t-elle.

– Les bonnes d'abord, suggéra Sam.

– D'après le règlement du ministère des Ressources naturelles de Tanzanie, l'endroit où vous avez découvert la cloche est situé hors des limites du site protégé. Il n'y a pas de récif là-bas, aucune protection n'est donc nécessaire.

– Et la moins bonne nouvelle ?

– Le droit maritime de Tanzanie sur la récupération des épaves s'applique toujours : « Aucune méthode extraordinaire d'excavation. » C'est un peu flou, mais il semble qu'une raquette de ping-pong ne suffira pas pour libérer cette cloche. J'ai mis Pete et Wendy au travail sur l'obtention d'un permis... discrètement, naturellement.

Pete Jeffcoat et Wendy Corden – un charmant couple de Californiens bronzés et sportifs, diplômés respectivement d'archéologie et de droit – travaillaient comme stagiaires pour Selma.

– Bien, fit Sam. Tiens-nous au courant.

*

Après une brève halte sur les quais de Stone Town pour faire le plein de carburant et le ravitaillement pour la journée, il leur fallut encore quatre-vingt-dix minutes, sans se presser, en suivant la côte et les chenaux entre les îlots bordant Zanzibar, pour atteindre le site où gisait la cloche. Sam passa à l'avant et jeta l'ancre. L'air était parfaitement calme et le ciel d'un bleu sans nuages. Zanzibar se trouvant juste en dessous de l'équateur, le mois juillet est en hiver, aussi la température ne dépassait-elle pas une trentaine de degrés. Parfait pour la plongée. Il hissa sur la drisse le pavillon Alpha – rouge avec une diagonale blanche – indiquant la présence d'un plongeur et rejoignit Remi sur la plage arrière.

– Bouteilles ou snorkel ? demanda-t-elle.

– Commençons avec le snorkel, répondit Sam, car la cloche n'était que par trois mètres de fond. On regarde soigneusement à quoi on a affaire et on remonte.

Comme la veille et, d'ailleurs, comme quatre-vingt-dix pour cent du temps à Zanzibar, l'eau était étonnamment claire avec des teintes allant du turquoise à l'indigo. Sam bascula par-dessus le plat-bord, aussitôt suivi par Remi. Ils restèrent immobiles quelques secondes pour laisser le nuage de bulles et d'écume se dissiper, puis agitèrent leurs palmes pour descendre. Lorsqu'ils eurent atteint le fond de sable blanc, ils tournèrent à droite et gagnèrent rapidement le bord du banc de sable. Ils plongèrent alors à pic en suivant la face verticale jusqu'à sa base. Là, ils s'arrêtèrent et, agenouillés sur le sable, plantèrent leur couteau de plongée dans le fond en guise de poignée.

Devant eux, ils distinguaient le bord de la Zone good-bye. La tempête de la nuit précédente n'avait pas seulement renforcé le courant dans le chenal principal, elle avait aussi brassé un tas de débris si bien qu'on se serait cru devant un véritable mur de sable d'un brun gris. Un avantage : cela éloignerait les requins des hauts-fonds, mais aussi un inconvénient : même à l'endroit où ils se trouvaient, ils sentaient l'aspiration du courant.

Sam tapota sur son snorkel et pointa son pouce vers le haut. Remi acquiesça de la tête.

Ils remontèrent à grands coups de palmes et émergèrent à l'air libre.

– Tu as senti ça ? demanda Sam.

Remi hocha la tête.

– J'avais l'impression qu'une main invisible essayait de nous attraper.

– Reste bien près du banc.

– Compris.

Ils plongèrent de nouveau. Arrivé au fond, Sam consulta son GPS pour s'orienter puis désigna le sud et fit signe à Remi : *dix mètres.* Regagnant la surface, ils nagèrent l'un derrière l'autre, Sam devant, un œil sur le GPS, un autre sur sa position. Puis il s'arrêta de nouveau et pointa son index vers le bas.

Là où ils avaient repéré la cloche dépassant du banc de sable, il n'y avait maintenant rien d'autre qu'un cratère en forme de barrique. Ils regardèrent avec anxiété à droite et à gauche. Ce fut Remi qui l'aperçut la première : une indentation incurvée sur le fond, à trois mètres sur leur droite, reliée à une autre indentation par une ligne sinueuse comme la trace d'un serpent. Même chose un peu plus loin. Ils suivirent des yeux le tracé jusqu'au moment où, six mètres plus loin, ils distinguèrent une masse sombre qui dépassait du sable. La cloche.

On pouvait facilement imaginer ce qui s'était passé : dans la nuit, les vagues avaient déferlé sur le banc, rongeant lentement mais sûrement le sable autour de la cloche jusqu'à la faire changer de place et l'entraîner plus loin jusqu'à ce que la tempête s'apaise.

Sam et Remi se regardèrent avec des hochements de tête d'excitation. La loi tanzanienne leur interdisait des « méthodes extraordinaires d'excavation », mais Mère Nature était venue à leur secours.

Ils se dirigèrent vers la cloche mais, à peine avaient-ils parcouru la moitié de la distance, que Sam retint Remi de la main. Elle s'était déjà arrêtée et regardait droit devant elle. Elle avait vu la même chose que lui.

La cloche s'était immobilisée au bord du précipice, la robe, l'épaule et le joug enfoncés dans le sable, la lèvre inférieure et le battant pendant dans le vide.

Revenus à la surface, ils reprirent leur souffle.
– Elle est trop grosse, dit Remi.
– Trop grosse pour quoi ? Pour la bouger ?
– Non, pour provenir du *Vengeur.*
Sam réfléchit.
– Tu as raison. Je n'avais pas remarqué.
Le *Vengeur* était censé avoir un déplacement de quatre cent cinquante tonneaux et, compte tenu des mesures de l'époque, sa cloche n'aurait pas pesé plus de vingt-cinq kilos. Leur cloche était plus grosse.
– De plus en plus curieux, dit Sam. Rentrons au bateau. Il nous faut un plan.

Ils étaient à six mètres de la vedette quand ils entendirent gronder des moteurs diesels derrière eux. Ils approchèrent de l'échelle et, en se retournant, virent à cent mètres de là une canonnière des gardes-côtes tanzaniens. Sam et Remi grimpèrent sur la plage arrière de leur bateau et se débarrassèrent de leur équipement.
– Souris et salue de la main, murmura Sam.
– On a un pépin ? chuchota Remi sans cesser de sourire.
– Aucune idée, mais on ne va pas tarder à le savoir, fit Sam en continuant à agiter les bras.
– Il paraît que les prisons tanzaniennes sont désagréables.
– Toutes les prisons sont désagréables. Tout cela est relatif.
La canonnière vira de bord à dix mètres d'eux et se rangea parallèlement à eux, son étrave contre leur poupe. Sam constata alors qu'il s'agissait d'un patrouilleur chinois *Yulin* des années 1960 modernisé. Ils en avaient rencontré à chacun de leurs voyages et Sam, toujours intéressé, avait fait

quelques recherches : douze mètres de long, jauge dix tonnes ; deux moteurs diesels de six cents chevaux ; deux canons jumelés de 12,7 mm à l'avant et à l'arrière.

Deux marins en combinaison de camouflage se tenaient sur la plage arrière et deux autres sur le gaillard d'avant. Tous armés de kalachnikovs. Un grand Noir en uniforme blanc impeccable, certainement le capitaine, sortit de la cabine et s'approcha de la rambarde.

– Ohé du bateau, lança-t-il.

Contrairement à ceux qu'ils avaient connus lors de leurs précédentes rencontres avec les gardes-côtes, ce capitaine-là arborait un visage sévère : pas de sourire accueillant ni de plaisanterie à la bouche.

– Ohé du canot, répondit Sam.

– Simple contrôle de sécurité. Nous allons monter à bord.

– Je vous en prie.

Les moteurs de la canonnière se remirent à gargouiller et le *Yulin* s'approcha à moins de trois mètres. Les moteurs tournant maintenant au ralenti, il glissa pour stopper à côté. Les marins de la plage arrière lancèrent des coussinets de caoutchouc par-dessus bord puis empoignèrent le bastingage de la vedette et rapprochèrent les deux embarcations. Le capitaine sauta par-dessus le plat-bord pour se poser comme un chat sur la plage arrière de la vedette auprès de Sam et de Remi.

– Je vois que vous avez hissé le pavillon Alpha, dit-il.

– Nous faisons un peu de plongée, expliqua Sam.

– Le bateau est à vous ?

– Non, nous l'avons loué.

– Vos papiers.

– Ceux du bateau ?

– Et vos certificats de plongée.

– Je vais les chercher, dit Remi en descendant les marches de la cabine.

– Quelles sont les raisons de votre visite ici ? demanda le capitaine à Sam.

– À Zanzibar ou ici précisément ?

– Les deux, monsieur.

– Juste des vacances. L'endroit semblait agréable. Nous étions déjà venus hier.

Remi revint avec les documents et les tendit au capitaine qui examina le contrat de location puis leurs permis de plongée. Il releva les yeux et les regarda un moment.

– Vous êtes Sam et Remi Fargo.

Sam acquiesça.

– Les chasseurs de trésor.

– Faute d'un meilleur terme, dit Remi.

– Vous cherchez des trésors à Zanzibar ?

– Ce n'est pas pour cela que nous sommes venus, précisa Sam en souriant, mais nous essayons de garder les yeux bien ouverts.

Par-dessus l'épaule du capitaine, derrière les vitres teintées de la cabine du *Yulin*, Sam aperçut une silhouette qui semblait les dévisager.

– Vos yeux ont-ils vu quelque chose durant cette visite ?

– Une pièce de monnaie.

– Vous connaissez la loi tanzanienne à ce sujet ?

Remi hocha la tête affirmativement.

– Parfaitement.

Sur le *Yulin*, quelqu'un frappa sur le hublot de la cabine.

Le capitaine jeta un coup d'œil derrière lui, dit à Sam et Remi « Attendez ici » puis enjamba le bastingage pour s'engouffrer dans la cabine de la canonnière. Il réapparut une minute plus tard pour venir les rejoindre.

– La pièce que vous avez trouvée… décrivez-la.

Sans hésitation, Remi répondit :

– Ronde, en cuivre, environ les dimensions d'une pièce de cinquante shillings. Très abîmée par l'eau de mer. Nous n'avons pas réussi à savoir de quoi il s'agissait.

– Vous l'avez avec vous ?

– Non, dit Sam.

– Et vous dites que vous ne recherchez aucune épave ni trésor précis ?

– C'est exact.

– Où habitez-vous à Zanzibar ?

Sam ne voyait pas l'intérêt de mentir : ils vérifieraient de toute façon.

– Un bungalow à Kendwa Beach.

Le capitaine leur rendit leurs papiers et porta la main à sa casquette.

– Bonne journée.

Sur quoi il regagna son bord. Les moteurs de la canonnière se mirent à rugir, les matelots poussèrent pour s'éloigner et le navire vira de bord cap à l'ouest en direction du chenal. Sam descendit dans la cabine pour en ressortir avec une paire de jumelles qu'il braqua aussitôt sur le *Yulin*. Au bout de vingt secondes, il les reposa.

– Alors ? demanda Remi.

– Il y avait quelqu'un dans le poste de pilotage qui donnait des ordres.

– L'homme qui a frappé au hublot ? demanda Remi. Tu as pu le voir ?

Sam acquiesça.

– Pas noir et pas en uniforme. Type hispanique… méditerranéen peut-être. Mince, nez aquilin, sourcils épais.

– Quel genre de civil non tanzanien aurait le pouvoir de donner des ordres sur une canonnière des gardes-côtes ?

– Quelqu'un qui a les poches bien remplies.

Même si on aimait bien la Tanzanie, Zanzibar et ses habitants, on ne pouvait nier que la corruption y régnait. La plupart des Tanzaniens ne gagnaient qu'une poignée de dollars par jour ; les militaires, guère plus.

– Ne nous inquiétons pas. Pour l'instant, nous ne savons rien. Cela dit, une question, Remi : pourquoi as-tu menti à propos de la pièce ?

– Réaction instinctive, répondit Remi. Tu crois que j'aurais dû...

– Non, j'ai eu la même réaction. Les gardes-côtes tanzaniens ne disposent que de deux canonnières pour couvrir la côte centrale, le chenal principal et Zanzibar. J'ai eu l'impression que c'étaient nous qu'ils cherchaient.

– Moi aussi.

– Et pour ce qui est du contrôle de sécurité, celui-là était bâclé. Ils n'ont rien demandé à propos des gilets de sauvetage, de la radio ni du matériel de plongée.

– Et quand avons-nous rencontré un fonctionnaire tanzanien qui n'était pas aimable et souriant ?

– Jamais, répondit Sam. Et pour la pièce d'Adelise...

Remi fit coulisser la fermeture à glissière de la poche de son short de plongée, en retira la pièce et l'exhiba en souriant.

– Bien joué, apprécia Sam.

– Tu crois qu'ils vont perquisitionner le bungalow ?

Sam haussa les épaules.

– Aucune idée, mais désormais tenons-nous sur nos gardes.

Chapitre 5

Zanzibar

LES HEURES SUIVANTES, ILS LES PASSÈRENT à siroter de l'eau glacée assis sur la plage arrière de la vedette, en écoutant les vagues qui la berçaient. Trente minutes après son départ, le *Yulin* fit deux nouvelles apparitions à un mille de là, croisant d'abord du nord au sud, puis du sud au nord. Ensuite, plus rien.

– J'ai bien peur que la cloche n'ait basculé dans le creux, déclara Remi. Je l'imagine dévalant la pente.

– Moi aussi, mais je préfère prendre le risque ; ils pourraient revenir pendant que nous sommes en train de la remonter. Attendons encore une vingtaine de minutes. Dans le pire des cas, elle sera sans doute encore récupérable.

– C'est vrai, mais à cinquante mètres de fond, les choses commencent à devenir délicates. Descendre ne serait pas si terrible, mais quant à la retrouver…

Après une dégringolade d'une cinquantaine de mètres, la cloche, bien que massive, pouvait se retrouver à peu près n'importe où, exactement comme la bille lâchée par un enfant dans la salle à manger pouvait rouler jusque sous le réfrigérateur dans la cuisine.

– Et, une fois que nous l'aurons repérée, ce sera une autre paire de manches de la remonter à la surface. Il nous faudrait du matériel plus sophistiqué, avec compresseur, sacs de plongée, treuil…

Sam hochait la tête. Impossible en effet de dissimuler aux regards curieux des activités de cette ampleur. Le simple fait de louer l'équipement à Stone Town – même anonymement – déclencherait des rumeurs. À la fin de la journée, des badauds s'attrouperaient sur le rivage et des bateaux – dont, peut-être, la canonnière et son mystérieux passager – viendraient croiser au large.

Espérons que nous n'en arriverons pas là.

Ils amenèrent la vedette à une dizaine de mètres de l'emplacement de la cloche. Sam descendit sur le côté et coinça l'ancre derrière un rocher qui faisait saillie puis, quand il fut remonté à bord, ils déroulèrent les trente mètres de grosse corde d'ancre qu'ils avaient achetée à Stone Town. Ils la firent passer autour des taquets bâbord et tribord du plat-bord, puis serrèrent la boucle au centre avec un anneau vissé dans le pont. Quant au reste de la corde, ils le lancèrent à l'eau par l'arrière. Deux minutes plus tard, munis de leur snorkel, ils battaient des palmes en tirant le cordage derrière eux.

À leur grande surprise, ils retrouvèrent la cloche là où ils l'avaient laissée, au bord du précipice, mais ils constatèrent aussitôt que la situation semblait plus précaire qu'ils ne l'avaient prévu. Le sable sous la cloche s'érodait régulièrement, le courant arrachant des pans de sable et des éclats de roche.

Remi passa l'extrémité de la corde dans le mousqueton de sa ceinture puis la tendit à Sam qui en fit autant avant de prendre le mousqueton entre ses dents.

Ils nagèrent jusqu'à la surface pour aspirer quelques grandes goulées d'air et replongèrent.

Sam fit signe à Remi : *Photos.* Si le pire se produisait – s'ils perdaient la cloche –, des images leur donneraient au moins une chance de l'identifier. Tandis que Remi commençait à photographier, Sam s'avança pour jauger le précipice : la pente n'était pas tout à fait verticale, elle faisait plutôt un angle de soixante à soixante-cinq degrés. Peu importait d'ailleurs car, comme l'avait deviné Remi tout à l'heure, la cloche pesait dix ou quinze kilos de plus que celle du *Vengeur* et, si elle décidait de basculer vers le fond, cet angle ne ralentirait donc que légèrement sa chute.

Soudain, comme en écho à ses réflexions, le monticule de sable qui soutenait la cloche s'affaissa. Sa partie supérieure se mit à tanguer puis, après avoir hésité un instant, elle commença à glisser le long de la déclivité.

Dans un réflexe qu'il regretta aussitôt, Sam fléchit les jambes, donna un violent coup de pied sur le sable et suivit la cloche dans le gouffre. Après le cri étouffé de Remi qui appelait « Sam ! », il n'entendit plus que le déferlement du courant. Des grains de sable – comme un millier de piqûres d'abeille – lui criblaient le corps. Entraîné par le flot, Sam atteignit, espéra-t-il, le bord du banc, mais les doigts tendus de sa main droite heurtèrent quelque chose de dur et il ressentit un violent élancement à l'auriculaire. Malgré la douleur, il comprit que la cloche prenait de la vitesse. Sa vue commença à se brouiller tandis que ses poumons absorbaient les dernières molécules d'oxygène et que son cœur battait à tout rompre.

Tâtonnant dans le tourbillon, il glissa sa main dans la panse de la cloche puis remonta. Ses doigts trouvèrent l'ouverture du haut. Levant alors sa main gauche jusqu'à sa bouche, il attrapa le mousqueton et le fit passer par l'ouverture supérieure. Il l'enroula autour de la corde et, se servant de son pouce, le referma énergiquement.

La cloche s'arrêta brusquement et la corde émit une vibration étouffée. Sam lâcha prise et se mit à glisser vers le fond, ses mains cherchant à se raccrocher à la cloche. Puis, soudain, il sentit sa paume déraper sur quelque chose de dur et, en même temps, un nouvel élancement dans son auriculaire. Le cordon, se dit-il. Ses doigts recourbés s'étaient posés sur le cordon juste au bord de la cloche. Tendant l'autre main, il le saisit puis se hissa vers le haut, ses deux jambes battant l'eau à contre-courant jusqu'à ce qu'il aperçoive un galon blanc se détachant sur le tourbillon du sable, le filin de l'ancre. Tandis qu'il l'attrapait il sentit des doigts lui effleurer la nuque et, dans la pénombre, apparut un visage : Remi. Sa vision commençait à se brouiller. Remi descendit le long de la corde de l'ancre, l'agrippa de la main droite et se mit à tirer.

Instinctivement, Sam s'accrocha au câble et entreprit de remonter.

Dix minutes plus tard, il était assis sur son transat, les yeux fermés, la tête renversée. Au bout d'un moment, il se redressa et ouvrit les yeux : Remi, assise sur le plat-bord, l'observait.

– Ça va mieux ? demanda-t-elle doucement en lui tendant une bouteille d'eau.

– Oui. Beaucoup mieux. Sauf que je me suis foulé le petit doigt. Ça fait mal.

Il l'examina : le doigt était droit mais gonflé. Le plier lui arracha une grimace.

– Il n'est pas cassé. C'est déjà ça.

– Autre chose ne va pas ? (Sam secoua la tête.) Bon, se réjouit-elle. Sam Fargo, tu fais vraiment n'importe quoi.

– Comment ça ?

– Qu'est-ce qui t'a pris de te précipiter comme ça après cette cloche ?

– Une réaction stupide. Le temps de réaliser ce que je faisais, il était trop tard. Tu sais ce que c'est…

– Un aller simple vers le fond de l'océan, répliqua Remi en secouant la tête. Je te jure, Fargo…

– Pardon, dit Sam. Et merci d'être venue me repêcher.

– Vraiment n'importe quoi, répéta-t-elle en se levant pour l'embrasser sur la joue. Mais je t'aime bien malgré tout. Et tu n'as pas besoin de me remercier… mais c'est gentil quand même.

– Rassure-moi, nous l'avons toujours ? fit Sam en jetant un regard inquiet autour de lui. Hein, elle est toujours là ? répéta-t-il, encore soucieux.

Remi désigna l'arrière : la corde de l'ancre, aussi tendue qu'une corde à piano, pendait dans l'eau.

– Pendant ta sieste, je lui ai fait remonter la pente. Elle doit être à un mètre cinquante du bord.

– Beau travail.

– Ne t'excite pas. Il faut encore la hisser.

– Ne t'inquiète pas, Remi, dit Sam en souriant, la physique joue pour nous.

Toutefois, avant de mettre à exécution le plan de Sam, ils durent exécuter une manœuvre préalable. Sam, son doigt blessé enveloppé d'un bout de conduit en caoutchouc, se posta à l'arrière pour donner un peu de mou à la corde de l'ancre et, de la main, guida Remi qui avait actionné la marche arrière de la vedette. Quand ils se trouvèrent presque juste au-dessus de la cloche, il libéra la corde des taquets, remonta le mou qu'il lui avait donné puis fit une boucle qu'il bloqua de nouveau.

– En avant doucement, dit Sam. Tout doux.

– Entendu.

Remi poussa la manette des gaz centimètre par centimètre. Sam, penché à l'arrière, son masque plongé dans l'eau, suivait la progression de la cloche sur le sable. Lorsqu'elle fut à six mètres du bord du précipice, il cria : « Stop » et Remi coupa les gaz.

Sam fixa alors le masque sur son visage et plongea pour examiner la situation. Une minute plus tard, il refaisait surface.

– Elle m'a l'air en bon état. Pas trop de coquillages, ce qui signifie qu'elle est probablement coincée sur ce banc depuis mal de temps.

Remi lui tendit la main et l'aida à remonter à bord.

– Elle n'est pas endommagée ?

– Pas d'après ce que j'ai pu voir. Elle est épaisse, Remi : sans doute plus de trente kilos.

– Un gros morceau, fit-elle avec un petit sifflement. Donc, le bateau jaugeait… environ mille tonneaux.

– Entre mille et douze cents, bien plus que le *Vengeur.* Le voisinage de la pièce d'Adelise et de la cloche est une pure coïncidence.

*

La cloche ne risquant plus de tomber dans le chenal, ils détachèrent la corde et s'éloignèrent d'une centaine de mètres ; ils se glissèrent alors par le petit goulet à l'arrière de l'île et débouchèrent dans le lagon.

Aussi large que long – environ huit cents mètres –, le lagon était en fait une mangrove. De l'eau émergeait une vingtaine d'« îles flottantes », sortes de calottes de terre juchées sur des racines noueuses de palétuviers. Les plus petites permettaient tout juste à un homme de s'y tenir debout, les plus grandes étaient de la surface d'un garage pour deux voitures, toutes couvertes d'herbes folles et la plupart abritant des forêts miniatures et des buissons. À l'extrémité sud du marécage se nichait une crique étroite et, derrière, un bouquet de cocotiers. Un endroit où régnait un calme étrange, sans un souffle d'air.

– On n'en voit pas tous les jours des coins comme celui-là, murmura Remi.

– Pas trace d'Alice ni du Chapelier fou ?

– Non, touche du bois.

– Avançons, la nuit va tomber.

Ils se frayèrent un chemin parmi les îles flottantes, jetèrent l'ancre juste devant la crique et pataugèrent jusqu'à la plage.

– Combien nous en faudra-t-il ? interrogea Remi tout en passant un élastique autour de ses cheveux pour se faire un chignon.

– C'est magique, la façon dont tu fais ça, apprécia Sam en souriant.

– Nous sommes une espèce étonnante, reconnut Remi en essorant les pans de sa chemise. Alors, combien ?

– Six. Non, cinq.

– Tu es sûr que nous ne pourrions pas trouver ce dont nous avons besoin à Stone Town et revenir ensuite discrètement ici ?

– Tu veux prendre le risque ? Quelque chose me dit que ce capitaine de canonnière se ferait un plaisir de nous arrêter. S'il croit que nous lui avons menti…

– Tu as raison, beau naufragé, alors fabriquons ton radeau.

*

Ils trouvèrent sans mal une abondance d'arbres abattus, mais bien peu aux dimensions qui leur convenaient. Sam en repéra cependant cinq d'environ deux mètres cinquante de long et de la largeur d'un poteau télégraphique. Aidé de Remi, il les traîna un par un jusqu'à la plage où ils les alignèrent sur le sable.

Sam se mit au travail. La construction était d'une grande simplicité, expliqua-t-il en attrapant un bout de bois flottant pour dessiner un plan sur le sable.

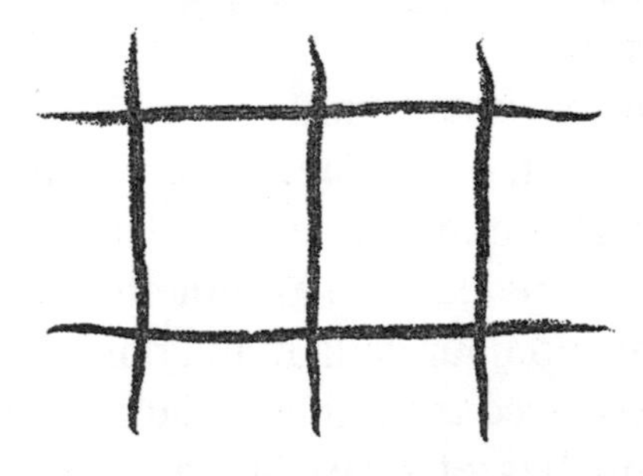

– Ce n'est pas exactement le *Queen Mary,* le taquina Remi.

– Pour ça, rétorqua Sam, il me faudrait encore au moins quatre troncs.

– Pourquoi les as-tu choisis avec des extrémités proéminentes ?
– Pour la stabilité et l'effet de levier.
– Pour quoi faire ?
– Tu verras. Pour l'instant, il me faut de la corde, quelques douzaines de bouts d'un mètre quatre-vingts.
– À vos ordres, capitaine, fit Remi en saluant.

Au bout d'une heure de travail, Sam se redressa et contempla sa création. À son regard concentré, Remi devina que son mari traçait des équations dans sa tête. Au bout d'une minute, Sam hocha la tête.
– Bon, ça devrait flotter, annonça-t-il. Avec même une marge de vingt pour cent.

Remorquant le radeau, ils reprirent le goulet jusqu'au côté occidental de l'île et, en suivant le rivage, ils gagnèrent l'endroit où reposait la cloche. S'aidant de la gaffe, Sam manœuvra le radeau pour le disposer entre la vedette et le rivage puis l'attacha aux taquets.
– Selon moi, nous devrions avoir droit à une nouvelle visite, dit Sam en s'asseyant sur un transat.
Remi l'imita. Et tous deux se désaltérèrent en regardant la mer : une demi-heure plus tard, à un demi-mille au nord, apparut le *Yulin*.
– Bonne intuition, nota Remi.
Le *Yulin* ralentit et, de la plage arrière, Sam et Remi purent voir une silhouette en uniforme blanc debout sur le pont, le soleil allumant des reflets sur ses jumelles.
– Souris et fais bonjour de la main, conseilla Sam.
Ce qu'ils firent avec ensemble jusqu'à ce que la silhouette abaissât ses jumelles et disparût dans la cabine. Le *Yulin* vira de bord et repartit vers le nord. Sam et Remi attendirent qu'il eût disparu derrière la courbe de l'île puis se remirent à l'ouvrage.

L'ancre déjà préparée dans une main, Sam chaussa ses palmes, enfila son masque et roula par-dessus bord. Après quelques efforts, il parvint à centrer le radeau au-dessus de la cloche. Il noua l'extrémité du filin de l'ancre à l'autre bout du radeau, plongea de manière à bien le tendre puis enfonça les ailes de l'ancre dans le sable.

Remonté à la surface, il attrapa le bout que Remi lui lançait puis l'enroula au tronc central du radeau, plongea une nouvelle fois et fixa le mousqueton à l'anse de la cloche. Une minute plus tard, de retour sur la plage arrière, il attachait solidement aux deux taquets le bout tendu par Remi.

Les poings sur les hanches, il examina l'installation.

– Tu es assez content de toi, n'est-ce pas ? lui lança Remi en souriant.

– Ma foi, oui.

– Tu as raison, mon intrépide ingénieur.

– Allons-y, ordonna Sam en claquant dans ses mains.

Remi tenait la barre.

– En avant, doucement, lui ordonna-t-il.

– En avant, doucement, répéta Remi.

À l'arrière, l'eau se mit à bouillonner et la vedette avança lentement d'une trentaine puis d'une soixantaine de centimètres. La corde accrochée aux taquets se souleva hors de l'eau pour se plaquer sur la poutre centrale du radeau.

– Ça a l'air de marcher, dit Sam. Continue.

Le radeau commença à bouger en se rapprochant de la poupe.

– Allez, murmura Sam. Allez…

De l'autre côté du radeau, la corde de l'ancre, en se tendant, freinait la traction de la vedette. Sam passa son masque, se pencha par-dessus bord et plongea la tête dans l'eau. Quatre mètres plus bas, la cloche avançait à quelques centimètres au-dessus du fond.

– Qu'est-ce que ça donne ? demanda Remi.

– Une merveille. Continue.

Peu à peu, avec la plus grande prudence, ils remontèrent la cloche jusqu'à ce que l'anse apparaisse à la surface.

– Au ralenti maintenant ! ordonna Sam. Juste ce qu'il faut pour maintenir la position.

– Au ralenti ! répéta Remi.

Sam saisit le bout de deux mètres posé sur le pont et plongea. En trois brasses, il était auprès du radeau. Cinq boucles autour de l'anse de la cloche, un nœud marin autour de la poutre centrale : la cloche était bien arrimée. Sam leva les mains dans un geste triomphant, tel un cow-boy qui vient de prendre un veau au lasso.

– Ça y est ! cria-t-il.

Les moteurs de la vedette s'arrêtèrent dans un ultime crachotement. Remi passa sur la plage arrière en souriant et, imitant Sam, leva les deux pouces.

– Hum ! se reprit-il, l'air sérieux, je réfléchis.

– J'étais certaine que tu allais dire ça !

Chapitre 6

Zanzibar

A VRAI DIRE, C'ÉTAIT TOUT RÉFLÉCHI : n'osant pas remorquer la cloche en remontant la côte jusqu'à leur bungalow, ils devaient donc trouver un endroit sûr où la cacher en attendant de prendre quelques dispositions.

Tout en reconnaissant qu'ils avaient peut-être fait une montagne de la visite du *Yulin*, ils continuaient à se fier à leur instinct et estimaient que les apparitions répétées de la canonnière ne devaient rien au hasard. Les questions du commandant ne tendaient en effet qu'à lui permettre de déceler ce que cherchaient précisément les Fargo. Donc quelqu'un – la silhouette peut-être qui se dissimulait dans la cabine du *Yulin* – était sur le qui-vive : auraient-ils découvert un objet qui l'intéressait ? Et alors lequel ? La cloche, la pièce d'Adelise ou autre chose de tout à fait différent ?

– Nous devons nous décider, récapitula Sam. Attendons-nous pour voir ce qui se passera ou bien secouons-nous un peu l'arbre ?

– Je n'aime pas beaucoup rester assise sans rien faire.

– Je sais. Moi non plus.

– Que proposes-tu ?

– De nous conduire comme des gens qui cherchent à cacher quelque chose.

– Nous sommes, répondit Remi, des gens qui cherchent à cacher quelque chose : une cloche de bateau qui pèse près de cent kilos suspendue à un radeau fait maison.

Sam éclata de rire : sa femme avait vraiment l'art de résumer les situations.

– Si nous ne grossissons pas démesurément les choses, ces gens – quels qu'ils soient – ont probablement déjà perquisitionné le bungalow.

– Sans rien trouver.

– Exact. Donc, ils nous surveillent et attendent que nous rentrions.

– Exact. Bravo, Sherlock Holmes, applaudit Remi en levant les yeux au ciel.

Remorquant la cloche et le radeau, ils rentrèrent par le goulet et le lagon. Dans deux heures, il ferait nuit : ils commencèrent à patrouiller dans le périmètre de la mangrove à la recherche d'une cachette acceptable pour le radeau ; ils finirent par la trouver sur la partie est, dans un bouquet de cyprès qui poussaient à l'oblique depuis la rive. Ils firent glisser le radeau sous les branches pendantes à l'aide de la gaffe, puis Sam plongea et l'arrima à un des troncs.

– Qu'en penses-tu ? cria Sam dissimulé derrière le rideau de feuillage.

– On ne voit vraiment rien. Il faudrait qu'ils entrent là-dedans pour le repérer.

Ils regagnèrent l'entrée du goulet – Sam en profitant pour pêcher quatre petits vivaneaux – puis ils retournèrent dans le lagon et pataugèrent jusqu'à la plage. Remi, plus experte dans l'art de détacher les filets, prépara le poisson pendant que Sam ramassait du bois pour le feu. Bientôt les filets grésillaient et, tandis que le soleil descendait derrière les cocotiers, ils se mirent à table.

– Tu sais, dit Remi en écaillant un morceau de poisson, cette vie à la dure me plaît bien. Enfin, dans une certaine mesure.

– Je comprends.

Il le pensait vraiment. Remi était un vrai petit soldat, elle avait affronté tous les défis et tenu bon à ses côtés dans la neige et dans la boue, essuyant au besoin des coups de feu et faisant face quand on les poursuivait. Cela dit, tout comme lui, elle appréciait aussi le confort.

– Une fois réglé le problème de notre mystérieuse cloche, ajouta-t-il, nous irons à Dar es Salaam, nous prendrons une suite au Royal et nous boirons un gin tonic sur notre balcon en commentant le dernier match de cricket.

Le regard de Remi s'éclaira : le Royal Palm ! L'unique hôtel cinq étoiles de Dar es Salaam.

– Sam Fargo, tu sais trouver les mots qui me vont droit au cœur.

– Mais d'abord, reprit-il en regardant le soleil couchant et en consultant sa montre, il faut nous préparer pour nos invités.

La nuit tombait et le crissement des sauterelles commença à animer le lagon. Dans les arbres du rivage et dans les buissons qui couronnaient les îles flottantes, des lucioles leur répondaient en faisant cligner leurs ailes. Sam avait manœuvré la vedette entre deux des plus grandes îles flottantes et jeté l'ancre, l'arrière tourné vers l'ouest. Le ciel était clair, une toile de fond noir parsemée de points lumineux avec une demi-lune entourée d'un vague halo.

– Il pourrait bien pleuvoir demain, observa Sam.

– Ce conte de bonnes femmes s'applique aussi à l'hémisphère austral ?

– On verra bien.

Assis sur la plage arrière, ils buvaient leur café à petites gorgées dans le noir et contemplaient le ballet lumineux que leur offraient les insectes. De leur place, ils voyaient et l'entrée du lagon et la plage où se dressait la tente rudimentaire constituée d'un bout de toile trouvé dans un coffre du bateau. Derrière, brillait la faible lueur d'une lanterne et, à quelques mètres devant, brûlait un petit feu pour lequel Sam avait prévu suffisamment de branches de cocotier afin de l'alimenter toute la nuit.

– Longue journée, fit Remi en bâillant.

– Va sous la tente et dors un peu, suggéra Sam. Je prendrai le premier tour de garde.

– Tu es un amour. Réveille-moi dans deux heures.

Un petit baiser sur la joue et elle avait disparu.

Il ne se passa rien pendant les deux premiers quarts. Vers la fin de la sixième heure, peu avant trois heures, Sam crut entendre au loin un grondement assourdi de moteurs, mais le bruit s'affaiblit. Il reprit cinq minutes plus tard, cette fois plus fort et plus proche. Quelque part au nord. Sam scruta à la jumelle l'entrée du lagon mais ne vit rien d'autre que des rides sur l'eau, là où le courant s'engouffrait dans le goulet. Le bruit des moteurs s'atténua de nouveau. Non, se dit Sam, il s'est totalement arrêté, comme si on avait coupé les moteurs. Il porta une nouvelle fois les jumelles à ses yeux.

Une minute s'écoula. Deux minutes. Puis, encore deux minutes plus tard, une ombre apparut dans le goulet. L'objet, tel un museau de requin, semblait flotter à un mètre environ au-dessus de la surface. Avançant tout doucement, le Zodiac débouchait sans bruit du goulet pour s'engager dans le lagon. Trente secondes plus tard, un autre Zodiac apparut, suivi d'un troisième. Ils dérivèrent en file indienne sur une quinzaine de mètres avant de se mettre en formation à tribord pour pénétrer dans le lagon proprement dit.

Sam descendit les marches à pas prudents, s'approcha de la couchette et toucha le pied de Remi qui dressa aussitôt la tête.

– On a de la compagnie, chuchota Sam.

Elle acquiesça sans rien dire et, quelques secondes plus tard, de retour sur la plage arrière, ils passaient par-dessus le plat-bord et se glissaient dans l'eau. Sam tendit le bras derrière lui et saisit la seule arme dont ils disposaient, la gaffe.

Ils avaient déjà répété leur plan, et il ne leur fallut donc que quelques secondes pour gagner à la nage l'île flottante la plus proche. Remi en tête, ils se frayèrent un chemin entre le labyrinthe des racines de palétuviers jusqu'au creux situé au milieu du lagon et dont ils connaissaient déjà les dimensions : un mètre de diamètre et près de deux mètres cinquante de profondeur. Autour d'eux, des racines de grenadier et des lianes pendaient en se recourbant, tout cela dans de lourds relents de pourriture et de terreau.

À travers l'enchevêtrement des racines, ils distinguaient leur vedette à trois mètres sur leur droite. Se touchant presque, Sam et Remi pivotèrent sur eux-mêmes pour observer l'entrée du lagon : d'abord, autour de l'eau éclairée par la lune, rien d'autre que l'obscurité et le silence.

Puis un faible bourdonnement, presque imperceptible.

Sam colla ses lèvres à l'oreille de Remi.

– Des Zodiac avec un moteur électrique. Ils avancent très lentement.

– Il leur faut une base, un bateau sans doute, répondit Remi dans un chuchotement.

Elle avait raison : les Zodiac pouvaient naviguer sur les eaux côtières de Zanzibar, mais la plupart des moteurs électriques ne disposaient que d'une autonomie limitée et ne se déplaçaient qu'à quatre ou cinq nœuds. Leurs visiteurs, donc, étaient partis d'une base relativement proche, d'un navire plus important. C'était l'hypothèse la plus probable.

– Tu as laissé les cadeaux de Noël ?

– Ils devront chercher un peu, précisa-t-elle, mais tout est en place.

Peu après apparut le premier canot pneumatique, à deux cents mètres sur leur droite. Le deuxième se montra à la même distance, mais sur leur gauche. Quelques instants plus tard le troisième arriva, au centre du lagon. Aucun n'avait de feux mais, dans le clair de lune, Sam et Remi distinguèrent une silhouette assise à l'arrière de chaque canot.

Trois Zodiac avançant de front, sans que personne ne dise un mot ni ne brandisse une torche électrique… Ce n'étaient pas des touristes embarqués de nuit pour un safari aquatique.

– Tu vois des armes ? chuchota Sam.

Remi secoua la tête.

Pendant les quelques minutes suivantes, le trio de Zodiac zigzagua entre les îles flottantes jusqu'à se trouver à une cinquantaine de mètres de leur vedette. La silhouette qu'on apercevait sur le Zodiac du milieu leva la main, fit un geste, et les deux autres canots réagirent en convergeant sur la vedette.

Sam tapa sur l'épaule de Remi pour attirer son attention, puis pointa son pouce vers le bas. Ils se mirent à l'eau tous les deux, ne laissant à la surface que leurs yeux et leur nez.

Le Zodiac du milieu – apparemment, celui qui transportait le chef du groupe – atteignit le premier la vedette ; il glissa jusqu'à l'arrière du bateau, et le chef empoigna le bastingage d'une main. Il se tenait de profil, et on distinguait mieux le visage de l'homme : émacié, avec un nez aquilin, il était facile à reconnaître. Il s'agissait du mystérieux passager qu'ils avaient repéré sur le *Yulin*.

Comme s'ils naviguaient en formation, les deux autres Zodiac vinrent encadrer la vedette pour stopper contre l'arrière. En quelques secondes, les deux hommes avaient enjambé le plat-bord et se tenaient sur la plage arrière. Le plus proche de la cachette de Sam et Remi leva la main jusqu'à son épaule pour attraper quelque chose et, dans le clair de lune, on vit briller la lame d'un poignard.

Sous l'eau, la main de Remi trouva celle de Sam et la serra. Sam lui souffla à l'oreille :

– On ne risque rien.

Les deux hommes disparurent dans la cabine puis réapparurent une minute plus tard. L'un d'eux se pencha par-dessus le bastingage et fit un signe à Bec d'aigle ; ce dernier lui répondit d'un geste et, faisant pivoter son canot, se dirigea vers la plage en tirant lui aussi un poignard de sa ceinture. Avançant avec précaution mais d'un pas déterminé, il remonta alors sur le sable jusqu'à la tente de Sam et Remi toujours éclairée par la lanterne. Il y jeta un coup d'œil, se redressa puis, pendant une demi-minute, inspecta du regard la plage et le bouquet de cocotiers avant de regagner le Zodiac. Deux minutes plus tard, il avait rejoint les deux autres à bord de la vedette.

Pour la première fois, un des membres du groupe prit la parole. Bec d'aigle marmonna quelque chose en espagnol et les deux hommes repartirent dans la cabine. La vedette se mit à tanguer. On entendit des portes de placard s'ouvrir et se refermer en claquant, des bruits de verre brisé. Par les hublots, on vit passer les faisceaux de torches électriques. Au bout de cinq minutes de ce manège, les deux hommes réapparurent sur la plage arrière ; l'un d'eux tendit à Bec d'aigle un petit objet qu'il examina brièvement avant de le jeter au pied des marches de la cabine où il rebondit avec un tintement métallique ; l'autre donna à Bec d'aigle un bloc-notes qu'il étudia avant de le lui rendre. L'homme tira alors de sa poche un appareil de photo numérique pour photographier la page en question puis lança le bloc dans la cabine.

– Ça a marché, murmura Remi à l'oreille de Sam.

Bec d'aigle et ses compagnons remontèrent dans leurs Zodiac mais, à la grande surprise de Sam et Remi, ne se dirigèrent pas vers le goulet ; ils se mirent à explorer le lagon en commençant par inspecter le rivage. Des faisceaux de torches balayèrent les criques et les arbres et un des Zodiac frôla la cachette de la cloche ; tous deux retinrent alors leur souffle mais le canot ne ralentit pas.

Le trio, après son inspection minutieuse du rivage, finit par atteindre l'entrée du lagon et, au lieu de se diriger vers le goulet, se déploya en ligne et entreprit d'examiner les îles flottantes ; le faisceau de leurs torches éclaira chaque bouquet d'arbres avant de passer au suivant.

– Ça pourrait mal tourner, murmura Sam.

– Très mal, renchérit Remi.

Les poignards avaient montré à Sam et à Remi tout ce qu'ils avaient besoin de savoir : ces hommes n'hésiteraient pas à recourir à la violence. Si Sam et Remi s'étaient trouvés à bord de la vedette ou sous leur tente, ils seraient morts à présent.

– On retourne à la vedette ? suggéra Remi.

– S'ils décident d'y remonter, nous serons coincés.

– Je suis ouverte à toutes les propositions.

– Et pourquoi ne pas faire d'une pierre deux coups ? répondit Sam après avoir réfléchi un instant.

– C'est risqué, observa Remi quand il lui eut expliqué son plan.

– On peut quand même tenter.

– D'accord, mais seulement si aucune autre solution ne se présente.

– Entendu.

Ils observèrent la progression des Zodiac. S'ils continuaient de cette façon, celui qui se trouvait à droite atteindrait l'endroit où ils se cachaient dans moins de deux minutes. Les deux autres avaient déjà une demi-minute d'avance. Avec de la chance, ils achèveraient leurs recherches les premiers et reviendraient vers l'entrée du goulet.

– Croise les doigts, dit Sam à Remi.

– C'est déjà fait, répondit-elle en lui plantant un baiser sur la joue.

Sam s'enfonça dans l'eau pour se dégager de l'enchevêtrement des palétuviers et retrouver l'eau libre. S'efforçant de ne perdre de vue aucun des trois Zodiac, il passa derrière les racines. Trente secondes plus tard, sur sa gauche, Bec d'aigle et son compagnon apparurent dans son champ de vision. Chaque homme inspecta sa dernière île flottante puis vira de bord pour se diriger vers le goulet. Quant au dernier Zodiac, il avançait toujours, à une douzaine de mètres en arrière.

– *¡ Apúrate !* cria Bec d'aigle. Vite !

L'homme leva la main pour montrer qu'il avait compris.

Dix mètres... six.

Sam approchait pour contourner les racines du palétuvier. Il s'arrêta pour regarder par-dessus. Le Zodiac n'était plus qu'à trois mètres. Sam attendit que l'avant du canot eut disparu de l'autre côté puis inspecta le lagon derrière lui : les deux autres Zodiac étaient à cent mètres et continuaient leur route.

Sam prit une profonde inspiration, plongea en tenant solidement le manche de la gaffe, donna deux coups de pied pour se dégager des racines et remonta à la surface pour inspecter le secteur. L'arrière du Zodiac était à un mètre cinquante ; l'embarcation progressait lentement ; le pilote, une main sur la manette des gaz, se penchait pour examiner le palétuvier dans le faisceau de sa torche. D'un petit coup de pied, Sam s'approcha à trente centimètres du canot. Tendant le bras, il posa doucement sa main gauche sur le rebord en caoutchouc, puis brandit la gaffe hors de l'eau, la recula avant de la projeter en avant comme pour lancer un appât. La pointe d'acier de la gaffe toucha l'homme à la tempe, juste au-dessus de l'oreille. Il poussa un cri puis s'affala sur le flanc, la tête dans l'eau. Sam n'avait pas encore eu le temps de faire un geste que Remi était là, soulevant la tête de l'homme et repoussant son corps à l'intérieur du Zodiac. Sam jeta un coup d'œil par-dessus son épaule. Bec d'aigle et son compagnon étaient maintenant à deux cents mètres.

– Yaotl ! cria Bec d'aigle.

– Dépêche-toi, dit Sam à Remi tout en grimpant à bord du Zodiac pour s'asseoir près du moteur. Reste à bâbord, je vais te tirer jusqu'à la vedette.

Remi contourna le canot et s'accrocha avec deux doigts au tolet de l'aviron. Sam augmenta le régime du moteur et le Zodiac s'extirpa de la mangrove. Sam retrouva la torche du pilote – le nommé Yaotl – là où elle était tombée, la ramassa et en braqua le faisceau vers les deux autres Zodiac qui s'étaient arrêtés. Il l'éteignit et la ralluma à deux reprises tout en levant une main nonchalante et en priant le ciel que cela suffise. Il retint son souffle.

Aucun signe des Zodiac puis, après dix secondes, le double clignotement d'une torche suivi d'un geste de la main levée.

– Yaotl… *¡ Apúrate !*

Sam manœuvra le Zodiac jusqu'à l'arrière de la vedette, mettant à profit la longueur du bateau pour dissimuler leurs mouvements. Remi grimpa à bord et à eux deux ils roulèrent par-dessus le plat-bord Yaotl qui retomba lourdement sur la plage arrière.

– Et maintenant ? interrogea Remi.

– Attache-lui les mains et les pieds aux taquets et fouille-le. Pendant ce temps, je vais devoir m'occuper de mes nouveaux amis. (Remi ouvrit la bouche pour protester, mais Sam l'interrompit.) Ne t'inquiète pas, je garderai mes distances.

– Et quand ce ne sera plus possible ?

– J'aurai quelques problèmes.

Il lui fit un clin d'œil, emballa le moteur et s'éloigna à toute vitesse.

Bec d'aigle et l'autre homme avaient poursuivi leur route. Le temps que Sam parvienne au milieu du lagon, ils avaient mis le cap à l'ouest en direction du goulet. Sam récapitula dans sa tête les virages et les crochets du passage, fit quelques rapides calculs et fonça. À quinze mètres de l'entrée, il ralentit et tendit l'oreille. Aucun bruit des autres canots. Il accéléra de nouveau et amorça le tournant. À cent mètres devant, les deux autres avançaient l'un derrière l'autre dans le goulet. Plus loin, à un demi-mille, Sam distingua le passage qui s'élargissait vers les bancs de sable de l'île de Chumbe. Portant ses jumelles à ses yeux, il scruta le chenal. Rien ne bougeait, aucune lumière visible à plus de dix milles – sauf une. À un mille au sud-ouest, un unique feu blanc se balançait à une dizaine de mètres au-dessus de l'eau – le signal international annonçant la présence d'un bateau à l'ancre. Le bateau était mouillé l'étrave en avant, sa superstructure d'un blanc étincelant, de toute évidence un yacht de luxe. Peut-être le ravitailleur ?

Bec d'aigle et son compagnon virèrent à gauche et disparurent. Le moment était venu de se préparer aux problèmes à venir. Sam baissa le régime du moteur, vira à gauche et laissa le Zodiac s'échouer sur le sable. Un rapide coup d'œil à la ronde lui révéla ce dont il avait besoin : une pierre effilée comme une lame. Il la ramassa, repoussa le Zodiac dans le goulet, sauta à bord et repartit.

Jusqu'à maintenant, Sam avait eu de la chance : Bec d'aigle et son partenaire s'étaient contentés de jeter quelques regards derrière eux pour s'assurer que « Yaotl » les suivait bien, mais n'avaient à aucun moment ralenti pour lui permettre de les rejoindre. Le reste du trajet prit une dizaine de minutes et, bientôt, Sam vit les deux autres Zodiac foncer entre les bancs de sable.

– Allez, les gars, montrez-moi où vous allez, murmura Sam.

Une fois les bancs évités, Bec d'aigle et son compagnon virèrent à gauche et se dirigèrent vers le yacht. Deux minutes plus tard, Sam abordait le secteur mais en tournant le gouvernail de quelques degrés supplémentaires sur la gauche pour suivre une ligne presque parallèle au banc où ils avaient découvert la cloche. Il commençait à retrouver des repères familiers sur le rivage. Il était à vingt mètres du précipice. Le moment était venu.

Il prit la pierre posée entre ses pieds, se pencha sur le côté, en enfonça la pointe dans la paroi de caoutchouc et poussa de toutes ses forces. Il répéta l'opération à deux reprises jusqu'à ce qu'il eût ouvert une déchirure d'une vingtaine de centimètres. Il jeta alors la pierre par-dessus bord et vérifia la progression des deux autres Zodiac : ils étaient à quelques centaines de mètres dans le chenal principal et continuaient de progresser vers le yacht.

À peine vingt secondes et le sabotage effectué par Sam donna des résultats : le Zodiac commença à ralentir, à rouler et à tanguer tandis que l'eau s'engouffrait dans la paroi. Il poussa encore un peu la manette du moteur puis lança ce qu'il espérait être un cri de panique avant de basculer sur le côté.

Il plongea sous l'eau, ajusta le masque sur son visage après l'avoir soigneusement rincé et prit entre ses dents l'embouchure du snorkel. Il s'immobilisa alors et flotta, ses yeux et l'extrémité du snorkel affleurant seuls au-dessus de l'eau.

Son hurlement avait produit de l'effet : Bec d'aigle et son partenaire avaient fait demi-tour et fonçaient à toute vitesse vers le Zodiac en train de se dégonfler et qui dérivait maintenant à vingt mètres sur la gauche de Sam – directement au-dessus du précipice. Arrivés à cinquante mètres, les sauveteurs allumèrent leurs torches et commencèrent à balayer la surface.

– Yaotl ! appela Bec d'aigle. Yaotl !

Son compagnon l'imita.

Depuis une minute Sam hyperventilait ses poumons. Il prit alors une dernière grande aspiration, disparut sous l'eau et nagea à grands coups de palmes vers le banc de sable qu'il atteignit en quelques brasses. Il se tourna de façon à laisser sur sa droite Bec d'aigle et son compagnon et se mit à nager vers le nord le long du banc, tout en jetant de temps en temps un coup d'œil derrière lui pour voir où se trouvaient les torches. Les deux Zodiac avaient maintenant convergé vers ce qui restait du troisième.

– Yaotl ! entendit Sam. Puis encore d'une voix cette fois plus stridente : Yaotl !

Sam continuait à nager. Derrière lui, on tirait de l'eau le canot dégonflé pour le hisser à bord d'un des Zodiac. Sam s'arrêta et resta un moment sur place. Il sentait ses poumons endoloris par le manque d'oxygène et un frisson de panique lui serrer la nuque. Il se maîtrisa et resta immobile.

Au bout de ce qui lui parut durer des minutes mais qui, en réalité, ne dépassa pas trente secondes, les Zodiac repartirent, firent demi-tour et remirent le cap sur le chenal.

Sam refit surface.

Chapitre 7

Zanzibar

VINGT-CINQ MINUTES PLUS TARD, Sam remontait à bord de la vedette ; Remi, assise dans un transat, buvait à petites gorgées une canette de bière. Leur hôte, Yaotl, gisait sur le pont comme un poisson fraîchement pêché, les poignets ligotés à ses pieds, eux-mêmes attachés au taquet le plus proche. Il était toujours inconscient.

– Bienvenue, dit-elle en tendant une bière à son mari. Comment s'est passé l'accident ?

– Ils ont eu l'air de gober tout ça. Comment va-t-il ?

– Il a une grosse bosse sur la tempe, mais il respire normalement. Il aura une bonne migraine pendant un jour ou deux mais il survivra. Il était bien armé, ajouta-t-elle en désignant de la tête deux objets posés à ses pieds : un couteau et un pistolet semi-automatique que Sam examina.

– Un Heckler & Koch P30. Calibre neuf millimètres, chargeur de quinze balles.

– Comment diable connais-tu…

– Aucune idée, fit Sam en haussant les épaules. Je stocke des futilités. C'est plus fort que moi. Si je ne me trompe, ce n'est pas une arme de civil. On ne la vend qu'à la police et à l'armée.

– Notre invité ici présent est ou était donc un policier ou un militaire ?

– Ou quelqu'un jouissant d'une certaine influence sans appartenir à un organisme officiel. As-tu trouvé quelque chose d'autre sur lui ?

– Pas même de poussière dans ses poches. Pas de portefeuille, pas de papiers d'identité. Et tout ce qu'il porte sur lui provient de magasins locaux.

– Des professionnels, alors.

– Ça m'en a tout l'air, appuya Remi. Quant aux gâteries que nous avions laissées en cadeaux de Noël…

– Nous avons vu ce qu'ils pensaient de la pièce d'Adelise. Jetée comme un vieux sou. Mais les notes truquées sur le bloc-notes, c'est une autre histoire.

Avant de préparer le décor pour leurs visiteurs, Sam et Remi avaient opté pour cinq sujets susceptibles d'intéresser le mystérieux « Bec d'aigle » : un, la pièce de monnaie d'Adelise ; deux, la cloche ; trois, les Fargo eux-mêmes ; quatre, quelque chose qu'il craignait qu'ils ne découvrent ; ou cinq, rien du tout : avoir fait une montagne d'une rencontre fortuite.

Leur ruse avait éliminé les hypothèses un et cinq et semblait mettre en valeur la deux, la trois et la quatre. Sam et Remi avaient essentiellement bourré le bloc-notes de gribouillages et de chiffres ne correspondant à rien, à l'exception d'un détail : le croquis d'une cloche de navire et, en dessous, un horaire (14 heures), un lieu (Chukwani Point Road) et un numéro de téléphone communiqué par Selma auquel, si on l'appelait, répondrait une certaine « entreprise de transports Mnazi ». Si Bec d'aigle mordait à cet hameçon-là, on saurait qu'il s'intéressait à la cloche.

Mais comment aurait-il appris son existence ? Sam et Remi n'en avaient parlé à personne à l'exception de Selma. Comme Bec d'aigle ne leur avait pas rendu visite avant qu'ils aient déplacé la cloche en utilisant le radeau de Sam, quelqu'un les aurait repérés alors qu'ils la transportaient dans le lagon ? Mais, là encore, ils n'avaient aperçu personne dans les parages, sur mer ou sur le rivage.

– Le jour va bientôt se lever, dit Sam. Rassemblons notre butin et trouvons un endroit où nous planquer en attendant de nous installer ailleurs.

– Et lui ? demanda Remi en désignant Yaotl de la tête.

– Nous ferions mieux de le mettre à l'intérieur. Nous ne voulons pas le blesser, n'est-ce pas ?

*

Une fois Yaotl enfermé dans la cabine, ils levèrent l'ancre et traversèrent le lagon jusqu'à l'endroit où ils avaient dissimulé le radeau avec la cloche. Après l'avoir remorqué plus près de la plage, Sam sauta à l'eau et le manœuvra pour disposer la cloche dans trente centimètres d'eau.

– Il faut quelque chose pour faire levier… murmura Sam. Remi, j'ai besoin de la hache qui est dans le coffre à outils.

Elle alla la chercher et la lui tendit. Sam alors pataugea jusqu'au rivage et disparut parmi les arbres avec une torche électrique. Remi l'écouta évoluer dans l'obscurité : des craquements de buissons cassés, le bruit sourd de la hache, des jurons étouffés puis quelques coups secs. Cinq minutes plus tard, il revint, portant des pousses de cocotier de plus de deux mètres de long sur un bon mètre de large. À chaque extrémité des souches, il avait pratiqué une encoche. Il les tendit à Remi puis remonta à bord.

– Ça t'ennuierait de me dire ce que tu manigances ? interrogea-t-elle.

– Je préfère te faire la surprise, répondit-il avec un clin d'œil. Mais il va falloir attendre le lever du jour.

L'attente fut brève. Dix minutes après avoir vu les premières lueurs jaune orangé à l'est, ils se mirent au travail. Sam détacha le radeau, sauta dans l'eau et le fit pivoter pour que les trois troncs qui dépassaient soient face à la plage. Il se mit à cheval sur la traverse extérieure, ce qui l'enfonça d'une quinzaine de centimètres, et cria :

– En arrière doucement !

– En arrière doucement ! répéta Remi.

Les machines se mirent à gronder. La vedette recula jusqu'au moment où la traverse qui portait Sam heurta le radeau.

– Continue ! cria Sam.

Entre son poids et la traction des moteurs de la vedette, les traverses qui dépassaient plongèrent dans l'eau et commencèrent à labourer le sable. À l'arrière du bateau, l'eau se mit à écumer. Quand les troncs furent enfoncés d'une trentaine de centimètres dans le sable, Sam ordonna :

– Stoppe tout !

Remi mit le moteur au ralenti et se dirigea vers l'arrière. Sam se pencha sous le radeau et réapparut sous la travée centrale.

– Je vais pousser là-dessus et tu vas tirer, dit-il.

À eux deux, ils manœuvrèrent le tronc contre le plat-bord, les pousses de cocotier qui dépassaient pointant au-dessus de la plage arrière.

Remi recula et s'essuya les mains.

– Je crois que je vois où tu veux en venir. « Donnez-moi, récita-t-elle, un levier assez long et un pivot sur lequel le poser… »

– « … et je soulèverai le monde », conclut Sam pour elle. Archimède.

Prenant la hache, il fit une entaille dans chaque extrémité du tronc posé sur le plat-bord. Puis il prit une des pousses, la tendit à Remi et empoigna la sienne.

– Maintenant, c'est le moment délicat, annonça-t-il.

Chacun d'eux plaça l'extrémité encochée dans l'entaille correspondante de la traverse puis bloqua l'autre extrémité contre les taquets bâbord et tribord.

– Après toi, dit Sam.

– Où vas-tu aller ?

– Dans la cabine avec toi. Si ces pousses de cocotier lâchent, ce n'est pas le moment d'être à côté. En arrière doucement, si tu veux bien.

Remi poussa légèrement la manette et la vedette recula. Le bord avant du radeau commença à s'élever lentement. Les pousses tremblaient et se tendaient comme deux arcs qu'on bande. Les traverses gémissaient. Centimètre par centimètre, la cloche émergea de l'eau jusqu'à ce que le bord se trouve au niveau du bastingage.

– Pas plus vite, juste assez pour gouverner.

Il saisit ce qui restait sur le pont de la corde d'ancre et s'avança à petits pas sur la plage arrière, son regard allant d'une des pousses frémissantes à l'autre. Arrivé au bord, il se pencha, noua la corde autour de l'anse de la cloche puis repartit vers la cabine, déroulant la corde de l'ancre au fur et à mesure.

– En arrière toute, doucement, murmura-t-il.

Remi se pencha pour lui souffler à l'oreille :

– Si nous laissons tomber cette masse sur le pont, je parie qu'on ne nous rendra pas notre dépôt de garantie.

– De si bons clients ! s'esclaffa Sam.

La vedette reculait lentement. Les pousses continuaient à plier avec d'inquiétants craquements. D'une main tremblante, Sam releva le mou de la corde. La cloche glissa par-dessus le plat-bord, rebondit dessus et commença à se balancer.

– Sam…, fit Remi d'une petite voix.

– Je sais, murmura Sam. Tiens bon. Tout doux…

Il pivota sur ses talons, dévala l'échelle et réapparut deux secondes plus tard portant un matelas qu'il fit glisser d'un geste sûr sur le pont jusqu'aux pousses.

– À fond ! lança-t-il.

Remi mit pleins gaz. Sam tira de toutes ses forces sur la corde d'ancre. Dans un crépitement de fusillade, les pousses claquèrent et tournoyèrent sur elles-mêmes. La cloche bascula sur le matelas avec un bruit sourd, roula sur le flanc et s'immobilisa.

Chapitre 8

Zanzibar

– NOUS AVONS PERDU UN HOMME, annonça Itzli Rivera au téléphone.

– Ah bon, lâcha le président Quauhtli Garza d'un ton que, même à quinze mille kilomètres de là, on sentait parfaitement détaché.

– Yaotl. Il s'est noyé. Son corps a été entraîné dans le chenal. C'était un bon soldat, monsieur le Président.

– Qui a donné sa vie pour une noble cause. C'est normal. En nahuatl, tu sais, Yaotl signifie « guerrier ». Il sera accueilli par Huitzilopochtli et résidera pour l'éternité à Omeyocan, poursuivit Garza, faisant allusion au dieu de la guerre aztèque qui faisait se déplacer le soleil dans le ciel et au plus sacré des treize royaumes célestes des Aztèques. N'est-ce pas une récompense suffisante ?

– Bien sûr, monsieur le Président.

– Itzli, est-ce tout ce que tu as à me dire ?

– Non, ce n'est pas tout. Les Fargo ont peut-être trouvé quelque chose : une cloche de navire.

– Que veux-tu dire par « ont peut-être trouvé » ?

– Nous avons fouillé leur bateau. Sur un cahier, nous avons découvert le dessin d'une cloche de navire.

– Décris-la-moi. Est-ce la bonne ?

– Le dessin était sommaire. Ils ne savent peut-être même pas ce qu'ils ont là. En tout cas, il semble qu'ils vont chercher à l'emporter hors de l'île. À côté du croquis, il y avait l'adresse d'une compagnie de transports et une heure. L'endroit où elle doit être chargée se trouve juste au sud de l'aéroport de Zanzibar.

– Ce n'est pas possible, Itzli, cette cloche ne doit pas quitter l'île. Les recherches des Fargo doivent cesser immédiatement.

– Je comprends, monsieur le Président.

– Tu sais où ils seront et quand ils y seront. Nous les tenons.

– Voilà une cloche de navire bien pomponnée, apprécia Remi.

Assis en face d'elle dans l'ombre du patio, Sam acquiesça. Depuis une heure, ils emmaillotaient la cloche de linges saturés d'une solution d'acide nitrique dilué dans de l'eau tiède. Elle était maintenant là, encore fumante et baignant dans une flaque d'un bleu teinté de vert et de gris, la boue dissoute par l'acide.

– Dans combien de temps l'essuyons-nous ?

Sam consulta sa montre.

– Encore dix minutes.

Trois heures auparavant, après avoir démonté le radeau et en avoir dispersé les souches, ils avaient quitté la mangrove et fait route vers le sud en longeant la côte, doublant la pointe de Fumba pour pénétrer dans la baie de Menai. Pendant que Remi tenait la barre, Sam appela Selma pour la mettre au courant et lui expliquer ce dont ils avaient besoin. Quarante minutes plus tard, au moment où ils franchissaient l'extrémité méridionale de Zanzibar, Selma rappela.

– C'est un peu plus petit que votre bungalow, mais c'est isolé ; l'agent a promis de laisser les clefs sous le paillasson. Le loyer est payé pour une semaine.

– C'est quoi exactement et où ?

– Une villa sur la côte est de l'île, à trois kilomètres au nord du Tamarind Beach Hotel, avec un auvent à rayures vertes et rouges protégeant la véranda et un vieux quai de pierre sur la plage.

– Magnifique, Selma, remercia Sam en raccrochant pour appeler, cette fois, Abasi Sibale à son domicile. Sans poser de question, Abasi leur indiqua qu'il amènerait sa camionnette sur la plage de la villa. Quand il vit la cloche juchée sur la plage arrière de la vedette, il se contenta de sourire et secoua la tête.

– À ce train-là, dit-il, il arrivera un jour où vous viendrez sur notre île pour un séjour où, cette fois, vous vous ennuierez.

– Je vais voir comment va notre invité, déclara Sam.

– Et moi m'assurer que notre cloche est toujours là, répondit Remi.

– Si elle essaie de filer, laisse-la.

– Avec plaisir.

Ils étaient tous les deux épuisés et ils maudissaient cette cloche qui avait résisté à leurs efforts et attiré une attention inutile. Ils se sentiraient mieux après avoir un peu dormi et obtenu, ils l'espéraient, des réponses à leurs questions après deux nouvelles heures d'astiquage à l'acide nitrique.

Sam traversa le patio et, franchissant les portes-fenêtres, découvrit la villa que Selma leur avait louée, une maison de cent quatre-vingts mètres carrés, de style toscan, avec des murs de plâtre couleur moutarde tapissés de vigne vierge, un toit de tuiles rouges et une décoration intérieure mélangeant le moderne et le style artiste. Sam passa dans la chambre du fond où leur visiteur, Yaotl, était attaché, pieds et poings liés, à un grand lit à colonnes.

– Hé, qu'est-ce qui se passe ? Où suis-je ? s'inquiéta l'homme en apercevant Sam.

– Pour vos amis, ou bien vous flottez le nez dans l'eau quelque part entre ici et Mombasa, ou bien vous progressez lentement dans l'appareil digestif d'un requin.

– Qu'est-ce que ça veut dire ?

– Eh bien, après avoir été assommé…

– Je ne me souviens pas de ça… Comment avez-vous fait ? s'étonna-t-il.

– Je me suis glissé derrière vous pour vous frapper avec un gros bâton. À l'heure qu'il est vos amis croient que vous êtes mort depuis environ..., poursuivit Sam en regardant sa montre, six heures.

– Ils ne le croiront pas. Ils vont me retrouver.

– Ne comptez pas là-dessus. Yaotl, qu'est-ce que c'est ?

– C'est mon nom.

– Avez-vous faim ? Soif ?

– Non.

– Il ne faut pas avoir honte de l'avouer, fit Sam en riant.

– Faites ce que vous avez à faire. Qu'on en finisse.

– À quoi vous attendez-vous exactement ? demanda Sam.

– À ce que vous me torturiez.

– Pour penser à cela, vous devez avoir de bien vilaines fréquentations.

– Alors, pourquoi m'avez-vous capturé ?

– Parce que j'espérais que vous seriez disposé à répondre à certaines questions que nous nous posons.

– Vous êtes américain ? s'informa Yaotl.

– À quoi voyez-vous cela ? À mon charmant sourire ?

– À votre accent.

– Et moi, je devine que vous êtes mexicain. (Pas de réaction.) Et étant donné l'arme que vous portiez et la façon dont vos partenaires agissaient, vous êtes ou vous avez été des militaires.

Cette fois, Yaotl fronça les sourcils.

– Vous êtes de la CIA ?

– Moi ? Pas du tout, mais j'ai un ami qui en fait partie.

En effet, lors de son passage à l'APRA, Sam avait suivi un stage d'entraînement au Camp Perry, dans l'espoir qu'en voyant les méthodes de travail des agents de terrain, les ingénieurs de l'APRA seraient mieux à même de les aider dans leurs opérations. Un officier traitant de la CIA, Rube Haywood, suivait lui aussi ce programme et, depuis, Sam et lui étaient amis.

– Et cet ami a des amis, ajouta Sam, dans des endroits tels que la Turquie, la Bulgarie et la Roumanie… Ils pratiquent ce qu'on appelle, je crois, des « transferts illégaux ». Je suis sûr que vous en avez entendu parler : des types d'allure peu commode, vêtus d'une combinaison noire de parachutiste, vous fourrent dans un avion ; vous disparaissez alors Dieu sait où pendant quelques semaines et puis vous revenez avec une véritable aversion pour les génératrices et les perceuses électriques.

Du bluff, naturellement, mais les propos de Sam produisirent l'effet escompté : Yaotl ouvrit de grands yeux et sa lèvre inférieure se mit à trembler.

Brusquement, Sam se leva.

– Alors, que diriez-vous d'un petit quelque chose à manger ? Du pain, ça vous va ?

Yaotl hocha la tête affirmativement.

Sam lui apporta un demi-pain indien sans levain et un litre d'eau minérale, puis demanda :

– À propos de cet ami dont je vous parlais… faut-il que je l'appelle ou accepterez-vous de répondre à quelques questions ?

– Je vais répondre.

Sam commença l'interrogatoire : nom ; nom de ses partenaires, Bec d'aigle compris ; pour qui travaillaient-ils ; étaient-ils venus à Zanzibar pour les rechercher, Remi et lui ; quelle était exactement leur mission ; le nom du navire ravitailleur… À la plupart des questions, Yaotl ne répondit que partiellement, prétendant n'être qu'un contractuel civil, un ancien membre du Groupe aéroporté des Forces Spéciales mexicaines ou GAFS. Un certain Itzli Rivera, surnommé Bec d'épervier, lui aussi ancien membre du GAFS, l'avait recruté quatre jours auparavant pour se rendre à Zanzibar et y retrouver « des gens ». On ne lui avait donné aucun renseignement supplémentaire ni expliqué pourquoi on recherchait Sam et Remi. Il ne savait pas non plus si Rivera travaillait pour lui-même ou pour quelqu'un d'autre.

– Mais vous l'avez vu téléphoner à plusieurs reprises, exact ? interrogea Sam. Donnait-il l'impression de faire un rapport ?

– C'est possible. Je n'ai entendu que des bribes de conversation.

Sam l'interrogea encore une dizaine de minutes, au terme desquelles Yaotl demanda :

– Qu'allez-vous faire de moi ?

– Je vous le dirai.

– Mais vous avez dit que vous ne... Hé, attendez !

Sam sortit et rejoignit Remi dans le patio. Il lui raconta sa conversation avec Yaotl.

– Sam, protesta-t-elle, parler de génératrices et de perceuses électriques, c'est horrible.

– Pas du tout, les utiliser serait horrible. J'ai juste semé le doute et laissé son imagination faire le reste.

– Yaotl a dit « quatre jours avant ». Il a reçu un appel de Rivera il y a quatre jours ?

– Oui.

– C'était notre premier jour sur l'île.

Sam acquiesça de la tête.

– Avant que nous trouvions la cloche.

– Alors, c'est à nous qu'ils s'intéressent.

– Et peut-être à la cloche. Nos gribouillages sur le bloc-notes ont manifestement attiré leur attention.

– Mais comment ont-ils eu connaissance de notre présence ici ? demanda Remi, puis elle répondit elle-même à sa question : L'interview pour la BBC juste après notre arrivée ?

– Ça se pourrait. Remettons tout cela en ordre : Rivera et ceux pour qui il travaille apprennent que nous sommes ici. Ils s'inquiètent à l'idée que nous puissions découvrir quelque chose et ils viennent enquêter.

– C'est quand même une grande île, rétorqua Remi, il faudrait qu'ils soient vraiment paranoïaques pour penser que nous tomberions sur quelque chose qui les préoccupe. Même s'il s'agit d'un objet aussi volumineux que notre cloche, c'est quand même une aiguille dans une meule de foin.

– Le journaliste qui nous a interviewés nous a demandé si nous avions l'intention de faire de la plongée. Nous lui avons parlé de l'île de Chumbe. La phrase magique peut-être.

Remi réfléchit.

– Quoi qu'il en soit, nous sommes tombés sur quelque chose d'important. Nous avons, par chance, découvert un trésor qu'on n'avait pas envie que nous trouvions.

– Appelle ça de la chance, si tu veux, répliqua Sam en souriant. Je parlerais plutôt de…

– Tu me comprends.

– C'est donc le rapprochement entre notre présence, Zanzibar et l'île de Chumbe qui a attiré leur attention.

Ils restèrent un moment silencieux, chacun examinant sous différents angles les hypothèses possibles. Remi finit par dire :

– Sam, notre ami, dans la pièce du fond… il s'appelle Yaotl, son patron, Itzli, et le troisième ?

– Nochtli.

– Et ils viennent du Mexique ?

– C'est ce qu'il a dit.

– Ce ne sont pas des noms espagnols.

– J'avais remarqué.

– Je vais demander à Selma de vérifier, mais je suis presque certaine qu'ils sont d'origine nahuatl.

– Nahuatl ?

– Aztèque, Sam. Le nahuatl était le langage des Aztèques.

Ils se turent quelques instants, regardant la vapeur s'élever du drap qui enveloppait la cloche. Sam consulta sa montre et dit :

– Terminé.

Du bout des doigts, Sam retira le drap qui entourait la cloche et le porta au bout du patio. En se retournant, il vit Remi agenouillée devant la cloche.

– Sam, viens voir ça.

Il s'approcha et se pencha sur son épaule.

Bien que tout ne fût pas parti, l'acide nitrique avait fait disparaître suffisamment de patine pour qu'on pût distinguer les lettres gravées dans le bronze :

OPHELIA

– Ophelia, murmura Remi. Qui est Ophelia ?

– Je n'en ai pas la moindre idée, soupira Sam.

Chapitre 9

Zanzibar

– VOUS NE POUVEZ PRENDRE DES VACANCES NORMALES, tous les deux, sans histoires ? demanda Rube Haywood au téléphone.

– Ça nous arrive souvent, répondit Remi. Mais nous t'appelons quand il y a un problème.

– Je ne sais pas si je dois prendre ça pour un compliment ou une vacherie, marmonna Rube.

– Pour un compliment, affirma Sam. Tu es notre homme providentiel.

– Et Selma ?

– Notre femme providentielle, répliqua Remi.

– Bon, vérifions que j'ai bien compris. Vous avez trouvé une pièce en forme de losange qui a appartenu jadis à la femme du gouverneur d'une colonie française installée sur je ne sais quelle île non loin de Madagascar mais qui a été volée par un pirate. Là-dessus, vous avez découvert une cloche de navire provenant de je ne sais quel mystérieux bateau. Là-dessus une canonnière de mercenaires mexicains aux noms aztèques est apparue, et ils ont essayé de vous tuer. Et maintenant, un des méchants est ligoté dans votre chambre d'amis. C'est bien ça ?

– Pratiquement, répondit Remi.

– À quelques petits détails près, précisa Sam. La pièce d'Adelise n'a à notre avis rien à voir là-dedans et Selma vérifie la piste aztèque. Quant au prénom *Ophelia,* il ne s'agit pas de l'original, la gravure est très sommaire, pas professionnelle. En continuant à décaper, nous avons découvert trois lettres gravées en dessous d'*Ophelia*, un *S* et deux *H*.

– Un canular, à mon avis, lâcha Rube, mais bon ! Que puis-je faire pour t'aider ?

– D'abord, nous débarrasser de notre invité.

– Quoi ? Si tu penses à toutes ces histoires de « transferts illégaux », Sam, je...

– Je pensais que tu pourrais peut-être utiliser certaines de tes relations au ministère de l'Intérieur pour le faire emprisonner par la police.

– Pour quels motifs ?

– Pas de passeport, pas d'argent, mais une arme.

Rube resta un moment silencieux.

– Tels que je vous connais, je présume que vous voulez non seulement vous débarrasser de lui mais aussi savoir qui s'intéresse à lui.

– En effet, admit Sam.

– Tu as toujours l'arme ?

– Oui.

– Bien, laisse-moi passer quelques coups de fil. Quoi d'autre ?

– Il prétend que son patron, un ancien militaire mexicain, s'appelle Itzli Rivera. J'aimerais bien en savoir plus sur lui et sur leur yacht ; toujours d'après notre invité, son port d'attache serait Bagamoyo et son nom la *Njiwa*.

– Épelle.

Remi s'exécuta.

– En swahili, cela veut dire « pigeon ».

– Parfait. Merci, Remi. Je me demandais en effet depuis longtemps comment on disait « pigeon » en swahili.

– Eh bien, te voilà renseigné.

– Qu'allez-vous faire de la cloche ?

– La laisser ici, répondit Sam. Selma a loué la villa anonymement et nous a câblé de l'argent. Ils ne risquent pas de la trouver.

– Je connais déjà la réponse, mais je te pose quand même la question. Et si vous embarquiez la cloche et que vous rentriez chez vous ?

– C'est une possibilité, répondit Sam. Nous avons encore quelques recherches à effectuer. Si ça ne donne rien, nous rentrons.

– Miracle des miracles, soupira Rube. Faites quand même attention. Je te rappelle dès que j'ai les infos, ajouta-t-il avant de raccrocher.

– Il mérite un vraiment beau cadeau pour Noël, dit Remi à Sam.

– En ce moment, je devine ce qui lui ferait vraiment plaisir.

– Quoi donc ?

– Un nouveau numéro de téléphone… sur liste rouge.

Ils emmenèrent la vedette vers le sud, jusqu'à Uroa Village ; ils achetèrent dans une quincaillerie un peu délabrée les quelques articles dont ils avaient besoin puis regagnèrent la villa avant midi. Remi abandonna Sam avec son marteau, ses clous et ses planches et entra voir comment allait Yaotl, lequel dormait à poings fermés. Elle découvrit deux boîtes de potage aux palourdes qu'elle fit réchauffer et emporta les bols sur le patio. Sam clouait les deux dernières planches.

– Qu'en penses-tu ? demanda-t-il.

– Pour une boîte, c'est merveilleux.

– C'est censé être une caisse.

– Une caisse, une boîte, peu importe. Assieds-toi et mange.

À un demi-mille du terminus de la route de Chukwani Point, Itzli Rivera engagea la Range Rover de location sur le bas-côté, descendit dans le fossé puis remonta de l'autre côté, parmi les arbres. Le terrain, bien qu'accidenté et hérissé de broussailles, ne posa aucun problème aux quatre roues motrices de la Range Rover. Il tourna en direction du sud-ouest, vers la clairière de Chukwani Point.

– Quelle heure ? demanda-t-il à Nochtli.

– Tout juste treize heures.

Encore une heure avant le rendez-vous fixé par les Fargo aux Transports Mnazi. Le temps nécessaire pour trouver une planque pour surveiller de loin les environs avec un accès facile afin de couper court à toute tentative d'évasion.

– Je vois la clairière, dit Nochtli qui regardait à la jumelle.

– Il y a quelque chose.

– Quoi ?

– Regarde toi-même, répondit-il en tendant les jumelles à Itzli qui les braqua aussitôt sur la clairière.

Il découvrit alors, posée au milieu du chemin de terre, une caisse en bois avec une étiquette en carton clouée sur un des côtés.

– Il y a une inscription, dit-il. *¿ Qué madres... ?* murmura-t-il après avoir zoomé.

– Alors, qu'est-ce qui est écrit ? s'enquit Nochtli.

– Joyeux Noël.

Itzli fonça parmi les arbres, dévala dans le fossé et remonta vers la clairière. Il arrêta la Rover et s'avança jusqu'à la caisse qu'il poussa du pied : elle était vide. Il arracha l'étiquette cartonnée qui portait un message en grosses majuscules :

RETROUVONS-NOUS DONC POUR PARLER CLOCHES AU TERRAIN DE CRICKET DE NYERERE ROAD SUR LE BANC DANS L'ANGLE SUD-OUEST À SEIZE HEURES.

Chapitre 10

Zanzibar

Sam vit Itzli débouchER au nord du terrain de cricket ; il marchait entre les arbres qui bordaient le parking et, derrière lui, suivait d'un pas décidé un autre homme dont Sam ne distinguait pas le visage : Nochtli probablement, se dit-il.

Sur le terrain se déroulait un match de cricket entre jeunes d'une quinzaine d'années dont les rires et les cris retentissaient dans tout le parc. Rivera suivit le trottoir du côté ouest du terrain et s'arrêta devant le banc où Sam attendait.

– Vous êtes venu seul, constata Rivera.

En le voyant de près et en plein jour, Sam prit aussitôt la mesure de l'homme. Son visage buriné et son corps musclé évoquaient une vigueur brutale dont, d'ailleurs, Sam n'avait jamais douté. Ses yeux noirs fixèrent sur Sam un regard impassible – une expression immuable, supposa Sam, que Rivera dévorât un sandwich ou qu'il mît à mort un de ses semblables.

– Asseyez-vous, répondit aimablement Sam malgré le frisson d'appréhension qui lui serrait le ventre. (Comme s'il donnait à manger à un grand requin blanc.)

– C'est vous qui avez voulu cette rencontre, déclara Rivera en s'installant. (Sam ne répondit pas, il regardait le match de cricket. Une minute s'écoula, puis Rivera rompit le silence.) Amusant, le coup de la caisse…

– Quelque chose me dit pourtant que cela ne vous a pas fait rire.

– Non. Où est votre femme, monsieur Fargo ?

– Elle fait des courses. Vous pouvez faire signe à votre ami de cesser de patrouiller dans le secteur. Il ne la trouvera pas.

Rivera réfléchit quelques instants, puis leva la main, le poing serré. À l'autre bout du parc, Nochtli s'arrêta.

– Parlons de notre problème, suggéra Sam.

– Selon vous, de quel problème s'agit-il ?

– Nous détenons, pensez-vous, quelque chose que vous voulez.

– Précisez. Que croyez-vous détenir ?

– D'ordinaire, lança Sam en se levant brusquement, j'apprécie autant que quiconque les joutes verbales, mais aujourd'hui ce n'est pas le cas.

– Très bien, très bien. Asseyez-vous, je vous prie. (Sam s'exécuta et Rivera reprit.) Les gens pour lesquels je travaille recherchent depuis quelque temps une épave. Nous pensons qu'elle se trouve dans ce secteur.

– L'épave de quel navire ?

– De l'*Ophelia*.

– Racontez-moi.

– Un vapeur qui transportait des passagers et qui aurait coulé dans ces eaux vers les années 1870.

– C'est tout ce que vous en savez ?

– A peu près.

– Depuis combien de temps le recherchez-vous ?

– Sept ans.

– Activement ?

– Oui, activement. Dans les parages de Zanzibar.

– Bien sûr. Je présume que vous avez une certaine expérience dans ce genre de recherches, sinon on ne vous aurait pas engagé.

– J'ai de l'expérience.

– Les gens pour lesquels vous travaillez... quel est leur intérêt précis ?

– Je préférerais ne pas répondre.

– Un intérêt pécuniaire, proposa Sam. La cargaison de l'*Ophelia* au moment du naufrage ?

– Ce serait une supposition bien fondée.

– Et vous pensez que notre trouvaille proviendrait de l'*Ophelia ?*

– C'est une possibilité que mes employeurs aimeraient explorer.

Sam hocha la tête d'un air songeur. Depuis quelques minutes il tentait de pousser Rivera à préciser ses intentions, à évoquer des renseignements que Remi et lui pourraient utiliser pour leurs propres recherches.

– Un sacré butin certainement. Vous achetez le commandant d'une canonnière tanzanienne d'abord pour nous intimider, puis pour nous surveiller et ensuite, à la nuit tombée, vous vous glissez dans le lagon et vous abordez notre bateau, poignard en main.

Rivera ne s'attendait pas à cette sortie. Il prit une profonde inspiration et poussa un grand soupir.

– Nous avons observé toute la scène, précisa Sam.

– D'où ?

– C'est vraiment important ?

– Non, je suppose que non. Veuillez accepter mes excuses. Mes amis sont d'anciens soldats. Il y a certaines habitudes qu'il est difficile de perdre. L'excitation de l'action les a emportés. Je les ai déjà réprimandés.

– Tous les trois.

– Oui.

Sam, bien sûr, ne croyait pas un mot du mea culpa de Rivera, mais il dit :

– Bon. Quel était votre plan ? Voler ce que, selon vous, nous avions trouvé ?

– À ce moment-là, nous ne savions pas de quoi il s'agissait.

Sam se tut pendant dix longues secondes puis reprit :

– Je me demande si vous nous prenez pour des idiots ou si vous avez un problème de mémoire à court terme.

– Pardon ?

– Si vous êtes ici, c'est à cause de ce que j'ai écrit sur la caisse, et si vous avez découvert cette caisse, c'est grâce aux indications que nous avions notées à côté du dessin d'une cloche et que vous avez trouvées sur notre bateau. Vous êtes convaincus que nous avons découvert une cloche de navire. Pourquoi ne pas le dire tout de suite ?

– Alors, considérez cela comme dit.

– Je peux vous affirmer ceci : la cloche que nous avons trouvée n'appartient pas à l'*Ophelia.*

– Vous me pardonnerez si je ne vous crois pas.

– Vraiment ? fit Sam.

– J'aimerais inspecter la cloche moi-même.

– La même cloche pour laquelle vous et vos hommes nous auriez tués si nous avions été à bord de notre bateau ? Je me vois dans l'obligation de vous le refuser.

– On m'a autorisé à vous proposer une commission de découvreur si la cloche se révèle être celle que nous recherchons.

– Non merci. Nous avons tout l'argent qu'il nous faut.

– Conduisez-moi jusqu'à la cloche, laissez-moi l'examiner et mon employeur versera cinquante mille dollars à une œuvre de votre choix.

– Non.

Le regard de Rivera se durcit et il poussa un grognement étouffé.

– Monsieur Fargo, vous allez me mettre en colère.

– Il y a des remèdes pour cela.

– Je préfère une approche différente.

Rivera souleva un pan de sa chemise pour révéler la crosse d'un pistolet, un Heckler & Koch P30 – le même que celui qu'ils avaient enlevé à Yaotl, constata Sam.

– Maintenant, nous partons, marmonna Rivera. Ne faites pas de scène ou je vous abats sur-le-champ. Nous serons partis avant même que la police soit prévenue.

– La police, répéta Sam, comme celle du poste de l'autre côté de la route derrière nous ? (Rivera jeta un coup d'œil par-dessus l'épaule de Sam. Sa bouche se crispa, ses maxillaires se gonflèrent.) Vous auriez dû vous renseigner. Je me rends compte que c'est une ancienne école, mais ce n'aurait pas été grand-chose de vérifier. Je suis sûr que vous voilà bien embarrassé.

– *¡ Cabrón !*

Malgré ses connaissances sommaires en argot espagnol, Sam soupçonna que Rivera venait de remettre en question la légitimité de sa naissance.

– Si vous regardez un peu plus attentivement, poursuivit-il, vous verrez un homme et une femme assis sur un banc près du perron du poste.

– Je les vois.

Sam tira de sa poche son portable, le fit sonner deux fois puis raccrocha. Un instant plus tard, Remi Fargo se tourna vers le terrain de cricket et fit un geste de la main.

– L'homme à qui elle parle est un commissaire de police de Dar es Salaam.

– On peut toujours acheter un policier. Tout comme les officiers de marine.

– Pas celui-là. Il est un ami personnel de l'agent du FBI attaché à l'ambassade américaine.

– Vous bluffez.

– En ce moment même ma femme est peut-être en train de parler au commissaire d'un nommé Yaotl qui a essayé de s'introduire dans notre villa de vacances hier soir. Il était armé d'un pistolet identique à celui que vous portez et n'avait pas de passeport.

Rivera fronça les sourcils.

– L'accident… le radeau. Ce n'était pas Yaotl.

Sam secoua la tête.

– Comment vous y êtes-vous pris ?

– J'ai suivi quelques cours de théâtre au collège.

– Peu importe. Il ne parlera pas. Et même s'il parle, il ne sait rien.

– Juste votre nom et votre signalement.

– Mais ça, ça se change. Donnez-moi ma cloche et rendez-moi mon homme, ensuite on ne vous ennuiera plus.

– Laissez-moi réfléchir. Je vous appellerai demain en fin de journée. Si vous nous ennuyez d'ici là, je téléphonerai à notre ami le commissaire. Cela ne vous gêne pas de me dire où vous êtes descendu ?

Rivera eut un sourire forcé et secoua la tête.

– Pas le moins du monde, répondit-il, et il lui donna son numéro de téléphone. Je compte bien avoir de bonnes nouvelles.

Sam se leva.

– Comptez sur ce que bon vous semble.

Sur quoi il tourna les talons et s'éloigna.

Sam traversa la rue pour gagner le poste de police. Remi termina sa conversation avec le commissaire sur une chaleureuse poignée de main ponctuée de grands remerciements. L'homme salua Sam de la tête puis s'éloigna.

– Charmant ce Huru, déclara Remi. Il a demandé que nous saluions Rube de sa part.

– Que lui as-tu dit ? demanda Sam en venant s'asseoir auprès d'elle.

– Que quelqu'un avait certainement essayé de pénétrer par effraction dans notre villa hier soir. Il m'a recommandé de l'appeler personnellement si nous avions encore des ennuis. Comment s'est passée ta conversation avec l'autre zozo ?

– Comme on pouvait s'y attendre. Il raconte qu'il travaille pour des gens pleins de pognon qui recherchent l'*Ophelia* depuis des années. Seul problème : il prétend ne savoir pratiquement rien de ce navire.

– Mais il a essayé de nous acheter la cloche, rétorqua Remi. Il a cru qu'il pourrait nous bluffer.

Tous ceux qui passent ne serait-ce qu'un minimum de temps à chasser les épaves finissent par connaître dans tous ses détails l'histoire des vaisseaux concernés. Le fait que Rivera feignît de ne rien savoir au sujet de l'*Ophelia* permettait à Sam et à Remi de conclure que Rivera et son employeur accordaient une grande importance au navire.

– A-t-il fait allusion à la gravure cachée sous la patine ?

– Non, trop voyant. Autre détail qu'un chasseur de trésor expérimenté connaîtrait. Il n'y a pas fait allusion parce qu'il espère que nous ne l'avons pas remarqué.

– Rien qui indique ce qu'il cherche précisément ?

– Il a laissé entendre qu'il s'agissait de quelque chose se trouvant dans la cale de l'*Ophelia,* qui aurait de la valeur et pour quoi il nous propose même une commission.

– Rivera se prétend chasseur de trésor expérimenté. Vrai ou peut-être pas. Mais il a aussi affirmé que ses employeurs recherchaient activement l'*Ophelia.*

Dans le monde des chasseurs de trésor, des recherches actives impliquent de monter une véritable expédition : se mouiller et se salir pour poser des grilles sur le sable, effectuer des repérages au magnétomètre, fouiller dans la boue et dans la vase. Sans parler de travaux peut-être plus au sec mais non moins éprouvants : interroger des descendants, relever des lieux précis et passer des heures dans de vieilles bibliothèques poussiéreuses à tenter de découvrir le moindre indice sur l'emplacement possible de la cible.

– Si Rivera planche là-dessus depuis si longtemps, observa Remi, c'est qu'il doit exister des documents... Des articles de presse, des permis...

– C'est exactement ce que je pense. Si nous trouvons ce genre de choses, nous aurons une meilleure idée de ce que recherchent vraiment ses commanditaires.

Pendant une dizaine de minutes, à l'ombre des arbres devant le poste de police, Sam et Remi surveillèrent le départ de Rivera et de son équipier, leur faisant un geste d'adieu au passage.

Une fois assurés qu'ils ne revenaient pas, Sam et Remi se rendirent à un marché en plein air pour acheter des provisions tout en parcourant le labyrinthe des allées pour repérer d'éventuels poursuivants. N'en apercevant aucun, ils poursuivirent jusqu'à une agence de location de voitures. La Toyota 4 × 4 qu'ils avaient retenue les attendait. Trois quarts d'heure plus tard, ils regagnaient leur villa d'Uroa.

Ils s'engageaient dans le chemin d'accès quand le téléphone de Sam se mit à sonner. Remi continua jusqu'à la maison avec les provisions tandis que Sam vérifiait l'identité de son correspondant : Rube.

– Bonjour, Rube.

– Il est encore bien tôt chez moi. Comment s'est passé ton rendez-vous ?

– Très bien. Huru t'envoie son bon souvenir.

– Un brave type, ce Huru. Tu lui as remis ton invité ?

– Pas encore, répondit Sam, puis il lui raconta sa conversation avec Rivera. Nous avons déjà appelé Selma. Elle planche sur les banques de données concernant les épaves du secteur. Demain, nous irons travailler un peu à l'Université.

– Eh bien, je te le répète, fais très attention quand tu fouilleras dans le passé de Rivera. Le passé militaire, tu connais déjà, mais il a aussi appartenu au service de renseignements du ministère de la Défense. Il a pris sa retraite, il y a environ huit ans, pour travailler à son compte. Le hic, c'est qu'à en croire le chef de station de notre antenne à Mexico, Rivera a été arrêté six fois par la Policía Federal mais jamais inculpé.

– Pour quels motifs ?

– Cambriolage, corruption, meurtre, enlèvement... Et toujours en rapport avec des affaires politiques au niveau national. Il s'agit donc, détail à ne pas oublier, d'un criminel professionnel. Personne n'arrive à savoir pour qui il travaille.

– Comment se fait-il qu'il s'en soit toujours tiré ?

– Les méthodes classiques : réfutation de témoins qui reviennent sur leurs déclarations ou encore changement de statut personnel, comme, par exemple, une mort aussi soudaine qu'inattendue.

– Oui, Rube, s'esclaffa Sam, je vois.

– Ou, toujours du classique, des dépositions égarées, des points de droit contestés et caetera.

– On peut donc dire qu'il s'agit d'un poids lourd…

– … éprouvant une passion pour les objets recueillis sur des épaves. Que comptes-tu faire de la cloche ?

– Nous n'avons pas encore décidé. À vrai dire, je ne pense pas qu'ils s'intéressent à la cloche elle-même. Qu'ils en veuillent à l'*Ophelia* ou au navire d'où provient la mystérieuse mention gravée ne change rien. C'est ce qui les inquiète… Enfin, ça et le fait que nous ne sommes pas disposés à les laisser tranquilles.

– Et si, suggéra Rube, ils ne voulaient pas tant trouver cette fameuse chose qu'éviter que quelqu'un d'autre ne la trouve.

– Intéressant, reconnut Sam.

– Cette histoire de don à une œuvre de charité, reprit Rube. Il voulait que toi, Remi et la cloche soyez ensemble au même endroit. Pourquoi ne pas accepter simplement une photo envoyée par e-mail de la cloche ? Et si tout ce qu'ils voulaient, c'était retrouver l'*Ophelia*, pourquoi ne pas vous engager ? Tout le monde sait comment travaillent les Fargo : un gros pourcentage de la découverte va à des œuvres caritatives et rien à vous deux personnellement. Sam, je crois que leur truc, c'est de cacher quelque chose, pas de le trouver.

Chapitre 11

Université de Dar es Salaam

LE CAMPUS PRINCIPAL DE L'UNIVERSITÉ se trouvait sur une colline au nord-ouest de la ville. Sam et Remi avaient pris rendez-vous, et la directrice de la bibliothèque, Amidah Kilembe, une belle Noire en costume pantalon vert fougère, les accueillit sur le perron.

– Bonjour, monsieur et madame Fargo. Bienvenue dans notre établissement.

Madame Kilembe leur fit visiter le bâtiment en terminant par le département des ouvrages de référence au troisième étage. Le décor alliait le style colonial de l'Ancien Monde au style africain traditionnel : mobilier sombre et boiseries étincelant presque à force d'être astiqués, avec çà et là des taches colorées des peintures et des objets d'art tanzaniens. Personne dans les salles à l'exception de quelques employés.

– Un jour de congé scolaire, expliqua madame Kilembe.

– Pardonnez-nous, s'excusa Sam, nous pensions...

– Oh, non, non. Pour le personnel, c'est un jour de travail comme les autres. En fait, vous avez choisi sans le vouloir le jour idéal pour venir : je vous assisterai moi-même.

– Nous ne voulons pas abuser, intervint Remi, je suis sûre que vous avez d'autres...

– Pas du tout, fit madame Kilembe avec un grand sourire. Pas du tout. J'ai lu avec beaucoup de plaisir le récit de plusieurs de vos exploits. Bien entendu, je garderai le silence sur ce dont nous parlerons aujourd'hui, ajouta-t-elle en portant un doigt à ses lèvres avec un petit clin d'œil. Suivez-moi s'il vous plaît, je vous ai réservé une salle à l'écart.

Ils la suivirent dans une pièce entièrement vitrée, au milieu de laquelle étaient installés une longue table en noyer et deux confortables fauteuils. Devant chacun, un Mac avec un écran de vingt pouces.

Madame Kilembe eut un petit rire en voyant leur air surpris.

– Il y a trois ans, monsieur Steve Jobs en personne a visité le campus. Constatant que nous ne disposions que de très peu d'ordinateurs, de surcroît tous démodés, il nous a fait une généreuse donation. Ainsi, nous possédons aujourd'hui quarante de ces merveilleuses machines avec une liaison Internet incorporée.

« Bon, je vous laisse commencer mais avant, je vais vous faire apporter du café. Je vous ai inscrit tous les deux sur la liste des invités, ce qui vous donne accès aux catalogues. La majorité de notre documentation est informatisée depuis 1970, le reste se trouve au sous-sol, dans nos archives. Dites-moi ce dont vous avez besoin, et je vous l'apporterai. Alors, bonne chasse !

Sur quoi, madame Kilembe sortit, fermant la porte derrière elle.

– Par où commençons-nous ? demanda Sam.

– Contactons d'abord Selma.

Sam frappa sur l'icône iChat et tapa l'adresse de Selma. Le fond s'éclaira en vert et, dix secondes plus tard, le visage de Selma apparut sur l'écran.

– Où êtes-vous ? s'enquit-elle.

– À l'université de Dar es Salaam.

Derrière Selma, Pete et Wendy, assis à leur bureau, leur firent bonjour de la main.

– Nous sommes prêts à nous y mettre. Avez-vous quelque chose pour nous ?

– Nous terminons les dernières recherches. (Sur l'écran, on vit Peter s'approcher d'une station de travail et frapper quelques touches sur le clavier.) À vous, Selma.

Sam et Remi la regardèrent pendant qu'elle étudiait rapidement le document.

– Il n'y a pas grand-chose là, déclara-t-elle enfin. Nous avons consulté toutes les banques de données sur les principaux naufrages et nous n'avons trouvé que dix-huit sites autour de Zanzibar. Nous avons même étendu la grille à cinquante milles dans toutes les directions. Sur les dix-huit, quatorze ont été identifiés et un seul approche vaguement de la tranche de dates dans laquelle pourrait s'insérer l'*Ophelia*.

– Continue.

– Le *Glasgow*. Commandé en 1877 après que le sultan de Zanzibar a perdu sa « flotte » dans la tempête de 1872. Livré durant l'été 1878, il n'impressionna pas le sultan et il resta abandonné et inutilisé à l'ancre au large de Zanzibar jusqu'à la guerre avec les Anglais de 1896, au cours de laquelle les Britanniques le coulèrent avec leurs canons de marine.

« En 1912, l'épave fut réduite à l'armature par une société de récupération et la majorité des pièces larguée dans la mer. Dans les années 1970, on retrouva sur le site le bloc moteur du *Glasgow*, l'arbre d'hélice, un peu de vaisselle et quelques obus de neuf livres.

– Où se trouve le site ?

– À deux cents mètres environ de la plage de Stone Town. En fait, vous pouviez le voir du restaurant l'autre soir.

– C'est-à-dire à quinze milles à vol d'oiseau de là où nous avons découvert la cloche de l'*Ophelia*, résuma Sam. Donc, rayons le *Glasgow*. Quoi d'autre ?

– Quatre des épaves figurant sur la banque de données ne sont pas identifiées. L'une, sur la rivière Pagani, à trente-cinq milles au nord ; les deux autres, dans la baie de Tanga, à cinquante milles au nord ; la dernière, au large de l'île de Bongoyo, dans la baie de Msasani non loin de Dar es Salaam. Pour autant que je sache, aucune n'est à plus d'une dizaine de mètres de profondeur.

– Une profondeur de dix mètres en eau claire, précisa Sam. Nous allons enquêter auprès des magasins d'articles de plongée. Il se pourrait bien que quelqu'un les ait identifiées sans prendre la peine de les mentionner. Elles ne représentent probablement plus aujourd'hui que des attractions pour les amateurs de plongée.

– Navrée de revenir les mains vides, déplora Selma.

– Pas du tout, répondit Remi. Éliminer est aussi important que de trouver.

– Encore deux choses, ma chère madame Fargo, tu avais raison à propos des noms : il s'agit de prénoms nahuatl, de noms aztèques traditionnels. Sachez que depuis quelques années, à Mexico, c'est très branché de les porter.

– Je sais, intervint Remi, le parti Mexica Tenochca. (Voyant l'air surpris de Sam, elle ajouta :) Le président actuel est un hyper-nationaliste, un vrai précolombien. Prénoms aztèques, cours d'histoire dans les écoles, enseignement religieux strict, culte de l'art traditionnel…

– Par-dessus le marché, ajouta sèchement Sam, Rivera et sa clique sont des fanatiques sur le plan politique. Il ne nous manquait plus que ça. Bon, quoi d'autre, Selma ?

– J'ai examiné les photos de la cloche que tu m'as envoyées. Je suppose que tu as remarqué le battant ?

– Tu veux dire son absence ? demanda Sam. Nous l'avons remarquée. (Sam raccrocha puis se tourna vers Remi.) Alors, on consulte les journaux ?

– On y va, acquiesça Remi.

Sam et Remi croyaient fermement à la théorie de la pyramide dans la recherche. Commencer par le sommet de la pyramide, par l'essentiel, et descendre jusqu'à la base, les généralités. Les premiers termes qu'ils essayèrent dans leur travail furent « *Ophelia* », « naufrage » et « découverte ». Puis ils passèrent à « célèbre », « épave » et « Zanzibar », et ils obtinrent les résultats attendus : des histoires à dormir debout concernant le *Glasgow* et le *El Majidi*, un autre bateau appartenant au sultan de Zanzibar, disparu lors de l'ouragan de 1872, et le *Pégase*, coulé en 1914 lors d'une attaque surprise du croiseur allemand *Königsberg*.

Madame Kilembe revint avec une cafetière pleine et deux grandes tasses, leur demanda s'ils avaient besoin de quoi que ce soit et disparut de nouveau.

– Sam, observa Remi, nous avons oublié l'île de Chumbe.

– Exact, répondit Sam qui pianota aussitôt « Chumbe » sur le clavier, sans aucun résultat.

Il essaya aussitôt avec les mots « plongée », « objet » et « trésor ». Il lut quelques articles puis s'interrompit.

– Tiens, murmura-t-il.

– Quoi donc ?

– Probablement rien, mais c'est curieux. Il y a deux mois, une Anglaise du nom de Sylvie Radford a été retrouvée assassinée à Stone Town. Apparemment, l'agression d'un voleur qui aurait mal tourné. Elle venait de faire de la plongée au large de Chumbe. Écoute ça : « D'après les parents de la victime, madame Radford passait d'excellentes vacances, faisant beaucoup de plongée sous-marine ; elle avait d'ailleurs déjà trouvé divers objets, dont ce qu'elle pensait pouvoir être le fragment d'un glaive de l'époque romaine.

– « Un glaive de l'époque romaine », répéta Remi. Intéressant. C'est ce qu'elle a dit au journaliste ?

– Je ne sais pas. Dans tous les cas, c'est une description bien précise. La plupart des profanes diraient simplement « une épée ».

Remi se pencha sur l'écran, puis nota le nom du reporter.

– Il l'aura peut-être noté.

Sam se remit à pianoter sur le clavier de l'ordinateur, cette fois avec une certaine ardeur, et entra tour à tour « Zanzibar », « plongée » et « mort », limitant ses recherches aux dix années précédentes. Des douzaines d'articles apparurent alors sur l'écran.

– Partageons-nous le travail, proposa Remi en tapant les mots sur son propre ordinateur. On commence par les plus anciens ?

Sam acquiesça de la tête.

Dans le compte à rebours entre les années – 10 et – 8, quatre décès se rattachaient aux mots indiqués. Mais, dans chaque cas, des témoignages confirmaient qu'il s'agissait d'accidents : une morsure de requin, un incident de plongée et deux collisions de voitures, toutes deux dues à l'alcool.

– Écoute, dit Remi. Il y a sept ans. Deux personnes, des touristes qui faisaient de la plongée pendant leurs vacances...

– Où exactement ?

– On dit juste sur la côte sud-ouest de Zanzibar. L'un d'eux a été tué par un chauffard. L'autre a fait une chute sur des marches à Stone Town. Pas question d'alcoolisme cette fois, et pas de témoin.

– Et il y a six ans, lut Sam sur l'écran, deux morts : un suicide, une noyade. Et pas de témoin non plus.

Ils arrivèrent à cinq ans plus tôt : des touristes qui faisaient de la plongée, la plupart séjournant à proximité ou dans les environs de l'île de Chumbe, furent victimes d'accidents bizarres ou d'agressions qui avaient mal tourné.

– J'en compte cinq, dit Remi.

– Moi, quatre, fit Sam.

Ils restèrent quelques instants silencieux.

– Une coïncidence, non ? reprit Sam en regardant son écran.

– Sinon, enchaîna Remi, qu'est-ce que cela voudrait dire ? Que Rivera ou ceux pour qui il travaille ont assassiné les plongeurs qui semblent s'intéresser à l'île de Chumbe ?

– Non, impossible, il y en aurait des centaines... des milliers. Il s'agit peut-être des personnes qui déclarent leurs trouvailles. Ou qui vont les faire identifier dans les boutiques locales. Si nous avons raison, ils doivent avoir quelque chose d'autre en commun.

– Ils ont parlé à quelqu'un de ce qu'ils avaient découvert, suggéra Remi.

– Et c'était justement l'objet qu'il fallait, quelque chose ayant un rapport avec l'*Ophelia.* Ou avec le navire dont le nom était effacé.

– Dans un cas comme dans l'autre, s'il avait coulé au large de Chumbe, les objets se seraient échoués sur la plage. À chaque mousson, il y aurait des débris au fond de l'eau attendant que se présente quelqu'un armé comme nous d'une raquette de ping-pong.

– Exact, dit Sam. Mais il y a plein de gens qui trouvent des choses et qui n'en parlent jamais. Ils rentrent chez eux et les posent sur le dessus de leur cheminée comme souvenirs. À vrai dire, cela concerne la plupart des plongeurs qui trouvent des trésors par hasard. Ils découvrent un objet, font quelques efforts limités pour l'identifier mais, s'il ne s'agit pas d'une trouvaille qui ait vraiment l'air d'un « trésor », ils n'y voient qu'un souvenir de vacances… « Oh, nous avons rapporté ça de Zanzibar ! »

– C'est quand même un peu tiré par les cheveux, non, Sam ?

– Je me rappelle soudain un détail : Rivera nous a dit que cela faisait sept ans qu'il recherchait l'*Ophelia.*

– Donc, à peu près depuis le début des décès suspects.

– Exactement. Il faut que j'appelle Rube. Pour vérifier le soin avec lequel sont tenues les archives des services d'immigration et des douanes de Tanzanie.

Sam téléphona et expliqua sa demande à un Rube Haywood incrédule mais quand même attentif, qui lui dit :

– Selon ta théorie, Rivera se serait trouvé à Zanzibar vers l'époque où se sont produites toutes ces morts ?

– Ça vaut la peine de le vérifier. Même si les archives ne montrent pas qu'il était ici à chaque fois, il peut très bien ne pas avoir voyagé sous son vrai nom.

– Je vais regarder. Je ne voudrais pas te laisser dans l'incertitude.

Sam le remercia et raccrocha.

Quelques minutes plus tard, madame Kilembe frappa à la porte et passa la tête à l'intérieur.

– Vous n'avez besoin de rien ?

Ils répondirent que non et la remercièrent. Elle allait repartir quand Sam demanda :

– Madame Kilembe, depuis quand êtes-vous bibliothécaire ?

– Depuis trente ans.

– Et depuis quand dans la région ?

– Depuis toujours. Je suis née à Fumba, à Zanzibar.

– Nous recherchons tout ce qui concerne un bateau qui s'appelait l'*Ophelia*. Ce nom vous dit-il quelque chose ?

Madame Kilembe plissa le front d'un air songeur puis, au bout d'une dizaine de secondes de réflexion, finit par dire :

– Je présume que vous êtes déjà allés au Blaylock ?

– Le Blaylock ?

– Le musée Blaylock de Bagamoyo. Un dessin au fusain d'un navire y est exposé et, si ma mémoire est bonne, le bateau s'appelle l'*Ophelia*.

Chapitre 12

Bagamoyo

Entre Dar es Salaam et Bagamoyo, les deux villes les plus proches de Zanzibar, Sam et Remi préféraient la seconde, le microcosme de Bagamoyo, trente mille habitants, qui associait l'histoire de l'Afrique traditionnelle et celle de l'Afrique coloniale et où on n'avait pas à supporter l'agitation de Dar es Salaam et de ses deux millions et demi d'habitants.

Fondée par des nomades venus d'Oman à la fin du XVIIIe siècle, Bagamoyo a successivement accueilli des Arabes et des Indiens faisant commerce de l'ivoire et du sel, des missionnaires chrétiens, des trafiquants d'esclaves, le gouvernement colonial de l'Afrique Orientale allemande et des chasseurs de gros gibier, ainsi que des explorateurs en route pour Morogoro, le lac Tanganyika et Usambara.

– Tiens, quelque chose que nous ne savions pas, releva Remi en lisant le guide touristique pendant que Sam conduisait. David Livingstone, qui a pourtant passé de nombreuses années en Afrique, n'est jamais venu à Bagamoyo – du moins pas de son vivant. Il y a été transporté après son décès et on a abrité son corps dans la tour d'Old Church maintenant appelée la tour Livingstone, pour attendre la marée qui permettrait de l'emmener à Zanzibar.

– Intéressant, dit Sam. J'ai toujours cru qu'il avait fait de Bagamoyo son point de ravitaillement, comme tout le monde. Bon, nous voici dans les faubourgs. Où madame Kimbele a-t-elle dit que se trouvait le musée ?

Remi décolla le post-it du guide et lut :

– Deux blocs après le vieux *boma* allemand, un fort.

– Lequel ? Le guide en indique deux, il me semble.

– C'est tout ce qu'elle a écrit, répondit Remi après avoir de nouveau consulté la note. Il faudra donc aller aux deux.

Ils trouvèrent le premier *boma* à quelques centaines de mètres au nord des trois principales attractions touristiques de Bagamoyo : la ferme des crocodiles, les ruines de Kaole et un baobab vieux de cinq cents ans. Ils se garèrent sur le chemin de terre menant au fort délabré et descendirent. Un garçon d'une dizaine d'années s'approcha, tenant un âne par la bride.

– *Jambo*, dit-il avec un grand sourire. *Habari gani ?* Bonjour. Comment allez-vous ?

– *Nzuri*, répondit Sam dans un swahili incertain. *Unasema kiingereza ?*

– Oui, je parle un petit peu anglais.

– Nous cherchons le musée Blaylock.

– Oh, oui, la Maison du Cinglé.

– Non, pardon, le musée Blaylock.

– Oui, même chose. Près autre *boma*. Un kilomètre plus loin. Carrefour Livingstone, oui ?

– Oui. *Asante sana*, répondit Sam.

– Pas de quoi, bye-bye, lança le jeune garçon en faisant repartir son âne d'un claquement de langue.

– Tu fais des progrès en swahili, remarqua Remi.

– Ne me demande quand même pas de commander au restaurant car tu n'aimerais peut-être pas ce qu'on nous servirait.

– Que voulait-il dire par « la Maison du Cinglé » ?

– Je pense que nous n'allons pas tarder à le découvrir.

Ils trouvèrent sans mal l'autre *boma* et suivirent ses remparts au crépi blanc délavé jusqu'à un parking au sol tapissé de débris de coquillages. Des indigènes y vaquaient à leurs occupations, vendant des fruits et divers articles sur des étals ou des charrettes protégées par des bâches. Sam et Remi descendirent de voiture et se mirent à chercher un panneau annonçant « Blaylock » ou « Cinglé ». Au bout de vingt minutes de vaines recherches, ils s'arrêtèrent devant l'étal d'un marchand, achetèrent deux bouteilles de Coca bien glacé et demandèrent leur chemin.

– Ah, oui, Maison du Cinglé, dit l'homme en désignant sur sa gauche une ruelle étroite. Deux cents mètres plus bas, trouver mur, puis gros arbres. Tournez droite, trouver allée, c'est là.

– *Asante sana,* dit Remi.

– *Starehe.*

Après avoir en effet trouvé le mur, un muret en briques de boue, ils prirent à droite et arrivèrent quelques mètres plus loin devant une ouverture ; un sentier serpentant à travers un bouquet d'arbustes les mena à une barrière blanche derrière laquelle s'élevait une vieille école longue et étroite, un bâtiment jaune avec de gros volets bleu foncé. Au-dessus des marches du perron, un panneau sur lequel on pouvait lire en caractères noirs sur fond blanc MUSÉE BLAYLOCK – SOUVENIRS. Le dernier mot avait manifestement été tracé par une main différente, comme si on l'avait ajouté après coup.

À leur entrée, une clochette tinta au-dessus de la porte. Des piliers de bois taillés à la main soutenaient des poutres auxquelles étaient accrochés des oiseaux d'Afrique piètrement empaillés dans des poses qui cherchaient sans doute à figurer le plein vol. Au-dessus de leurs congénères inanimés étaient perchés des pigeons bien vivants et roucoulant à qui mieux mieux.

Le long des murs s'entassaient des casiers, tous de dimensions différentes et fabriqués dans un bois différent. Au milieu de la salle, huit tables à jeu branlantes et recouvertes de nappes usées. Dans les casiers et sur les tables s'étalaient des centaines de bibelots : statuettes, en bois ou en ivoire, de girafes, de lions, de zèbres, d'antilopes, de serpents ou encore de personnages ; des collections de poignards taillés dans l'os et même de vulgaires canifs ; des fétiches peints à la main et couverts de plumes et fragments d'écorce ; des cartes peintes à la main sur du cuir ; des portraits et des paysages au fusain ; des boussoles ; des outres faites dans des panses d'animaux ; et plusieurs modèles de vieux revolvers avec des balles de divers calibres.

– Soyez les bienvenus au musée Blaylock et à son magasin de souvenirs, dit une voix dans un anglais d'une surprenante qualité.

Tout au fond de la salle, derrière une table à jouer isolée qu'ils n'avaient pas remarquée, était assis un Noir d'un certain âge coiffé d'une casquette de base-ball et arborant un T-shirt blanc sur lequel on pouvait lire VOUS AVEZ DU LAIT ?

– Merci, répondit Remi.

Sam et Remi s'avancèrent et se présentèrent.

– Je m'appelle Morton, dit l'homme.

– Pardonnez-nous, mais qu'est exactement cet endroit ? se renseigna Sam.

– Vous êtes au musée Blaylock, dans le magasin de souvenirs.

– Je sais, mais à qui est dédié le musée ?

– Au plus grand explorateur, hélas méconnu, à avoir jamais honoré le continent noir, répliqua l'homme qui avait de toute évidence débité maintes fois ce laïus. À celui auquel des centaines d'êtres et des centaines de leurs descendants doivent leur vie : Winston Lloyd Blaylock, le Mbogo de Bagamoyo.

– Le « Mbogo de Bagamoyo » ? répéta Sam. Le buffle de Bagamoyo ?

– Exactement. Le buffle du Cap.

– Que pouvez-vous nous dire de lui ? interrogea Remi.

– Mbogo Blaylock est venu d'Amérique pour chercher fortune à Bagamoyo. Il mesurait un mètre quatre-vingt-dix, pesait deux fois plus que le Tanganyikais moyen de cette époque et il avait des épaules aussi larges que le *mbogo* qui lui a valu son surnom.

– C'est lui ? demanda Sam en désignant un daguerréotype accroché au mur au-dessus de Morton et qui montrait un colosse large d'épaules en tenue de safari à la Hemingway. Derrière, on voyait une douzaine de guerriers massaïs agenouillés, leur sagaie à la main.

– C'est lui en effet, confirma Morton. Vous trouverez l'histoire complète du Mbogo dans ce beau volume relié.

Morton montra de la main une étagère en rotin sur le mur de droite. Remi s'approcha et prit un des livres de la pile. La reliure n'était pas en cuir mais plutôt dans du plastique collé sur du carton. Sur la couverture, une reproduction de la photographie accrochée au mur.

– Nous en prendrons deux, annonça Sam en rapportant leurs achats sur la table à jeu.

– On nous a dit, poursuivit Remi pendant que Sam payait, que nous pourrions trouver ici quelque chose se rapportant à un navire, l'*Ophelia*.

Morton acquiesça de la tête et désigna un cadre : le dessin au fusain d'un bateau à voile et à vapeur.

– La poursuite de l'*Ophelia* a été la première grande aventure de Mbogo Blaylock. Tout cela est raconté dans le livre. J'en ai moi-même fait l'index. Cela m'a pris trois ans.

– Quel travail ! fit Remi. Comment vous trouvez-vous… ici ? Votre famille connaissait monsieur Blaylock ?

Pour la première fois depuis leur arrivée, Morton sourit. Avec fierté.

– Je suis de la famille de Mbogo Blaylock. Je suis cousin issu de germains de l'arrière-petit-fils de Mbogo.

– Pardonnez-moi, vous êtes apparenté à Winston Blaylock ? demanda Sam.

– Bien sûr. Ça ne se voit pas ?

Sam et Remi ne savaient pas comment réagir. Au bout de quelques instants, Morton se frappa le genou en éclatant de rire.

– Je vous ai bien eus, n'est-ce pas ?

– En effet, répondit Sam. Alors vous n'êtes pas…

– Si, c'est vrai. La ressemblance toutefois n'est pas évidente. Mais je peux vous montrer mon acte de naissance si vous voulez.

Sans leur laisser le temps de répondre, Morton sortit le document d'un coffret posé sous la table, le déplia et le fit glisser dans leur direction. Sam et Remi l'examinèrent puis se redressèrent.

– C'est étonnant, dit Remi. Alors, il s'est marié ? Et il a épousé une Tanzanienne ?

– À cette époque, le pays s'appelait encore le Tanganyika – c'était avant l'arrivée des Allemands, vous comprenez. Et il ne s'est pas marié. Mais il a eu six concubines et beaucoup d'enfants. Tout cela aussi se trouve dans le livre.

Sam et Remi échangèrent des regards stupéfaits. Puis Sam demanda à Morton :

– Qu'est-il devenu ?

– Personne ne sait. Il a disparu d'ici en 1882. Son petit-fils prétend qu'il cherchait un trésor.

– Quel genre de trésor ?

– Ça, c'est un secret qu'il a gardé pour lui.

– Des gens en ville parlaient de…

– La Maison du Cinglé, coupa Morton. Ce n'est pas une insulte. Le mot est difficile à traduire en anglais. En swahili, cela ne signifie pas fou mais plutôt… original.

– Et toutes ces collections lui appartenaient ? interrogea Remi.

– Oui. La plupart des animaux, il les a tués lui-même, quant aux objets, il les a trouvés. D'autres sont des cadeaux. Si vous m'offrez un bon prix, j'y réfléchirai.

– Je ne comprends pas. Vous vendez ses affaires ?

– Je n'ai pas le choix. Je suis le dernier descendant de Mbogo Blaylock. Du moins à vivre ici. Mes deux enfants habitent l'Angleterre, ils vont au collège. Moi, je suis malade et je n'ai plus longtemps à vivre.

– Nous sommes navrés de l'apprendre, compatit Sam. Pouvons-nous jeter un coup d'œil ?

– Bien entendu. Si vous avez des questions, n'hésitez pas.
Sam et Remi s'éloignèrent.
– Tu crois, chuchota Remi, que tout cela est vrai ? La photo ressemble fichtrement à Hemingway.
– Pourquoi ne demanderais-tu pas à madame Kilembe ?
Remi sortit. Cinq minutes plus tard, elle retrouva Sam en contemplation devant une canne de marche accrochée au mur.
– Elle affirme que tout cela est authentique. Le musée existe depuis 1915. (Sam continuait de fixer la canne, sans répondre.) Tu m'as entendue ? Sam, qu'est-ce qui te fascine autant ?
– Tu ne vois rien de bizarre ?
Remi regarda quelques instants la canne.
– Non, pas vraiment.
– Regarde le pommeau… la partie métallique arrondie.
Elle obéit. Elle pencha la tête, plissa les yeux et dit :
– Ce ne serait pas… un battant de cloche ?
Ils se regardèrent longuement puis Sam se tourna vers Morton et dit :
– Combien pour le tout ?

Chapitre 13

Zanzibar

– JE TE DEMANDE PARDON ? lança Selma dans le téléphone de la voiture. Tu peux répéter ? Tu comptes m'expédier quoi exactement ?

– Pas le musée dans sa totalité, la rassura Remi de la place du passager de la Toyota, seulement son contenu. Qui devrait peser dans les…

Elle regarda Sam qui précisa :

– Entre deux et trois cents kilos.

– J'ai entendu, soupira Selma. Qu'est-ce que je…

– Le propriétaire s'appelle Morton Blaylock. Nous l'installons au Royal Palm de Dar es Salaam pendant que vous réglez les détails. Dès cet après-midi, il aura un compte à la Barclays. Vire-lui trente mille dollars de notre compte affaires, puis encore trente quand tout sera emballé et en route vers chez toi.

– Soixante mille dollars ? s'écria Selma. Tu lui as payé soixante mille dollars ? Sais-tu ce que cela représente en shillings tanzaniens ? Une fortune. As-tu marchandé au moins ?

– Il en voulait vingt, rétorqua Sam, mais nous l'avons persuadé d'en demander davantage. La mort le guette et il doit payer les études de ses petits-enfants.

– Un véritable escroc, oui.

– Ce n'est pas notre avis, répondit Remi. La canne mesure deux mètres dix de hauteur, elle est en ébène et son pommeau en bronze, comme le battant de la cloche de l'*Ophelia*.

– Vous vous payez ma tête tous les deux ?

– Tu verras toi-même, affirma Sam. Morton l'a mise dans le premier envoi en provenance du musée. Nous t'envoyons aussi par Federal Express un exemplaire de la biographie de Blaylock pour laquelle nous avons besoin de tes talents de magicienne. Dissèque le texte, trouve des recoupements concernant chaque nom, chaque lieu, chaque description… Tu sais ce qu'il faut faire.

– Je ne vous ai jamais entendus parler avec une telle excitation depuis le jour où vous m'avez appelé de cette grotte dans les Alpes.

– Mais nous sommes excités, renchérit Remi. Il semble que Winston Blaylock ait passé une bonne partie de sa vie d'adulte à rechercher un trésor et, à moins que nous nous trompions totalement, c'est quelque chose que Rivera et son patron n'ont pas envie que nous trouvions. Blaylock pourrait être notre pierre de Rosette.

Sam engageait la Land Cruiser sur la route menant à leur villa quand, à cent mètres, il freina brusquement : il venait d'apercevoir, traversant le patio, une silhouette qui disparut dans les buissons.

– Selma, nous te rappellerons plus tard, s'interrompit Remi avant de raccrocher. Ce sont eux, Sam ?

– Absolument. Examine le patio. La cloche a disparu.

Un peu plus loin, sur la droite, la silhouette émergea des broussailles bordant la plage et se mit à courir vers la mer où un puissant canot à moteur attendait à côté de leur vedette. À un demi-mille de là, le *Njiwa* était à l'ancre ; on apercevait deux hommes sur la plage arrière du canot et, entre eux, la cloche de l'*Ophelia*.

– Bon sang ! grommela Sam.

– Comment nous ont-ils trouvés ? s'étonna Remi.

– Aucune idée. Accroche-toi !

Il écrasa la pédale d'accélérateur ; les pneus mordirent la terre et la Land Cruiser bondit en avant. Quand Sam vit l'aiguille du compteur atteindre quatre-vingts, il donna un violent coup de volant à gauche, puis à droite, le capot dirigé droit vers la berme du fort.

– Oh, mon Dieu…, gémit Remi qui plaqua ses mains contre le pare-brise tout en appuyant fortement sa nuque contre l'appuie-tête.

La berme se dressait devant eux. La voiture se cabra fortement – derrière le pare-brise, on ne voyait plus que le ciel – puis retrouva son équilibre, les roues patinant dans le sable qui giclait sur eux. Sam accéléra à fond et, dans le grondement du moteur qui protestait, la machine réagit ; ils repartirent, mais moins vite, les pneus cherchant une prise sur le sable sec.

Devant, la silhouette du fuyard atteignait presque le quai. L'homme jeta un coup d'œil par-dessus son épaule, aperçut la Land Cruiser et trébucha. C'était Yaotl.

– Il semblerait qu'il n'ait pas aimé notre hospitalité, lança Sam.

– On se demande bien pourquoi, répliqua Remi.

Yaotl avait retrouvé son équilibre ; il grimpait quatre à quatre les marches menant au quai et se précipitait vers le canot où l'attendaient Rivera et Nochtli qui agitaient les bras, le pressant de faire vite.

Sam fonçait toujours, les mains crispées sur le volant et cherchant un terrain plus ferme. Yaotl arriva à la hauteur du canot et sauta à bord. La voiture n'était plus qu'à trente mètres. Nochtli s'installa aux commandes et de la fumée jaillit du tuyau d'échappement.

L'air très détaché, Rivera s'approcha de Yaotl hors d'haleine, lui donna un tape sur l'épaule et s'avança jusqu'au bastingage. Il regarda un moment la Land Cruiser puis leva la main comme pour esquisser un geste d'adieu.

– Le fils de…, marmonna Sam.

– Il tient quelque chose, s'écria Remi.

– Quoi donc ?

– Dans sa main ! Il tient quelque chose !

Sam freina de toutes ses forces ; la voiture fit une embardée et stoppa, tremblant de toutes ses tôles. Sam passa en marche arrière, son pied prêt à écraser la pédale d'accélérateur.

Sans les quitter des yeux, Rivera eut un sourire sinistre et dégoupilla la grenade pour la lancer sur leur vedette. Au même instant, laissant derrière lui un panache d'écume, le canot surgit du quai, en direction du *Njiwa*.

Une détonation assourdie : la grenade venait d'exploser, projetant vers le ciel un geyser d'eau et de fragments de bois qui retombèrent en pluie sur le quai. La vedette s'enfonça dans la mer puis disparut lentement dans un nuage de bulles.

Après avoir retraversé les dunes pour regagner la route, ils regardèrent Rivera et ses hommes embarquer sur le yacht. Quelques minutes plus tard, le *Njiwa* avait levé l'ancre et filait, cap au sud, en longeant la côte.

– J'avais commencé à m'attacher à cette cloche, grommela Sam.

– Et ça t'ennuie de la perdre, poursuivit Remi. (Sam hocha la tête.) Moi aussi, ajouta-t-elle.

Sam se pencha devant Remi pour récupérer le P30 de la boîte à gants.

– Je reviens tout de suite, annonça-t-il en quittant la Toyota.

Il descendit l'allée jusqu'à la villa et se glissa à l'intérieur. Deux minutes plus tard, il ressortait, faisant signe à Remi de venir. Elle s'installa au volant et se gara devant la maison.

– Ils ont tout mis à sac ? demanda-t-elle en sautant à terre.

– Non, fit Sam en secouant la tête. Mais je sais comment ils nous ont retrouvés.

Il lui fit traverser la villa jusqu'à la chambre d'amis où ils avaient installé Yaotl. Sam s'approcha de la tête de lit et désigna le bout de corde qu'il avait attaché autour du poignet gauche de leur hôte. Sur la corde, une grosse tache rouge sombre. On avait également dénoué les trois boucles restantes.

– Du sang, constata Remi. Il a réussi à se détacher.

– Et ensuite, il a appelé Rivera, ajouta Sam. Je dois lui rendre cette justice : il résiste bien à la douleur. Il a dû se mettre le poignet en sang.

– Pourquoi ne nous ont-ils pas tendu une embuscade ?

– Difficile à dire. Rivera n'est pas un idiot. Il sait que nous avons entre les mains le pistolet de Yaotl et il n'a pas voulu prendre le risque d'attirer la police.

– Nous ne sommes pas ce qui l'intéresse au premier chef. Ils ont eu ce qu'ils venaient chercher. Nous avons perdu la cloche, il ne nous reste donc plus qu'une histoire intéressante à raconter. Sam, qu'est-ce que cette fichue cloche peut bien avoir de si important ?

Ayant sagement décidé que la villa n'offrait plus aucune sécurité, ils emballèrent les quelques affaires qui s'y trouvaient encore, remontèrent dans la Toyota et gagnèrent Chwaka, à une douzaine de kilomètres, une petite ville dont le seul titre de gloire semblait être d'abriter un organisme au nom énigmatique, l'Institut d'administration financière de Zanzibar. Ils entrèrent dans un restaurant climatisé situé sur le front de mer et demandèrent une table tranquille près d'un aquarium.

Remi désigna la fenêtre.

– Est-ce que… ? (Sam regarda. À deux milles de la côte, on voyait le *Njiwa* qui poursuivait paisiblement sa route vers le sud. Sam émit un juron étouffé et but une gorgée d'eau glacée.) Que veux-tu y faire ? interrogea Remi.

Sam haussa les épaules.

– Je n'arrive pas à décider si je suis suffisamment blessé dans mon amour-propre de nous être fait voler ce que nous nous étions donné tant de mal à récupérer. Ce n'est quand même pas une raison pour risquer de nous faire encore tirer dessus.

– C'est plus que cela. Nous savons à quel point ils ne veulent pas que quiconque ait connaissance de l'existence de la cloche et du navire dont elle provenait. Ils ont probablement déjà tué pour cette raison. Ils vont soit la détruire, soit la larguer en pleine mer, là où on ne la retrouvera jamais.

Le téléphone de Sam se mit à sonner. Il indiqua rapidement à Remi qu'il s'agissait de Selma et répondit en mettant le haut-parleur. Selon son habitude, Selma ne se perdit pas en préambules.

– La cloche que vous avez représente une trouvaille intéressante.

– Que nous avions, rectifia Sam. Nous ne l'avons plus.

Et il lui expliqua ce qui venait de se passer.

– Raconte-nous quand même, Selma, dit Remi.

– Je commence par le côté passionnant ou par le côté incroyable ?

– Passionnant.

– Wendy a fait appel à ses talents magiques d'utilisateur de Photoshop et elle a examiné les images à travers divers filtres ou je ne sais quoi. Je n'ai pas compris grand-chose à ce qu'elle m'a raconté mais, apparemment, sous toute cette végétation sous-marine, il y a des caractères gravés.

– De quelle sorte ?

– Nous ne le savons pas encore très bien. Il y a des fragments de symboles, quelques mots de swahili, un peu d'allemand, des pictogrammes, mais rien de suffisant pour que cela ait un sens. Il semblerait que l'intérieur de la cloche en soit presque entièrement couvert.

– Bon, fit Remi, maintenant, le côté incroyable.

– Wendy est parvenue également à déchiffrer d'autres lettres du mot inscrit sous le nom gravé d'*Ophelia*. Outre les deux premières – *S* et *H* – et la dernière, encore un *H*, elle a pu lire deux lettres du milieu : deux *N* séparés par un espace. (Remi, qui avait attrapé une serviette en papier, travaillait déjà avec Sam sur l'anagramme.) Nous avons enregistré les lettres et leur disposition dans un programme d'anagrammes et fait des recoupements avec les épaves figurant dans les banques de données, et nous sommes tombés sur…

– *Shenandoah*, dirent Sam et Remi en chœur.

Chapitre 14

Zanzibar

Le *Shenandoah*, UN NAVIRE DE LA MARINE confédérée, fascinait depuis longtemps Sam et Remi, mais ils n'avaient jamais eu le temps d'explorer les mystères de cette histoire. Et voilà, semblait-il, que le destin leur tendait une invitation gravée sur bronze sous la forme d'une cloche de bateau.

Le *Shenandoah*, un croiseur à vapeur de 1 160 CV, avait été lancé des chantiers Alexander Stephen & Sons sur la Clyde, en Écosse, en août 1863, et baptisé le *Sea King*. Avec son armature métallique, ses ponts en teck et sa coque noire, le *Sea King*, qui pouvait naviguer aussi bien à la voile qu'avec une machine à vapeur auxiliaire, avait été conçu comme cargo pour le transport du thé d'Extrême-Orient. Mais ce type de commerce ne devait pas avoir pour lui un grand avenir.

Un an après son lancement, en septembre 1864, le *Sea King* fut discrètement acheté par des agents du service secret de la Confédération et, le 8 octobre, il appareilla avec un équipage de marins de commerce, afin de rallier Bombay pour son voyage inaugural. Neuf jours plus tard, le *Sea King* retrouva près de l'île de Madère, au large de la côte d'Afrique, le vapeur *Laurel* qui l'attendait avec, à son bord, les officiers et le noyau du nouvel équipage du *Sea King*, tous marins expérimentés, soit sudistes, soit citoyens britanniques sympathisants de la cause confédérée. Leur capitaine était le lieutenant James Iredell Waddell, un quadragénaire de Caroline du Nord, issu de l'Académie navale des États-Unis.

La cargaison de canons de marine, de munitions et autres approvisionnements fut prestement transbordée sur le *Sea King* dont l'équipage, abasourdi et furieux, se vit offrir le choix entre s'engager pour cette nouvelle expédition avec des soldes plus élevées ou être transférés sur le *Laurel* pour débarquer à Ténérife, aux Canaries, au large de la côte marocaine. Finalement, Waddell, avec les marins du *Laurel* qu'il réussit à enrôler, ne parvint à constituer que la moitié de l'équipage du nouveau corsaire. Malgré cela, le *Shenandoah* quitta Madère le 21 octobre pour se dévouer à sa nouvelle tâche : détruire ou capturer les navires de l'Union partout où il en rencontrait.

Entre l'automne 1864 et l'hiver 1865, le *Shenandoah* sillonna l'Atlantique, franchit le cap de Bonne-Espérance puis traversa l'océan Indien jusqu'en Australie, coulant et arraisonnant des navires marchands de l'Union avant de pointer ses canons sur les zones de chasse à la baleine au nord de la Nouvelle-Guinée et jusque dans la mer d'Okhotsk et de Behring.

Au cours des neuf mois durant lesquels il navigua comme navire de guerre sous le pavillon de la Confédération, le *Shenandoah* détruisit quelque trois douzaines de bateaux ennemis. Le 2 août 1865, quatre mois après la capitulation de Lee à Appomattox, le *Shenandoah* apprit la fin de la guerre de Sécession par le trois-mâts britannique *Barracouta* dont il avait croisé la route. Le capitaine Waddell ordonna le désarmement du navire puis mit le cap sur Liverpool, en Angleterre, où le *Shenandoah* et son équipage se rendirent en novembre 1865. En mars suivant, le *Shenandoah* fut vendu par des intermédiaires à Sayyid Majid ben Said al-Busaid, le premier sultan de Zanzibar, qui le rebaptisa *El Majidi*.

Cette partie de l'histoire du *Shenandoah* intriguait Sam et Remi depuis toujours. Il existait trois versions de la fin de l'*El Majidi*. Selon la première, il aurait été sabordé dans le canal de Zanzibar après avoir été endommagé par l'ouragan de 1872 ; à en croire une deuxième version, il aurait coulé six mois plus tard alors qu'on le remorquait vers Bombay pour des réparations ; la dernière, enfin, le signalait comme ayant coulé en novembre 1879 après avoir heurté un récif près de l'île de Socotra en revenant de Bombay.

– Cela pose plus de questions que cela n'apporte de réponses, résuma Sam. D'abord, qui l'a rebaptisé *Ophelia ?* Blaylock ou quelqu'un d'autre *?*

– Et pourquoi l'avoir rebaptisé ? ajouta Remi. Et pourquoi n'en voit-on la trace nulle part ?

– Et la grande question : pourquoi avons-nous trouvé la cloche ?

– Que veux-tu dire ? s'étonna Remi.

– Après sa reddition, le *Shenandoah*, et tout ce qu'il y avait à bord, aurait dû devenir propriété de l'Union.

– Y compris la cloche.

– Y compris la cloche, fit Sam en écho.

– Et si l'Union avait tout vendu en bloc au sultan de Zanzibar…

– C'est une possibilité. Mais cela se passait en 1866. L'*El Majidi* n'a coulé que six ou treize ans plus tard selon la version qu'on adopte. On n'imagine pas le sultan – il lui a donné son propre nom, bon sang – se cramponner à une cloche portant le nom d'un autre bateau.

– Non, c'est vrai. Celui qui a réparé le navire a peut-être jeté la cloche par-dessus bord. Pour s'en débarrasser.

Dans leur couple, Remi jouait toujours l'avocat du diable, s'appliquant à relever les points faibles de leurs discussions ; si, après cela, la théorie tenait bon, ils se savaient alors sur la bonne voie.

Sam réfléchit.

– Peut-être, mais j'essaie de me mettre à la place du réparateur engagé par le sultan pour remettre le bateau en état. Probablement un type pas très riche, surchargé de travail et mal payé. Le sultan exige certainement que le navire soit digne de son rang, et il veut une nouvelle cloche étincelante. Que ferait alors ce réparateur d'une cloche en bronze de quarante kilos ?

– Il la vendrait, suggéra Selma.

– Retenons toujours cette hypothèse, dit Remi. On peut raisonnablement supposer que, à un moment donné, Blaylock lui-même a croisé la cloche sur son chemin. Si elle était encore attachée au navire, ou bien il l'a achetée, ou bien il a volé le bateau et l'a ensuite rebaptisé *Ophelia*. Si le sultan a voulu se débarrasser de la cloche, cela veut dire que Blaylock l'a récupérée, a effacé le nom de *Shenandoah* et gravé dessus celui d'*Ophelia*.

– Et qu'en a-t-il fait ? Il est resté à la regarder ?

– Le dessin au fusain du musée laisse penser qu'il a vu le navire sous le nom d'*Ophelia*.

Sam claqua des doigts.

– Nous coupons les cheveux en quatre. Remi, ouvre ton ordinateur. Selma, envoie-nous par e-mail des photos du *Shenandoah* et de l'*El Majidi*.

En attendant, Sam brancha son appareil photo sur l'ordinateur de Remi, et elle chercha le cliché qu'ils avaient pris du croquis de l'*Ophelia*.

– Les photos arrivent, annonça Selma au téléphone.

Après quelques nouveaux branchements et diverses manipulations, la conclusion s'imposa.

– Il s'agit bien du même bateau, dit Remi.

– Je suis d'accord, reconnut Sam. L'*Ophelia* de Blaylock est aussi le *Shenandoah* et l'*El Majidi*. La question est de savoir à quel moment Blaylock est intervenu dans cette histoire et pourquoi on n'en trouve trace nulle part.

– De toute évidence, Rivera et ses amis s'intéressent à notre cloche. À la cloche elle-même ou au bateau auquel elle était attachée ?

– Il n'y a qu'un moyen de le savoir, dit Sam. Il faut la voler avant que Rivera la détruise ou la perde.

*

Ils comprirent aussitôt que, comme cela arrivait souvent dans leur travail, ce serait plus facile à dire qu'à faire. Sam fouilla dans son sac et en tira des jumelles. Il se leva et regarda par la fenêtre. Au bout de trente secondes, il les reposa.

– Le yacht fait toujours route vers le sud et va bientôt doubler le cap Pingwe. Sans se presser.

– Ils savent qu'ils nous ont bien eus.

– Il ne faut jamais renoncer, répliqua Sam en souriant.

Il prit son téléphone et appela Rube Haywood.

– Sam, j'allais justement t'appeler.

– Les grands esprits se rencontrent. J'espère que nous sommes sur la même longueur d'onde.

– J'ai des renseignements sur le yacht, le *Njiwa.*

– Dieu te bénisse.

– Le propriétaire s'appelle Ambonisye Okafor. Un des dix hommes les plus riches du pays, qui a des intérêts dans tout ce qu'exporte la Tanzanie : noix de cajou, tabac, coton, jonc de mer, pierres précieuses, minerais…

– Comment un tel type s'est-il acoquiné avec une canaille comme Rivera ?

– Difficile à dire exactement. Mais j'ai relevé après quelques recherches que, au cours des dernières années, le gouvernement mexicain a considérablement développé ses importations en Tanzanie, provenant pour la plupart de sociétés contrôlées par Ambonisye Okafor. Cela montre que Rivera a des amis haut placés à Mexico. Sam, tu n'as pas affaire à une poignée de mercenaires, mais à un gouvernement et à un milliardaire tanzanien extrêmement influent.

– Fais-moi confiance, Rube, nous le savons très bien mais, pour l'instant, ce que nous voulons, c'est récupérer cette cloche…

– Comment cela ?

– Ils l'ont volée. Tout ce que nous voulons, c'est reprendre la cloche et rentrer chez nous.

– Plus facile à dire…

– Nous le savons. Que peux-tu nous apprendre encore sur le *Njiwa* ?

– C'est un des deux yachts que possède Okafor. Son port d'attache est l'île de Sukuti, à environ trente milles à vol d'oiseau au sud de Dar es Salaam, où Okafor possède une villa de vacances : il est propriétaire de toute l'île.

– Bien sûr.

Au long des années, Sam et Remi avaient identifié un des traits les plus répandus chez les milliardaires mégalomanes : leur aversion à fraterniser avec « les masses ». Posséder une île privée était un moyen radical d'y parvenir.

– Inutile de te demander ce que tu vas faire ensuite, n'est-ce pas ?

– Inutile en effet.

– Bon, mais je te recommande quand même la prudence.

– Nous t'appellerons dès que possible.

Sam raccrocha et raconta à Remi leur conversation. Après un moment de réflexion, elle dit :

– Ça ne peut pas faire de mal d'aller voir. À une condition.

– Laquelle ?

– La discrétion doit passer avant tout. Si nous courons le risque d'être repérés…

– Nous battrons en retraite.

– Évidemment, nous supposons que le *Njiwa* fait route vers Sukuti.

Sam acquiesça.

– Si ce n'est pas le cas, nous ne sommes sans doute plus dans la course. Mais autrement il faut absolument que nous récupérions la cloche avant qu'ils ne lui fassent subir un traitement irréparable.

Chapitre 15

Tanzanie

L'AVANCE DU NJIWA SUR SAM ET REMI, d'abord négligeable, devint rapidement impossible à combler lorsqu'ils se heurtèrent à la topographie tanzanienne. Suivre la côte en traversant des centres urbains était en effet relativement facile ; en revanche, rouler hors des sentiers battus s'avérait un cauchemar. La seule route utilisable vers le sud à partir de Dar es Salaam était la B2 qui dessert la Tanzanie du Sud sur toute sa longueur, sans s'éloigner de la côte de plus d'une quinzaine de kilomètres, et qui mène au village de Somanga, à quelque cent cinquante kilomètres au sud de l'île de Sukuti. Comprenant qu'ils n'arriveraient jamais à leur destination par la route, ils réfléchirent un moment. Ils savaient maintenant que Rivera disposait de quelques amis puissants, aussi décidèrent-ils de frôler délibérément la paranoïa : si Rivera choisissait le scénario du pire, il supposerait sans doute qu'ils le poursuivraient en partant de Zanzibar ou de Dar es Salaam et, une fois parvenu à la même conclusion qu'eux concernant le trajet par la route, il s'attendrait à les voir arriver par bateau.

À la tombée de la nuit, après une demi-douzaine de coups de fil infructueux, ils dénichèrent enfin un pilote de brousse qui accepta de les emmener le lendemain matin de l'aérodrome de Ras Kutani, dans la banlieue de Dar es Salaam, jusqu'à la piste d'atterrissage de l'île de Mafia. De là, ils ne seraient qu'à une demi-journée de bateau du nord de l'île de Sukuti.

Cette Afrique-là, les Fargo la connaissaient bien mais c'était la première fois qu'ils avaient l'occasion d'apprécier le fameux « kilomètre africain » : ce qui, ailleurs, aurait été une promenade de cinquante kilomètres le long de la côte, se transformait en un voyage compliqué de quelque deux cent cinquante kilomètres.

Ils avaient donc une nuit à passer, et Sam tint sa promesse : il les installa dans la suite présidentielle du Moevenpick Royal Palm donnant sur l'océan. Ils passèrent l'après-midi aux thermes du palace puis soupèrent à l'Oliveto, le restaurant italien de l'établissement.

– J'ai l'impression d'avoir quitté la civilisation depuis des mois, constata Remi.

– Pourtant, à te voir, on ne le dirait pas, répondit Sam.

Remi, toujours pleine de ressources, avait en effet déniché une « petite robe noire toute simple » à la boutique de l'hôtel.

– Merci, Sam.

Le serveur arriva et Sam commanda le vin.

– À la piscine, tu étais plongée dans la lecture de la biographie de Blaylock, dit Sam. Des révélations ?

– En tout cas, je peux te dire que ça ne se lit pas comme un roman policier et qu'à mon avis Blaylock ne l'a pas écrite lui-même, à moins que sa maîtrise de l'anglais ne soit bien faible. Selon moi, c'est Morton qui l'a rédigée. Mais en se fondant sur quelles sources ? Une chose m'a frappée : le récit commence le jour où il a débarqué à Bagamoyo et ne donne aucun détail sur sa vie avant son arrivée en Afrique.

– Intéressant. Et l'index ?

– Ce qu'on peut en attendre, fit Remi en haussant les épaules, mais je suis sûre que Selma, Pete et Wendy en tireront plus que moi. J'ai quand même cherché une mention de la cloche ou de l'*Ophelia*. Rien.

– Curieux. Si c'est lui qui a pris le temps d'inscrire tous les hiéroglyphes sur la cloche, on pourrait penser qu'il mérite au moins d'être cité. On a le sentiment d'un homme qui cherche à dissimuler un secret.

– Un grand secret. Si grand que, pour le protéger, le gouvernement mexicain a peut-être commis des assassinats ces sept dernières années.

La navette de l'aéroport les déposa à Ras Kutani peu après le lever du jour. Hormis quelques employés du service d'entretien qui évoluaient dans la brume matinale, la piste était déserte et silencieuse. Au moment où le bus repartait, une silhouette émergea du brouillard et s'approcha d'eux. Elle portait une combinaison kaki, des bottes de cuir et une casquette de base-ball des Rangers sur des cheveux noirs coupés très court, le tout complété d'une grosse moustache.

– Ed Mitchell, annonça-t-on sans préambule.

– Sam et Remi Fargo, répondit Sam. Vous êtes américain ?

– Plus ou moins. Je pense que vous diriez expatrié. C'est tout ce que vous avez ? demanda-t-il en désignant leurs sacs.

Ils avaient laissé le plus clair de leurs bagages à Vutolo, le concierge du Royal Palm, un vieil ami.

– C'est tout, confirma Sam.

– Bon, quand vous voudrez.

Mitchell tourna les talons et se dirigea, suivi de Sam et Remi, vers un Bush Air Cessna 182 pas tout jeune mais qui semblait encore vaillant. Il chargea les sacs, leur fit boucler leur ceinture et procéda aux vérifications habituelles. Cinq minutes plus tard, ils décollaient en direction du sud.

– Vous plongez ? demanda la voix de Mitchell dans leurs écouteurs.

– Pardon ? fit Remi.

– Je pense que c'est ce qui vous intéresse à Mafia.

– Oh ! Absolument.

– Monsieur Mitchell, interrogea Sam, depuis combien de temps êtes-vous en Afrique ?

– Appelez-moi Ed. Vingt-deux ans, je crois. Je suis venu ici en 88, avec la RAND, pour installer un radar. Le pays m'a plu et j'ai décidé de rester. J'avais piloté des chasseurs et des hélicos au Viêtnam, alors l'aviation de brousse m'a paru une bonne idée. J'ai monté ma petite affaire et voilà.

– Ça me paraît classique, dit Remi.

– Quoi donc ?

– De tomber amoureux de l'Afrique.

– C'est vrai. De temps en temps, je retourne aux States pour voir des copains, mais je finis toujours par rentrer plus tôt que prévu. Je dois être un mordu de l'Afrique, conclut Mitchell avec, pour la première fois, un petit rire.

– Que savez-vous de l'île de Sukuti ?

– Superbe pour la plongée, mais son propriétaire, un certain Ambonisye Okafor, n'est pas commode. Vous comptez aller là-bas ?

– Nous y pensons.

– On peut survoler l'endroit. Il possède l'île, mais pas l'espace aérien. Un détour d'environ un quart d'heure seulement.

Mitchell changea de cap et, quelques minutes plus tard, l'île apparut par le hublot gauche.

– L'île de Sukuti appartient en fait à l'archipel de Mafia : la grande île au nord et la petite au sud. Vous voyez le petit chenal qui les sépare ? À peine quinze mètres de large, aussi on considère que les deux ne font qu'un seul territoire : au total, une douzaine de kilomètres carrés. Vous apercevez l'autre île, à quatre milles au sud ? C'est Fanjove.

– Et la longue entre les deux ?

– C'est plus un atoll qu'une île : un récif et un banc de sable. Je ne crois même pas qu'on lui ait vraiment donné un nom. On est si près de la surface qu'on croirait de la terre ferme. On peut traverser, mais avec de l'eau jusqu'aux genoux.

– Et ça, demanda Sam en regardant par le hublot, ce sont des cratères ?

– Parfaitement. Avant la Première Guerre mondiale, les cuirassés allemands utilisaient Sukuti et Fanjove comme champs de tir. À certains endroits, ils ont percé le fond, ce qui explique pourquoi Fanjove est si populaire parmi les plongeurs. Ils s'encordent et descendent dans les cratères pour les explorer même si, chaque année, un ou deux y perdent la vie. Est-ce que vous…

– Non, l'interrompit Sam, je ne pratique que la plongée classique.

– Faites attention. Okafor prétend avoir un droit de propriété sur deux milles autour de Sukuti. Il essaie même d'écarter les gens de Fanjove, mais il n'a juridiquement aucun droit là-bas. Tenez, voilà sa maison… Là, sur le pic.

Sam et Remi se penchèrent pour regarder. La maison de vacances d'Ambonisye était une villa de style italien de trois étages entourée d'un muret de pierre.

Si on l'avait aménagée soixante-cinq ans plus tôt et parachutée dans le Pacifique, Sukuti aurait passé aisément pour une île fortifiée japonaise durant la Seconde Guerre mondiale. Dans cette sorte de cône dont on aurait replié l'arrière au niveau de l'eau, il ne subsistait plus, dans toute la partie sud, la moindre trace de végétation, à l'exception de quelques broussailles. À huit cents mètres de la mer, ce paysage lunaire cédait la place à une bande de forêt tropicale qui s'arrêtait là où commençait le domaine.

– Il suffirait de remplacer cette villa par un ensemble de casemates pour avoir une version miniature d'Iwo Jima, dit Sam. Empêcher cette jungle de tout envahir doit représenter un travail à plein temps.

Deux des allées qui partaient du bâtiment attirèrent leur attention. L'une menait à un quai, sur le côté nord-ouest de l'île ; le *Njiwa* y était amarré, ainsi que deux canots à moteur identiques à ceux qu'avaient utilisés Rivera et ses hommes pour emporter la cloche. On apercevait quelques silhouettes évoluant sur le pont du yacht mais, de cette altitude, on ne distinguait pas les visages.

L'autre allée qu'ils avaient remarquée aboutissait à une clairière bordée de pierres peintes en blanc ; au centre, d'autres pierres, incrustées dans la terre, dessinaient un *H* géant : une aire d'atterrissage pour hélicoptères.

– Ed, fit Remi, est-ce...

– Mais oui. Il possède un Eurocopter EC135. Un appareil super. Okafor, à moins que ce ne soit impossible, ne se déplace jamais en voiture. Histoire de statut, j'imagine. Est-ce que l'un de vous deux pilote ?

– J'ai mon brevet de monomoteur, répondit Sam. J'ai pris quelques leçons d'hélicoptère. J'ai dix heures de vol. C'est plus difficile que je ne l'imaginais.

– Vous pouvez le dire.

– Je ne vois pas beaucoup de gardes ni de clôtures, observa Remi. Bizarre pour un homme qui semble tenir à sa tranquillité.

– Sa réputation est maintenant suffisamment bien établie pour rendre inutile une protection. Il poursuit impitoyablement les intrus. On raconte que quelques-uns ont même disparu pour avoir poussé la chance trop loin.

– Vous y croyez ?

– J'aurais tendance. Okafor était général dans l'armée tanzanienne avant de prendre sa retraite. Un type dur et qui faisait peur. Bon, vous en avez assez vu ?

– Oui, répondit Sam.

Le reste du vol se passa sans histoires, ponctué seulement par les remarques d'Ed leur signalant des sites intéressants ou leur précisant quelques points de l'histoire africaine. Juste avant sept heures, ils atterrirent sur la piste de l'île Mafia et roulèrent jusqu'au terminal, un bâtiment badigeonné à la chaux avec une bande d'un bleu mat et un toit de briques rouges. À côté, deux fonctionnaires de l'immigration étaient assis à l'ombre d'un baobab.

Une fois les moteurs arrêtés, Ed sauta à terre pour sortir leurs bagages de la soute.

– Bon voyage, les Fargo, dit-il en leur tendant sa carte. Appelez-moi si vous avez des problèmes, ajouta-t-il avec un sourire qu'ils ne purent qualifier que de complice.

– Vous savez quelque chose que nous ignorons ? demanda Sam en lui rendant son sourire.

– Non mais, quand j'en rencontre, je sais reconnaître les gens qui aiment le risque. Je vous pense plus capables de vous débrouiller que d'autres, mais l'Afrique est un pays qui ne pardonne pas. Le numéro sur ma carte est celui de mon téléphone satellite. Je vous le laisse.

– Merci, Ed.

Après leur avoir serré la main, Ed se dirigea vers un baraquement à la fenêtre duquel un panneau clignotant annonçait BIÈRE.

Ils ramassèrent leurs sacs et se dirigèrent vers le terminal. Les deux fonctionnaires assis à l'ombre du baobab les interceptèrent au passage ; ils jetèrent un rapide regard à leurs papiers, palpèrent distraitement leurs bagages et tamponnèrent leurs passeports en les gratifiant dans un anglais hésitant d'un « Bienvenue à Mafia ».

– Vous avez besoin taxi ? demanda l'un des préposés.

Sans attendre de réponse, il leva la main en sifflant. Du virage à l'entrée de l'aéroport, une Peugeot grise et rongée par la rouille démarra poussivement.

– Non, merci. Nous trouverons nous-mêmes un moyen de transport.

La main toujours en l'air, l'homme lança à Sam un regard étonné.

– Ah ?

Sam désigna la Peugeot en secouant la tête.

– *La asante*. Non merci.

– *Sawa.* Okay, capitula le fonctionnaire en haussant les épaules et congédiant d'un geste le chauffeur du taxi.

Puis son partenaire et lui retournèrent à l'ombre du baobab.

– Quel cirque ! s'étonna Remi.

– Ils étaient de mèche avec le taxi. Dans le meilleur des cas, on aurait gonflé le prix de la course et, au pire, on nous aurait embarqués dans une petite ruelle pour nous voler.

– Sam Fargo, répondit Remi en souriant, où est donc passée ta confiance en l'humanité ?

– Pour l'instant elle est au même endroit que mon portefeuille – bien cachée. Mafia est une destination rêvée pour les plongeurs de l'extrême, mais aussi le centre du marché noir tanzanien, ajouta Sam.

– Tu es une source inépuisable de lieux communs. Où as-tu trouvé tout ça ?

– J'ai chargé sur mon iPhone le *World Factbook* de la CIA. C'est très commode. Viens, nous allons faire le trajet à pied. Ça n'est pas loin.

– Qu'est-ce qui empêchera que nous soyons agressés dans la rue ?

En guise de réponse, Sam, soulevant son pan de chemise, révéla la crosse de son pistolet.

– Doucement quand même, Tex, prévint Remi en souriant. Je t'en prie, ne rejoue pas *Règlement de comptes à OK Corral.*

D'après leur carte, la piste de l'aéroport de Mafia coupait en deux secteurs la plus grande ville de l'île, Kilindoni ; le second bordait la côte. Là, leur avait assuré Selma, ils trouveraient le port et le bateau qu'elle avait loué pour eux.

Bien qu'il ne fût pas encore huit heures du matin, le soleil brillait dans un ciel bleu bien dégagé et, au bout de quelques minutes, ils étaient tous deux en nage.

Ils sentaient des yeux les surveiller, dont beaucoup appartenaient aux enfants curieux qui les accompagnaient en souriant timidement à ces étrangers blancs venus dans leur village.

Au bout de vingt minutes de marche sur un chemin de terre bordé de huttes de tôle, de brique ou de carton, ils arrivèrent sur la plage. Des hangars à bateaux et des entrepôts tout aussi délabrés se dressaient sur les dunes dominant la mer. Une douzaine de quais en planches avançaient dans les vagues. Trente à quarante embarcations, vedettes vieillissantes, yoles et dhows à voile et à moteur, se balançaient à l'ancre dans le port. Au bord de l'eau, des groupes d'hommes et d'enfants s'affairaient, réparant des filets, ponçant des coques ou nettoyant des poissons.

– Notre bateau me manque, soupira Remi.

– Bah, maintenant qu'il a reçu une grenade au milieu de la plage arrière, répondit Sam, il nous appartient. Peut-être que nous le renflouerons pour le garder comme souvenir.

Il se retourna pour inspecter les constructions qui s'alignaient le long de la dune.

– Nous cherchons un bar qui s'appelle l'Oiseau rouge, annonça-t-il.

– Là-bas, dit Remi en montrant à une cinquantaine de mètres un long bâtiment arborant sur sa façade une enseigne en contreplaqué d'un mètre sur deux représentant un corbeau peint en rouge vif.

Ils se dirigèrent donc de ce côté. Ils approchaient des marches de bois quand quatre hommes interrompirent leur conversation animée pour les regarder.

– Bonjour, dit Sam. Nous cherchons Buziba.

Pendant dix longues secondes, aucun d'eux ne réagit.

– *Unazungumza kiingereza ?* Vous parlez anglais ? demanda Remi.

Pas de réponse.

Au cours des deux minutes suivantes, Sam et Remi firent appel à leurs connaissances, limitées, du swahili pour amorcer un dialogue, mais en vain.

– Buziba, ne fais pas l'idiot, lança enfin une voix derrière eux.

Ils se retournèrent et découvrirent un Ed Mitchell souriant de toutes ses dents, une canette de bière dans chaque main.

– Vous nous suivez ? s'enquit Sam.

– Plus ou moins. Nous sommes probablement en ce moment les trois seuls Américains sur l'île. J'ai pensé qu'un peu de solidarité ne pourrait pas faire de mal. Je connais le vieux Buziba, ajouta-t-il en désignant de la tête l'homme aux cheveux gris assis sur la plus haute marche. Il parle anglais. Faire le niais, c'est sa stratégie pour marchander. (Ed lança une phrase en swahili et les trois autres se levèrent et entrèrent dans le bar.) Maintenant, Buziba, reprit Ed, comporte-toi en gentleman. Ce sont des amis.

L'air maussade du vieil homme céda la place à un large sourire.

– Les amis de monsieur Ed sont mes amis.

– Votre anglais est excellent, le félicita Remi.

– Pas mal, hein ? Meilleur que votre swahili, non ?

– Sans aucun doute, reconnut Sam. Une de nos amies vous a appelé à propos d'un bateau.

– Mademoiselle Selma, fit Buziba en hochant la tête. Hier. J'ai votre bateau. Quatre cents dollars.

– Par jour ?

– Hein ?

– Quatre cents pour l'acheter, précisa Ed après avoir échangé quelques mots en swahili avec Buziba. Il a abandonné la pêche l'an dernier et, depuis, il essaie de le vendre. Le bar lui rapporte pas mal d'argent. N'importe qui d'autre ici, ajouta Ed après avoir surpris l'échange de regards entre Sam et Remi, vous demanderait sans doute ça pour deux jours de location.

– Allons le voir, suggéra Sam.

Ils descendirent tous les quatre sur la plage où un boutre bleu marine de dix-huit pieds était échoué sur une demi-douzaine de chevalets. Deux jeunes garçons étaient assis sur le sable à côté. L'un grattait la coque tandis que l'autre la repeignait.

– Regardez, dit Buziba. Inspectez.

Sam et Remi firent le tour du bateau pour vérifier qu'il ne présentait aucun signe de délabrement. Sam piqua les joints avec son couteau suisse pendant que Remi tapotait le bois pour voir s'il n'était pas pourri. Sam s'avança jusqu'à l'arrière, grimpa l'échelle et examina le pont. Il réapparut deux minutes plus tard et cria :

– Les voiles sont un peu fatiguées.

– Hein ? fit Buziba.

Ed traduisit, écouta la réponse de Buziba et annonça :

– Il vous en fournira un jeu neuf pour cinquante dollars.

– Comment est la cabine ? demanda Remi à Sam.

– Extrêmement confortable. Ce n'est pas le Royal Palm, mais nous avons vu pire.

– Et le moteur ?

– Vieux, mais bien entretenu. Il devrait nous donner six ou sept nœuds.

Remi approcha et inspecta l'hélice et l'arbre.

– Je parie qu'il faudrait changer les roulements.

Ed traduisit, écouta la réponse et répondit :

– Il dit : encore cinquante dollars et ce sera fait en deux heures.

– Vingt-cinq, répliqua Sam. Il me donne les pièces et les outils et je le ferai moi-même.

Buziba avança sa lèvre inférieure et leva le menton d'un air songeur.

– Cinquante. J'ajoute deux jours d'eau potable et de vivres.

– Trois jours, lança Remi.

Buziba réfléchit puis haussa les épaules.

– Trois jours.

Chapitre 16

Océan Indien

– BON, COUPE LE MOTEUR, LANÇA SAM.

Remi tourna la clef de contact et le moteur du boutre s'arrêta en crachotant. Sam hissa les voiles et tous deux retinrent leur souffle quelques secondes en attendant que la toile prenne le vent et se gonfle. La proue du bateau se souleva légèrement et le boutre fit un petit bond en avant. Sam rejoignit à quatre pattes Remi sur la plage arrière.

– Nous voilà en route, dit Sam.

– Buvons un coup en espérant ne pas avoir à appeler Houston pour un pépin, proposa Remi en lui tendant une bouteille d'eau.

C'était déjà le milieu de l'après-midi et ils ne s'étaient pas éloignés de plus de cinq milles du nord de Mafia. Si l'œil averti de Remi avait remarqué le problème de l'arbre d'hélice, c'était seulement quand Sam avait démonté la pièce qu'ils avaient découvert le temps nécessaire à la réparation. Pendant que Remi surveillait les hommes qui procédaient aux derniers préparatifs et changeaient les voiles, Sam et Ed travaillaient à l'ombre d'un drap faisant office de parasol.

Une fois tout cela terminé, Buziba et une douzaine de garçons apparurent et descendirent le boutre jusqu'à l'eau où ils testèrent le moteur et firent un petit tour d'essai dans le port. Une heure plus tard, le bateau chargé d'eau et de provisions, Sam et Remi firent leurs adieux à Buziba et Ed et prirent le large.

– Combien de temps pour aller là-bas ?

Sam déplia sur ses genoux la carte qu'ils avaient trouvée dans la cabine, puis il alluma son GPS pour repérer leur position.

– Encore presque quarante milles. Nous faisons environ cinq nœuds… En naviguant toute la nuit, nous arriverions peu après minuit. Ou bien nous pourrions trouver un endroit où mouiller cette nuit puis partir de bonne heure pour arriver vers le lever du jour. Il y a une île sans nom à une douzaine de milles au sud de Fanjove.

– Je suis pour. Sans radar, nous risquons des problèmes.

– D'accord. De toute façon nous ne verrions rien de Sukuti avant le jour.

Ils firent route au nord pendant encore cinq heures ; profitant d'un vent arrière à la dernière heure, ils aperçurent l'île juste au moment où le soleil allait plonger derrière l'horizon. Sam amena le boutre dans une petite crique et jeta l'ancre. Une fois le bateau bien amarré, Remi disparut quelques minutes dans la cabine pour revenir avec une lanterne, un réchaud de camping et deux boîtes de conserve.

– Que puis-je vous servir, *el capitán ?* Haricots en sauce ou haricots en sauce accompagnés de saucisses de Francfort ?

– Choix difficile, lança Sam en prenant un air songeur. Allons, nous n'avons pas fait naufrage, ça se fête. Prenons les deux.

– Excellente décision. Et comme dessert, de la mangue fraîche.

Grâce à l'air marin et au doux bercement du boutre alliés au confort – inattendu – des matelas militaires, ils plongèrent rapidement dans un sommeil réparateur. À quatre heures du matin, la montre de Sam les réveilla. Ils se levèrent et, après avoir partagé les restes de mangue arrosés d'un café bien fort, ils remontèrent l'ancre et repartirent.

Les vents paresseux du petit matin leur firent perdre une heure puis, peu avant l'aurore, ils forcirent un peu et le boutre, filant six nœuds, les amena vers sept heures en vue de l'île de Fanjove. Une demi-heure plus tard, ils passaient devant l'atoll dont leur avait parlé Mitchell. Ils amenèrent alors les voiles pour continuer au moteur et, quarante minutes durant, ils se frayèrent péniblement une route au milieu des récifs pour atteindre le côté sud de la petite île de Sukuti. Sam longea la terre jusqu'à ce que Remi repère une crique envahie de palétuviers qui, espéraient-ils, dissimuleraient leur bateau aux regards trop curieux. Guidé par Remi, Sam s'engagea et, moteur coupé, laissa le boutre dériver doucement jusqu'à ce qu'il se coince sans heurt entre deux arbres fortement inclinés.

Après une heure de « teuf-teuf » du moteur, le silence soudain leur parut déconcertant. Ils restèrent près d'une minute, l'oreille tendue, jusqu'à ce que la jungle autour d'eux reprenne vie dans une cacophonie de bruissements d'insectes et de cris rauques.

Remi attacha le cordage de la voile à un des troncs puis rejoignit Sam sur la plage arrière.

– Quel est notre plan ? demanda-t-elle.

– Nous supposons que la cloche est encore à bord du *Njiwa*. Le scénario le plus optimiste. Avec un peu de chance, nous n'aurons pas à mettre le pied sur l'île. De toute façon, nous devrons attendre la tombée de la nuit. Pour l'instant, je propose une petite reconnaissance des lieux et un léger pique-nique.

– Un projet de rêve, murmura Remi en souriant.

Contrairement à sa jumelle plus vaste, la Petite Île de Sukuti se composait en quasi-totalité de mangrove et de jungle, à l'exception d'un pic esseulé qui ne s'élevait pas à plus de cent cinquante mètres au-dessus de l'océan ; cependant, Sam et Remi avaient maintes fois constaté qu'une escalade de cent cinquante mètres par des sentiers tortueux et escarpés pouvait se transformer en une ascension de trois ou quatre heures.

À dix heures du matin, déjà en sueur, couverts de piqûres d'insectes et maculés de boue, ils émergèrent du marécage et s'enfoncèrent dans la jungle. Sam en tête, ils se dirigèrent vers le nord pour trouver enfin ce qu'ils cherchaient : un torrent. De l'eau, donc des animaux, donc des pistes. En quelques minutes seulement ils en repérèrent une menant vers le nord, vers le sommet de l'île. Peu avant une heure de l'après-midi, ils sortirent de la jungle et se trouvèrent au pied d'une colline.

– Ouf, dit Remi en levant les yeux vers le ciel.

L'escalade de la face rocheuse était envisageable : une quinzaine de mètres, une pente qui n'excédait pas cinquante degrés avec une multitude de prises pour les mains et pour les pieds. Après une brève pause pour boire une gorgée d'eau, ils se lancèrent et atteignirent bientôt une petite alcôve juste avant le sommet. Tirant chacun une paire de jumelles de leur sac, ils inspectèrent les alentours.

– Impressionnant, murmura Sam.

À quinze cents mètres de là, trente mètres plus bas, s'étendait la résidence d'Okafor. Peinte en jaune et bordée d'une bande blanche, elle se dressait au milieu d'une clairière presque parfaitement circulaire d'une terre brun rougeâtre. De cette distance, ils pouvaient distinguer les détails qui leur avaient échappé de l'avion. Ainsi que l'avait prévu Sam, trois hommes en combinaison verte travaillaient sur le côté droit du terrain, deux s'attaquant à coups de machette au feuillage envahissant tandis que le troisième tondait une bande de pelouse. La villa, massive, quelque quatorze cents mètres carrés de superficie, était ceinte à chaque étage de balcons panoramiques. À l'arrière de la propriété, pointait une tour, très certainement antenne de radio et récepteur de télé par satellite.

– Tu as vu ça ? demanda Remi.

– Quoi donc ?

– À l'angle est du toit.

Sam se tourna vers l'endroit que lui avait indiqué Remi et aperçut de grosses jumelles marines montées sur un trépied.

– Mauvaise nouvelle, déclara Sam. Tournées vers le sud, elles repèrent tout ce qui arrive à dix milles de distance. Tu vois le câble relié au bâtiment principal ?

– Très bien.

– C'est à mon avis pour le contrôle à distance et la surveillance. Sans doute depuis une salle dans la villa. Bonne nouvelle : je ne crois pas qu'elles permettent la vision nocturne.

Ils continuèrent d'examiner les lieux tout en descendant vers l'aire d'atterrissage. Au bord du périmètre de pierres blanches, un homme seul en combinaison kaki était assis dans un transat, une kalachnikov appuyée contre sa cuisse.

– Il dort, nota Remi.

– Ça, plus le fait que l'hélicoptère ne soit pas là, indique que le patron est absent, fit Sam en reprenant ses jumelles. Je vois des allées et venues sur le *Njiwa*, ajouta-t-il au bout d'un moment.

– Je vois aussi, confirma Remi. Tiens, un visage familier.

Impossible de ne pas reconnaître la silhouette noueuse, décharnée, et le visage creux d'Itzli Rivera. Il se tenait debout sur la plage arrière du yacht, un téléphone satellite à l'oreille. Après avoir écouté une minute, il hocha la tête, regarda sa montre, dit quelque chose dans l'appareil et raccrocha. Il se retourna, mit ses mains en porte-voix et appela. Dix secondes plus tard, Nochtli et Yaotl arrivèrent au pas de course ; Rivera leur parla quelques instants et ils repartirent en courant.

– Rivera leur a certainement transmis des ordres d'en haut. Espérons qu'il s'agit de la cloche.

– De notre cloche, précisa Remi avec un sourire.

– Comme tu dis. Comptons un peu les effectifs.

Ils y consacrèrent le quart d'heure suivant et arrivèrent au chiffre de quatre : un homme sur le pas d'hélicoptère, un qui patrouillait sur la route menant au quai et deux qui déambulaient autour de la villa. À moins que quelque chose ne leur ait échappé, il semblait bien qu'aucun garde ne surveillait les approches de l'île.

– N'oublions pas Rivera et les deux autres larbins, rappela Sam. Ils doivent loger sur le bateau. Si c'est le cas, il faudra peut-être trouver un moyen de les éloigner.

– Ça ne sera pas facile. Ils se sont donné tant de mal pour mettre la main sur la cloche qu'ils doivent dormir à côté.

Ils passèrent le reste de l'après-midi à dessiner une carte détaillée de l'île tout en savourant une sorte de pique-nique à base de goyaves, de fruits secs et d'eau en bouteille. Peu après cinq heures, ils entendirent à l'est un faible bruit de moteur. Ils réglèrent leurs jumelles et ne tardèrent pas à apercevoir la silhouette d'un hélicoptère : l'Eurocopter EC135 d'Ambonisye Okafor, d'un noir de jais avec ses hublots teintés, survola l'île et décrivit un large cercle comme si l'homme qui se trouvait à bord surveillait son royaume ; puis il fit un point fixe au-dessus du pas d'atterrissage et se posa. Le garde de service était déjà au garde-à-vous, le dos bien cambré, sa kalachnikov bien droite. La rotation des pales ralentit et la porte de l'appareil s'ouvrit pour livrer passage à la silhouette mince d'un Africain de haute taille vêtu d'un costume blanc impeccable et portant des lunettes de soleil à verres miroir.

– Fini de rire, commenta Sam. Papa est rentré.

– De toute évidence, notre hôte s'habille à la mode Amin Dada, remarqua Remi. Je parierais que sa penderie regorge de clones de cette tenue.

– Mais qui se risquerait à le lui dire ? rétorqua Sam en souriant derrière ses jumelles.

Okafor s'avança, saluant le garde au passage. Il arrivait sur l'allée quand un chariot de golf électrique vint s'arrêter devant lui. Il s'y installa et l'engin gravit la colline en direction de la villa.

– Maintenant, dit Sam, nous allons voir si le retour d'Okafor met un peu d'animation.

Une dizaine de minutes plus tard, le chariot réapparut ; il prit le chemin du quai et s'arrêta devant le *Njiwa*. Rivera traversa la passerelle, monta à la place du passager et le chariot regagna la villa dans laquelle Itzli s'engouffra. Il en ressortit vingt minutes plus tard et le chariot électrique le ramena au *Njiwa*. Sam et Remi continuèrent à surveiller le yacht. Cinq minutes passèrent, puis dix, puis vingt. Rien ne bougeait sur les ponts ; aucune réaction suite à la rencontre de Rivera avec Okafor.

– Décevant, dit Remi en jetant un coup d'œil à Sam. Je vois tes méninges tourner à fond. Tu as un plan d'attaque ?

Avec les années, les personnalités complémentaires de Sam et de Remi leur avaient permis de se répartir les rôles dans les parties les plus hasardeuses de leurs aventures : Sam concevait le plan et Remi le passait au crible jusqu'au moment où ils le jugeaient réalisable. Ce système avait jusque-là assez bien marché.

– Presque, répondit Sam en posant ses jumelles pour consulter sa montre. Nous ferions mieux de repartir. Dans quatre heures, il fera nuit.

Le trajet de retour fut plus facile. Lorsqu'ils se retrouvèrent au niveau de la mer, ils contournèrent le marécage par le sud, reprirent la direction du nord une fois arrivés sur la plage puis firent à la nage les quatre cents derniers mètres. Ils approchaient de l'entrée de la crique quand Remi s'arrêta de nager et dit :

– Chut, écoute.

Quelques instants plus tard, Sam entendit un peu sur sa droite le grondement assourdi d'un moteur de marine. En se tournant, ils aperçurent un canot Rinker qui doublait le cap à cent mètres de là. Un homme était à la barre ; un autre derrière lui scrutait le rivage à la jumelle.

– Respire un bon coup, Remi ! lui recommanda Sam.

Ils aspirèrent ensemble une grande goulée d'air puis plongèrent. À deux mètres de la surface, ils se remirent à nager vers la crique. Les bras tendus, Sam atteignit le rivage quelques secondes avant Remi. Il s'accrocha aux racines qui émergeaient de la vase, saisit la main de Remi et la tira vers lui. Il désigna au-dessus de leurs têtes un enchevêtrement de bois mort qui flottait sur l'eau. Ils se laissèrent alors remonter, retrouvèrent l'air et regardèrent autour d'eux.

– Tu entends le moteur ? chuchota Sam à l'oreille de Remi.

– Non… Attends, les voilà.

Sam regarda du côté que Remi désignait du menton. À travers les broussailles, ils aperçurent le Rinker immobile sur l'eau, à une cinquantaine de mètres. Le moteur toussa une fois, crachota puis se tut. Le pilote fit une nouvelle tentative, en vain. Il frappa du poing le volant du gouvernail. Son compagnon se dirigea vers l'arrière, s'agenouilla et souleva le capot du moteur.

– Un ennui mécanique, murmura Sam. Ils vont bientôt repartir.

Ils le savaient tous les deux : ou bien Sam avait raison, ou bien les deux lascars devraient appeler pour qu'on vienne les remorquer, ce qui voulait dire que Sam et Remi étaient là pour un moment.

– Croise les doigts, répondit Remi.

À bord du canot, le second des deux hommes se retourna et dit quelque chose au pilote qui essayait une nouvelle fois de faire démarrer le moteur. Sans résultat.

– Problème de bougie, chuchota Sam.

Du coin de l'œil, il vit Remi tourner lentement la tête en se penchant un peu en arrière ; elle fixait quelque chose au-dessus d'eux. Sam tourna à son tour la tête et suivit son regard : à moins de quinze centimètres, une paire de petits yeux marron braquée sur eux. Les yeux clignèrent une fois puis se plissèrent légèrement. Sam mit un moment à comprendre.

– Un singe, chuchota-t-il à Remi.

– Oui, Sam, j'ai remarqué.

– Un capucin ?

– Plutôt un colobe, à mon avis. Un jeune.

Puis le moteur du canot se fit entendre de nouveau : cette fois, il démarra, crachota puis se mit à tourner au ralenti. Ce bruit fit tressaillir le colobe, ses petites mains serrant les branches. Il regarda Sam et Remi.

– Doucement, petit, fit Remi.

Le singe ouvrit la gueule et se mit à hurler en secouant furieusement les branches, faisant tomber sur eux une pluie de feuilles.

Sam baissa la tête et regarda à travers les broussailles. À bord du canot, les deux hommes, debout, épaulaient leur fusil, le canon braqué dans leur direction. Soudain une détonation. Un éclair jaillit d'un des fusils. La balle traversa le feuillage au-dessus de leurs têtes et le colobe, de plus belle, hurla et secoua violemment les branches. Sam serra dans la sienne la main de Remi.

– Est-ce qu'ils…, murmura-t-elle.

– Je ne crois pas. Ils cherchent de quoi déjeuner.

Nouveau coup de feu. Nouveaux cris du singe.

Sam entendit le colobe s'éloigner.

– Ils virent de notre côté, chuchota Sam. Prépare-toi à plonger.

À travers le feuillage, ils regardèrent le canot virer puis, en glissant lentement, se rapprocher d'eux. Le second homme était maintenant debout auprès du pilote, le canon de son fusil appuyé sur le cadre du pare-brise.

– Attends, fit Sam dans un souffle. Attends… Respire un bon coup… à l'eau, prévint-il lorsque le canot fut à moins de cinq mètres.

Ils plongèrent ensemble, cherchant quelque chose à quoi s'agripper puis, quand leurs pieds s'enfoncèrent dans la vase, ils relevèrent la tête. Le canot se frayait un passage entre les palétuviers. Sam et Remi entendirent des voix étouffées, des craquements de branchages. Des feuilles tombaient sur l'eau.

Enfin, près d'une minute plus tard, le canot commença à faire machine arrière. Ils attendirent qu'il eût fait demi-tour pour refaire surface. Ils reprirent leur souffle en regardant le Rinker disparaître dans le virage.

– Ils ne l'ont pas eu, n'est-ce pas ? demanda Remi.

– Je te reconnais bien là, fit Sam en souriant. Amie des animaux jusqu'au bout. Non, il a filé. Bon, maintenant faisons-en autant.

Chapitre 17

Île de Sukuti

– LÀ ! CRIA REMI DE LA PROUE. Stop ! En arrière doucement.

La vue bouchée par le mât, Sam mit le moteur au point mort, laissa le boutre dériver un peu puis enclencha la marche arrière et recula sans heurt en contournant le petit promontoire qu'ils avaient longé.

– Parfait, lança-t-elle. Ils sont à environ un mille devant nous. Encore dix minutes et ils vont virer au nord.

Quarante minutes auparavant, après avoir échoué le boutre sur la plage, ils n'avaient pas perdu de temps à se mettre en route. Sam et Remi espéraient que le canot longerait la côte sud de Sukuti pour regagner l'embarcadère d'Okafor, eux projetant d'arriver par le nord. Ils avaient hâte d'atteindre la zone relativement sûre du goulet qui séparait la petite île de la grande – à condition que ce passage ne se trouve pas sur la route du Rinker.

Bien sûr, filer directement le long de la côte sud aurait été le chemin le plus court, mais cela les aurait également exposés à des oreilles ou à des regards curieux. En suivant le goulet nord puis la côte jusqu'à la rive ouest, ils échapperaient à la vigilance de quiconque ne se trouverait pas au sommet de la colline.

Ils restèrent sans rien dire à regarder le soleil descendre lentement vers l'horizon jusqu'au moment où Remi jeta un coup d'œil à sa montre et dit :

– En avant doucement.

Sam remit le moteur en marche et sortit lentement le boutre de son abri de feuillage. À l'avant, Remi, à plat ventre, braquait ses jumelles sur la côte.

– Ils sont partis, annonça-t-elle. La voie est libre.

Sam se pencha sur la rambarde et aperçut, à deux cents mètres, l'entrée du goulet. Large tout au plus d'une quinzaine de mètres, il ressemblait davantage à un tunnel, avec ses rives envahies par une jungle touffue dont les arbres formaient au-dessus de l'eau une voûte impénétrable ; seul un coin de ciel apparaissait dans une ouverture de trois ou quatre mètres.

Sam vira à tribord et Remi vint s'allonger sur le pont auprès de lui.

Quelques minutes plus tard, ils avaient presque atteint l'entrée du goulet. Ils sentirent le bateau frémir sous leurs pieds et bondir en avant, accélérant de cinq nœuds en quelques secondes.

– Jolie manœuvre, apprécia Remi.

Ayant déjà expérimenté la force du courant au large de Zanzibar, Sam s'attendait à rencontrer le même genre de situation. Tel qu'il était placé le long de la côte, avec le courant déferlant du sud, l'entrée du goulet représentait un véritable vide hydraulique qui aspirait l'océan venant du sud pour le recracher vers le nord.

Sam arrêta le moteur pour économiser le carburant et serra plus fort la barre.

– L'avantage, dit-il, c'est que nous n'aurons pas à nous inquiéter d'un échouage éventuel : le courant creuse ici une véritable tranchée.

Le boutre fit une embardée de côté mais Sam eut tôt fait de le réaligner sur l'entrée du passage. Remi se cramponnait des deux mains au bastingage, le sourire aux lèvres, ses cheveux châtains flottant au vent.

– Quelle est notre vitesse ? cria-t-elle.

– Dix, douze nœuds, répondit Sam en riant. (Aussi près de la surface, on avait l'impression de filer beaucoup plus vite.) Il vaudrait mieux que tu passes à l'avant. Je vais avoir besoin de tes yeux.

– À vos ordres, capitaine, dit-elle en gagnant l'avant. Encore cinquante mètres. Droit devant.

À tribord, Sam vit une vague de plus d'un mètre se briser sur un banc de sable.

– Attention aux remous, lança-t-il en donnant un léger coup de barre pour les éviter.

La vague les frappa à la proue sur tribord, poussant le bateau de côté. Sam réagit aussitôt pour laisser passer le remous et le boutre reprit son alignement.

– Ça m'a l'air d'aller, dit Remi. Continue comme ça. Encore vingt mètres.

Sam se pencha sur la rambarde tribord et regarda. Il y avait dix à douze mètres de fond mais, à moins de deux mètres sur la droite, il distinguait le sable blanc du fond à travers l'eau turquoise. Se penchant à bâbord, il fit la même constatation.

– Nous n'avons pas beaucoup de marge, cria-t-il. Ça se présente comment devant ?

– Encore plus étroit. Tu veux freiner un peu ?

– Volontiers.

Remi se glissa sur le ventre pour ôter l'ancre de son support, la lança par-dessus la proue et laissa la corde lui filer entre les mains jusqu'à ce qu'elle la sente racler le fond. Elle en remonta un bout et l'attacha à la rambarde. Le bateau commença à ralentir, avançant par saccades.

– Dix mètres, annonça Remi.

Soudain, à l'instant où le boutre pénétra dans le goulet, le soleil sembla avoir disparu : de chaque côté, des murs de verdure s'étaient refermés sur eux ; au-dessus, quelques rares percées de ciel bleu. Sam regarda derrière lui ; un vertige l'assaillit quand il vit l'entrée du passage sembler se refermer comme la porte coulissante d'un vaisseau spatial.

– Virage bientôt, annonça Remi. Quarante-cinq degrés à tribord.

Sam se retourna vers l'avant.

Paré. Quand tu voudras.

– Trois… deux… un… On vire !

Sam donna un quart de tour à la barre.

– Reste comme ça, ordonna Remi. Quelques secondes s'écoulèrent. Bon, commence à redresser doucement sur bâbord. Encore… encore. Bien. Garde ce cap-là.

Au même instant, le courant mollit et le bateau ralentit. Le goulet s'élargit un peu : quatre à cinq mètres de chaque côté.

– Remonte l'ancre, dit Sam. Je crois que ça va.

Remi exécuta la manœuvre puis regagna la cabine. Des berges parvenaient les rumeurs de la jungle au crépuscule : les cris plaintifs des perroquets, le coassement des grenouilles et le bourdonnement des insectes.

– C'est si paisible, dit Remi en regardant autour d'elle. Un peu sinistre mais calme.

Sam prit la carte dans un casier et la déploya sur le toit de la cabine. Remi alluma une torche électrique et Sam promena un doigt autour de l'île.

– Il nous faut la circonférence.

Remi alla chercher le compas et décrivit un cercle suivant la côte, en marquant au crayon les caps et les points de repère. Quand elle eut terminé, elle griffonna quelques calculs dans la marge et annonça :

– La grande Sukuti fait environ quinze kilomètres, la petite à peu près huit.

Sam regarda sa montre.

– Dans vingt minutes, nous atteindrons la sortie du goulet. S'ils font une nouvelle patrouille tout de suite, ils passeront vers l'entrée nord une vingtaine de minutes plus tard. Si ce n'est pas le cas, cela veut probablement dire qu'ils arrêteront les recherches pour la nuit ou qu'ils ne les reprendront que toutes les quelques heures.

– Ça fait beaucoup de si, objecta Remi. Dans la dernière hypothèse, cela signifie que nous pourrions tomber sur eux quelque part en longeant la côte. Espérons que nous les verrons les premiers.

Sam hocha la tête.

– Peux-tu repérer pour moi tous les recoins de la côte ? Pour qu'à tout moment nous soyons prêts à nous planquer.

Dix minutes plus tard Remi déclara :

– On n'a que l'embarras du choix, mais aucune indication de profondeur ; je ne peux être certaine que de six ou sept endroits offrant un tirant d'eau suffisant.

– Nous allons improviser.

– Alors, ton plan ?

– J'aimerais bien en avoir un, répondit Sam, mais il y a trop de variables. Il faut supposer qu'ils déplaceront la cloche sans tarder : soit en la transportant quelque part, soit en trouvant une cachette provisoire. Ils ont trois possibilités : utiliser une des vedettes, le *Njiwa* ou l'hélicoptère d'Okafor. Commençons par le *Njiwa*. Quoi qu'ils fassent, c'est là que se trouvera la cloche jusqu'à ce qu'ils décident de l'emporter ailleurs. S'ils se servent d'une vedette ou du *Njiwa*, nous n'aurons qu'à coiffer nos chapeaux de pirates et détourner le bateau.

– Et si c'est l'hélicoptère ?

– Même plan. Nous utiliserons nos talents de pilote.

– Sam chéri, tu n'as pas beaucoup d'heures de vol sur un hélicoptère.

– Je crois pouvoir me débrouiller sur les quatre ou cinq milles qui nous sépareront de la terre. En six minutes, nous pourrions être de l'autre côté du goulet – sans doute avant qu'ils aient même le temps d'organiser une poursuite. Nous trouvons quelque part une clairière isolée, nous nous posons et…

– Improvisons donc, conclut Remi en souriant. (Sam sourit à son tour en haussant les épaules.) C'est notre meilleure chance, reconnut Remi, mais tu as laissé de côté pas mal de gros points d'interrogation dont certains peuvent se révéler catastrophiques.

– Je sais.

– Imagine, par exemple, qu'on nous repère. Ils sont mieux armés et supérieurs en nombre.

– Je sais.

– Et, bien sûr, le pire : s'ils avaient déjà déplacé la cloche ?

– Alors c'est fichu, lâcha Sam. Si nous ne l'interceptons pas ici, elle nous échappe pour de bon. Écoute, Remi, nous sommes en démocratie : sans vote unanime, nous n'y allons pas.

– Je suis partante, Sam, tu le sais. Mais à une condition.

– Je t'écoute.

– Nous prenons quelques précautions.

Le soleil se couchait lorsqu'ils aperçurent la sortie du goulet : un ovale d'un doré tirant sur l'orange au bout du tunnel. Quand ils furent à trois mètres, Remi vira vers la rive droite et réduisit la vitesse pour laisser les branches les recouvrir. Debout sur la cabine, Sam attrapa les plus basses pour amener le boutre contre la berge. Se glissant jusqu'au poste de pilotage, il regarda à travers le feuillage.

– On a une vue parfaite, cria-t-il. (Le soleil se couchait derrière la Grande Île plongeant sa moitié ouest dans le crépuscule.) S'ils décident un nouveau tour, ajouta-t-il, ils seront ici dans quinze ou vingt minutes.

– Je vais ranger nos affaires.

Remi descendit dans la cabine et Sam l'entendit aller et venir sous ses pieds. Puis elle remonta et se mit à fredonner une chanson de Sinatra. Ils enchaînèrent sur un autre tube et attaquaient un refrain des Beatles quand Sam leva la main pour réclamer le silence.

Dix secondes passèrent.

– Qu'y a-t-il ? demanda Remi.

– Rien, je crois… Mais là-bas… tu entends ?

Remi tendit l'oreille et entendit le murmure assourdi d'un moteur.

– Je crois reconnaître le bruit, dit-elle.

– Ça vient du nord-ouest. Nos hôtes sont peut-être en route.

Des divers scénarios qu'ils avaient envisagés – une seconde patrouille arrivant avec un peu de retard, une rencontre avec la vedette le long de la côte nord, ou une autre toute proche qui passerait avant leur sortie du goulet –, le troisième était l'idéal. En connaissant la route suivie par le canot et sa vitesse moyenne, ils pourraient raisonnablement estimer à tout moment où se trouvait l'ennemi. Sauf imprévu, ils arriveraient à l'embarcadère bien avant la vedette.

Allongé à plat ventre, les jumelles collées aux yeux, Sam gardait les yeux fixés sur le promontoire à quatre cents mètres de là. Le grondement du moteur se fit plus fort et l'avant du canot ne tarda pas à apparaître. Comme prévu, il y avait à bord un pilote et un guetteur et, comme il s'y attendait aussi, la vedette vira vers le sud-est en suivant la côte.

Un projecteur s'alluma.

– Nous ne risquons rien, déclara-t-il, un peu pour se convaincre lui-même. Ils ne nous verraient que d'en haut.

– Et nos chances ?

– Quatre-vingt-quinze pour cent. Peut-être quatre-vingt-dix.

– Sam…

– Ça va. Baisse bien la tête et croise les doigts.

Le canot n'était plus qu'à cinquante mètres.

Quarante mètres.

Trente.

Sam libéra une des mains qui tenaient les jumelles et prit à tâtons le H&K dans la poche de son short et le posa sur le pont après avoir ôté le cran de sûreté.

Le Rinker n'était plus qu'à vingt mètres.

– Remi, souffla Sam, tu ferais mieux de descendre.

Il sentit le bateau se balancer légèrement quand elle se glissa par l'échelle.

Sam reposa ses jumelles. Il essuya la paume de sa main droite sur sa jambe gauche puis reprit le pistolet et le glissa entre les branches pour viser la silhouette à la barre du canot. Il repassa le scénario dans sa tête : d'abord le pilote, puis le projecteur et enfin le second homme avant qu'il ait le temps de se mettre à l'abri ou de riposter. Deux balles pour chaque cible, une pause et attendre des signes de vie.

La vedette avançait toujours.

Sam prit une profonde inspiration.

Soudain, le moteur du Rinker s'emballa. L'étrave se souleva, pivota à bâbord et, en cinq secondes, le canot disparut.

Sam poussa un grand soupir. Il donna deux tapes sur le toit de la cabine. Quelques instants plus tard, Remi murmura :

– Ils sont partis ?

– Absolument. Regarde la carte. Combien de temps leur faut-il pour doubler le cap nord de la petite île ?

Il entendit un froissement de papier dans le noir puis le grattement d'un crayon.

– Ça fait un peu plus d'un mille. Vingt-cinq minutes, ça devrait nous suffire.

Pour plus de sûreté, ils laissèrent trente minutes s'écouler avant de quitter la sortie du goulet. Durant quarante minutes, ils glissèrent le long de la côte nord sans jamais s'éloigner à plus d'une quinzaine de mètres du rivage ni dépasser la vitesse silencieuse mais exaspérante de trois milles à l'heure.

Penchée sur la carte étalée en travers du pont, une lampe de poche coincée entre les dents, Remi faisait tourner le compas. Elle releva la tête et retira la torche électrique de sa bouche :

– Le Rinker devrait atteindre l'extrémité sud de la petite île. Nous avons au moins vingt minutes d'avance sur eux.

Ils arrivèrent à la pointe nord de la grande île, s'arrêtèrent pour inspecter à la jumelle la côte devant eux, puis repartirent.

– L'embarcadère est à moins d'un mille, annonça Remi.

– Qu'est-ce que tu en penses ? On s'arrête à mi-chemin ?

– Bonne idée.

Ils couvrirent la distance en douze minutes. À bâbord, le paysage lunaire de l'île se déployait devant eux depuis la plage jusqu'à la forêt tropicale. Sam ralentit le bateau pendant que Remi observait le rivage.

– Ici, dit-elle en se précipitant vers l'avant, ça me paraît bien.

Sam vira à bâbord, dirigea la proue vers la plage et suivit les brèves instructions de Remi jusqu'à ce qu'elle crie :

– Stop.

Sam ralentit le moteur puis rassembla leurs paquetages étalés sur le pont et rejoignit Remi à la barre. Elle enjamba le bastingage et, aidée par Sam qui la tenait par les poignets, elle descendit. Elle avait de l'eau jusqu'à la ceinture. Il lui tendit leurs affaires.

– Viens ici, dit Remi.

– Quoi ?

– Viens ici, je t'ai dit.

Il sourit, puis se pencha par-dessus bord jusqu'à ce qu'elle puisse, en tendant le cou, lui poser un baiser sur la joue.

– Sois prudent, fit-elle. Je t'interdis de te noyer.

– Bien reçu. Je reviens dans deux minutes.

La partie suivante de leur plan se déroula sans histoires. Sam fit marche arrière et, après avoir manœuvré pour amener le bateau à quelques centaines de mètres du rivage, il arrêta le moteur et jeta l'ancre. Il estima qu'il y avait sous la quille une bonne quinzaine de mètres d'eau. Il descendit dans la cabine et ouvrit les cinq écoutilles de la coque. Quand il eut de l'eau jusqu'aux mollets, il enjamba la rambarde, plongea et se mit à nager. Cinq minutes plus tard, il avait pied et pataugea jusqu'au rivage où Remi attendait.

Ils regardèrent tous deux le boutre s'enfoncer dans l'eau et disparaître.

Sam lui adressa un dernier salut et dit :

– Prête ?

Remi acquiesça de la tête.

– Je te suis.

Chapitre 18

La Grande Île de Sukuti

SAM EN TÊTE, ILS MARCHÈRENT EN SILENCE une quinzaine de minutes sur le sable humide, plus dur, jusqu'à un affleurement rocheux qui coupait la plage en deux. Sam escalada la pierre glissante, trouva un palier au-dessous de la crête et regarda. Quelques instants plus tard, il se retourna et fit signe à Remi de le rejoindre.

Tous deux passèrent la tête au-dessus des rochers : à quelques centaines de mètres, sur la plage, l'embarcadère s'avançait dans la mer. D'un côté, le *Njiwa*, toujours amarré, les lumières de l'intérieur brillant derrière de légers voilages ; en face, les deux Rinkers, mais aucune trace du pilote et du passager.

– Ils ont certainement foncé pour arriver aussi vite, remarqua Remi.

– Le long de la côte sud, ils le peuvent car, grâce au radar que nous avons vu l'autre jour, ils ne risquent pas d'être surpris par quelqu'un venant de cette direction.

– Au moins, nous situons tout le monde maintenant, ajouta Remi. Je ne vois aucune activité. Et toi ?

– Rien. Nous avons le choix entre deux solutions : la terre ou la mer.

– Trop de pierres branlantes sur la pente et aucun abri, observa Remi.

– D'accord. Alors, la mer.

– Comment monterons-nous à bord du *Njiwa* ?

Sam braqua ses jumelles sur l'escalier des cabines du yacht : il ne mesurait guère plus d'un mètre cinquante mais il était fixé au pont juste devant la porte coulissante.

– Pas par l'échelle, répondit Sam en réfléchissant. Dans la cabine du boutre, j'avais remarqué une ancre flottante…

Remi tendit le bras et tapota leur sac à dos.

– Là-dedans, il y a bien quelque chose qui ferait grappin.

– C'est de la télépathie. Nous l'accrochons à la rambarde arrière et nous nous hissons.

Ils redescendirent sur la plage, pataugèrent dans les vagues puis se mirent à nager. Quand ils eurent parcouru cinquante mètres, ils virèrent pour avancer parallèlement au rivage jusqu'à la hauteur de l'embarcadère. Puis ils firent du surplace pour observer leur objectif.

– Tu vois quelqu'un ?

– Personne.

– Cap sur la vedette.

Ils repartirent sans quitter des yeux les quais et arrivèrent bientôt à la hauteur du Rinker. Ils s'arrêtèrent un moment pour reprendre haleine, à l'affût du moindre mouvement, du moindre bruit. Ils entendirent, venant du *Njiwa*, des voix étouffées, des coups sourds. Puis le silence. Et les coups reprirent.

– Quelqu'un se sert d'un marteau, chuchota Sam. Tâte ce moteur.

– Il est froid. Pourquoi ? s'étonna Remi après avoir vérifié du dos de la main.

– Celui-ci doit avoir davantage d'essence. Attends un instant. C'est le moment de prendre une assurance.

Il aspira une grande goulée d'air, plongea puis longea le premier Rinker jusqu'à son jumeau arrimé au bout du quai. Il empoigna le plat-bord, se souleva un peu hors de l'eau et regarda alentour. Rien ne bougeait. Il se hissa alors sur le pont et, rampant jusqu'au siège du pilote, examina le tableau de bord : bien sûr, on avait retiré la clef de contact. Il roula sur le dos, ouvrit le panneau sous les commandes et se glissa dans le réduit où, grâce à sa petite torche électrique, il observa l'enchevêtrement des fils.

– Comme au bon vieux temps, marmonna-t-il.

En effet, cinq mois auparavant, il s'était occupé d'une autre vedette sur un lac des Alpes bavaroises dont le câblage électrique était assez simple. Heureusement, celui du Rinker lui ressemblait : fils de contact, câbles des essuie-glaces, des feux de bord, du klaxon. Utilisant son couteau suisse, Sam les sectionna l'un après l'autre puis ressortit et referma le panneau. Il se glissa jusqu'à la rambarde, jeta un dernier coup d'œil puis, basculant dans l'eau, rejoignit Remi.

– Bon, si tout se passe bien, ce canot nous servira à filer. Nous récupérons la cloche, sabotons le *Njiwa* si nous le pouvons et ensuite nous rapportons notre butin ici...

– Comment ?

– Je trouverai un moyen. Nous arrivons ici avec la cloche et nous déguerpissons avant que personne se soit rendu compte de rien.

– Et s'il y a un pépin ? Bof, question inutile, je connais déjà la réponse : nous allons improviser.

Ils gagnèrent l'arrière du *Njiwa* qui de près était plus gros qu'ils ne le pensaient : la rambarde arrière se trouvait à trois mètres au-dessus de l'eau.

– Trop courte, murmura Sam à l'oreille de Remi après avoir examiné l'ancre flottante qu'elle avait sortie de son sac à dos. (Il lui fit signe de le suivre et ils revinrent vers l'arrière du yacht.) Alors, passons au plan B, reprit Sam. Je vais essayer l'échelle. (Remi ouvrait la bouche pour parler mais il poursuivit.) C'est le seul moyen. Si je saute du quai, ça fera trop de bruit. Monte sur le Rinker et sois prête à démarrer.

– Non.

– Si je me fais prendre, file.

– Je t'ai dit...

– Tu files pour revenir à la civilisation et tu appelles Rube. Il saura ce qu'il faut faire. En voyant que tu as disparu, Rivera supposera que tu as contacté les autorités et il ne me tuera pas – enfin, pas tout de suite. Il est trop malin pour ça ; les cadavres causent plus d'ennuis que ça n'en vaut la peine.

Remi fronça les sourcils et lui lança un regard noir.

– Appelons cela le plan C. Le plan B, c'est si tu ne te fais pas prendre. Nous ne sommes pas sortis de l'auberge, Sam.

– Je sais. Sois sur tes gardes : je te ferai signe quand la voie sera libre. Si je lève la main avec les doigts écartés, tu peux venir ; le poing fermé, tu restes où tu es.

Il ôta sa chemise et ses chaussures et fourra le tout dans son sac à dos puis le tendit à Remi.

– Qu'est-ce que tu fais ? demanda-t-elle.

– Les vêtements mouillés dégoulinent et les chaussures couinent.

– Dis-moi, Sam, tu n'aurais pas suivi des cours de commando en douce ?

– Juste regardé des feuilletons.

Il l'embrassa puis plongea sous le canot pour refaire surface au pied du quai. Il respira un grand coup, disparut et réapparut près de la coque blanche du *Njiwa*. Il nagea sous la passerelle puis s'arrêta. Des voix étouffées lui provenaient de la cabine. Deux hommes, peut-être trois. Il tendit l'oreille pour saisir ce qu'ils disaient ou pour repérer une voix ; en vain. Il se hissa sur le pont, s'allongea à plat ventre et resta un moment à écouter, puis se releva et se glissa jusqu'à l'échelle. Arrivé au premier échelon, il s'arrêta, leva la tête, ne vit rien et avança sur le pont. Puis il se redressa, se plaquant contre la cloison.

La porte coulissante s'ouvrit. Un rectangle de lumière jaune se découpa sur le pont. La gorge serrée, Sam se coula rapidement le long de la cloison pour atteindre le gaillard d'avant où il s'immobilisa pour reprendre son souffle.

Il entendit marcher sur le pont puis la porte se referma : on descendait l'escalier. Sam fit un pas en avant et regarda derrière lui ; ne voyant rien, il avança encore et regarda par-dessus le plat-bord. Une silhouette approchait sur le quai ; au bout, sur un petit espace dégagé, un tracteur vert à essence et, juste derrière, un chariot de golf blanc en bas d'une légère pente incurvée menant au pas d'atterrissage de l'hélicoptère puis, plus loin, au bâtiment principal.

La silhouette se pencha sur le tracteur, en retira un râteau et une paire de pelles qu'il lança dans les broussailles bordant le chemin.

– Il déblaie la route pour la cargaison, se dit Sam.

Il se tourna vers la vedette, leva le poing quelques secondes pour dire « ne bouge pas » puis repartit vers la cloison en courbant le dos.

Des bruits de pas claquèrent sur le bois du pont, puis s'éloignèrent vers la porte coulissante qui s'ouvrit et se referma aussitôt. Trois minutes s'écoulèrent. La porte s'ouvrit de nouveau. Encore des bruits de pas. Plus nombreux cette fois. Des hommes ahanaient. On faisait glisser sur le pont un objet lourd... Sam jeta un coup d'œil en se penchant de côté et aperçut trois hommes à la lumière qui venait de la porte : Rivera, Nochtli et Yaotl. Entre eux, une caisse à peu près de la taille du support bricolé par Sam à Zanzibar.

Yaotl, le plus costaud des trois, descendait l'échelle à reculons tandis que Rivera et Nochtli poussaient. Sam recula dans l'ombre et les écouta manipuler la caisse jusqu'au quai. Sam, à quatre pattes, gagna la rambarde et regarda.

Tenant solidement les poignées en corde de la caisse, Nochtli et Yaotl descendaient le quai. Rivera suivait à quelques pas derrière. Le trio atteignit la petite place et déposa la caisse sur la plate-forme du tracteur.

Rivera se mit à parler en espagnol. Sam perçut quelques bribes de phrase : « ... portez-la... hélicoptère... je reviens tout de suite. »

Le tracteur démarra, faisant crisser ses pneus sur le chemin de coquilles écrasées. Le bruit du moteur s'éloigna et, au bout de quelques secondes, on ne l'entendit plus. Sam se risqua à jeter un coup d'œil par-dessus le plat-bord : Rivera revenait à grands pas vers la passerelle. Sam recula pour se cacher de nouveau contre la cloison. Rivera remonta à bord et descendit dans la cabine.

Sam envisagea les solutions qui s'offraient à lui. Il n'avait guère envie de s'en prendre à Rivera, un tueur bien entraîné ; pourtant, dès que ce dernier aurait regagné l'hélicoptère, l'appareil décollerait, emportant la cloche. Plus important encore, Remi et lui, quoi qu'ils fassent, auraient moins de mal si Rivera n'était pas sur place. Pas question d'utiliser le revolver dont la détonation attirerait l'attention des autres gardes, il lui faudrait donc opérer à mains nues.

Après avoir inspiré profondément, il se coula le long de la cloison jusqu'à la porte coulissante. Il prit quelques instants pour répéter mentalement les gestes puis il tendit la main, saisit la poignée de la porte et poussa. La porte glissa en grinçant.

De l'intérieur, la voix de Rivera demanda :

– Nochtli ? Yaotl ?

Sam recula d'un demi-pas, serra son poing droit et détendit son bras à hauteur de l'épaule.

Une ombre bloqua la lumière de la cabine.

Le nez de Rivera apparut devant le montant de la porte, puis le menton et les yeux. Sam décocha un direct, visant la tempe de Rivera, mais l'homme avait des réflexes et il esquiva le coup qui ne fit que l'effleurer. Voulant éviter qu'il reprenne ses esprits pour saisir l'arme qu'il portait sûrement, Sam pivota devant la porte. Du coin de l'œil, il vit Rivera sur sa droite qui, ainsi qu'il s'en doutait, cherchait quelque chose derrière son dos.

Sa longue pratique du judo lui fut bien utile. Instinctivement, Sam estima la position et l'attitude de Rivera et vit aussitôt le point faible. Encore un peu sonné, celui-là était appuyé contre le chambranle, tentant de se reprendre, tout son poids concentré sur son pied gauche. Sans se soucier de l'arme que tenait

Rivera, Sam envoya un *deashi-harai* – un coup au pied gauche – qui le toucha juste sous la cheville. Rivera s'effondra sur le côté et glissa le long du cadre de la porte, mais sans lâcher son arme. Sam vit le pistolet, tendit le bras, saisit le poignet de son adversaire et profita de son élan pour plaquer la main de Rivera contre la paroi. Sam entendit l'os craquer. Le revolver tomba sur la moquette.

La main toujours serrée sur le poignet de Rivera, Sam recula d'un grand pas, faisant perdre l'équilibre à son adversaire, et en le projetant sur le dos. Il lui lâcha le poignet et se laissa tomber sur lui. En même temps, il lui glissait le bras autour de la gorge pour tenter de l'étrangler à mains nues. Rivera réagit aussitôt, frappant en arrière avec un coup de coude qui toucha Sam juste sous l'œil. Sam vit comme une gerbe d'étincelles puis plus rien de cet œil-là. Il tourna la tête de côté et sentit un nouveau coup de coude sur la nuque. Sam reprit son souffle et replia son bras, pour serrer plus fort autour de la gorge de Rivera. Faisant contrepoids avec ses jambes, Sam roula sur la gauche, et entraîna Rivera avec lui. Ce dernier commit alors une grave erreur : il s'affola, cessa de donner des coups de coude et s'acharna sur l'avant-bras qui l'étranglait. Sam serra plus fort, puis il força encore, penchant la tête en avant, et poussa le menton de Rivera contre sa poitrine pour lui comprimer la carotide. Presque aussitôt, les coups de Rivera faiblirent. Encore une seconde et il s'affaissa. Sam le laissa lancer deux ou trois coups sans conviction puis lâcha prise et le repoussa de côté. Sam s'agenouilla et lui tâta le pouls : l'homme était en vie mais il avait perdu connaissance.

Sam mit quelques secondes à reprendre son souffle puis se remit debout. Il se palpa la pommette et constata que ses doigts étaient ensanglantés. Il se traîna jusqu'à la porte, s'assura que tout était calme et leva le bras, ses cinq doigts déployés. Puis il retourna à l'intérieur.

Une minute plus tard, Remi franchit le seuil. Elle jeta un coup d'œil au corps inerte de Rivera puis à Sam, laissa tomber leurs sacs à dos, s'approcha de lui et le prit dans ses bras. Elle recula, poussa Sam à tourner la tête et fronça les sourcils.

– Ça paraît plus impressionnant que ça ne l'est, la rassura Sam.

– Comment le sais-tu ? Il va te falloir des points de suture.

– Finis pour moi les concours de beauté.

– Et lui, fit Remi en désignant de la tête Rivera, est-ce qu'il...

– Il dort simplement. Il sera furieux quand il se réveillera.

– Alors, ne restons pas ici. Je suppose que nous leur empruntons l'hélicoptère ?

– Ils ont eu l'amabilité de charger la cloche à bord. Ce serait grossier de ne pas profiter de cette délicate attention. Et le Rinker... Tu as...

– Arraché les fils avant de les jeter à la mer. Et maintenant, que fait-on ? On le ligote ?

– Pas le temps. La surprise joue en notre faveur. Si quelqu'un revient le chercher, c'est fichu.

Sam regarda autour de lui. Il s'avança et ouvrit une porte, révélant une échelle.

– Elle doit mener à la passerelle. Montons donc faire quelques dégâts à leurs communications.

– Téléphone satellite et radio, ça ira ?

– Je vais voir en bas, dit Sam en acquiesçant de la tête, s'il n'y a pas des bazookas qui traînent.

– Pardon ?

– Nous aurons de la compagnie sur l'héliport et je doute qu'ils soient contents de nous voir. Quelque chose de gros et de bruyant pourrait les faire changer d'avis.

Sam s'agenouilla, récupéra le revolver de Rivera – un autre H&K – et le tendit à Remi. Elle l'examina un moment ; elle éjecta alors sans effort le chargeur, en vérifia les munitions, puis le remit en place ; ensuite, elle enclencha le cran de sûreté et glissa l'arme dans sa ceinture.

Sam la regarda, un peu ahuri.

– Moi aussi, je regarde les séries à la télé.

– Très bien. On se retrouve ici dans deux minutes.

Remi se dirigea vers l'escalier et Sam dans l'entrepont. Il fouilla les six cabines et ne trouva qu'une seule arme, un .357 Magnum. Il remonta. Remi l'attendait.

– Bon travail ?

– J'ai arraché les connections des prises et je les ai jetées à la mer.

– Ça fera l'affaire. Bon. Tout le monde attend Rivera à l'héliport. Avec un peu de chance, il y aura Yaotl, Nochtli, le garde et le pilote. Quatre personnes tout au plus. On va là-bas en espérant ne pas paraître trop suspects avant qu'il soit trop tard.

– Et si tout un groupe nous attend ?

– Nous battons en retraite.

Chapitre 19

La Grande Île de Sukuti

– REMI, NE BOUGE PAS, prévint Sam en même temps qu'il descendait du chariot.

Devant lui, le sentier montait ; il avança pour voir ce que cachait la crête. Une trentaine de mètres plus bas, le chemin s'élargissait jusqu'à former une clairière d'où une bifurcation menait à la maison. À droite, l'aire d'atterrissage de l'hélicoptère éclairée par un lampadaire à vapeur de sodium.

– Combien sont-ils ? s'informa Remi quand Sam eut regagné le chariot.

– Je n'en ai vu que trois : le garde, Nochtli et Yaotl ; ils sont plantés au bord de l'héliport, chacun avec une kalachnikov, mais en bandoulière. Pas trace du pilote. Ou bien il est dans la maison, ou bien il attend dans l'hélico.

– Je préférerais la seconde hypothèse si nous devons le convaincre de nous emmener… Et la cloche ?

– Elle n'est pas sur le tracteur, donc ils ont réussi à la bouger. Bon, je me chargerai des trois premiers et toi, tu fonceras directement sur l'hélico. Prête ?

– Absolument. (Elle s'accroupit sur le plancher du chariot et plongea la tête sous le tableau de bord.) Tu ne ressembles pas vraiment à Rivera, ajouta-t-elle en levant les yeux vers lui.

– Aucune importance dès l'instant où nous approchons assez vite.

Sam sortit le .357 et le H&K de ses poches et coinça chacun sous une cuisse, ensuite il desserra le frein et appuya sur l'accélérateur. Le chariot repartit sans peine et, quelques secondes plus tard, ils avaient franchi la crête et se dirigeaient vers la clairière. Il résista à l'envie d'écraser la pédale d'accélérateur.

– Nous ne sommes plus qu'à quinze mètres, murmura-t-il, et ils ne nous ont pas encore repérés.

Ils étaient à cinq mètres quand Yaotl, levant les yeux, aperçut le chariot. Il alerta les deux autres qui se retournèrent : tous les regards étaient maintenant fixés sur le motocaddy.

– Toujours pas de réaction, dit Sam. Tiens-toi bien. Je fonce.

Il pressa à fond la pédale d'accélérateur et le chariot bondit en avant, couvrant les derniers mètres en quelques secondes. Sam donna un grand coup de frein, enclencha la position parking et lâcha le volant; il saisit alors ses deux pistolets et sauta à terre devant les trois hommes, juste à côté de la flaque de lumière du lampadaire, ses armes braquées devant lui.

– Bonsoir, messieurs, lança-t-il.

– C'est vous..., balbutia Yaotl.

– Nous, corrigea Sam. (Sans un mot, Remi descendit du chariot et rejoignit Sam qui s'adressa alors au petit groupe.) Tout le monde garde un air naturel. Il ne s'est rien passé. Vous êtes là, comme trois types qui traînent là. Je veux de grands sourires.

Remi et lui avaient jugé préférable de supposer le pas d'atterrissage dans le champ d'observation des puissantes jumelles installées sur le toit du bâtiment principal; aussi, pour ne pas éveiller de soupçons, Yaotl et ses comparses devraient-ils garder leurs armes jusqu'au moment où Sam et Remi seraient prêts à partir.

– Remi, vois ce que tu peux faire pour cet éclairage.

Prenant soin de rester en dehors de la lumière, Remi s'avança et examina le lampadaire.

– Pas de commutateur, mais les câbles sortent du sol. Ça m'a l'air d'un branchement standard de cent dix volts.

– Okafor est sympa de nous simplifier le travail.

Le cent vingt infligerait certes une secousse désagréable, mais du deux cent vingt aurait été assez puissant pour provoquer une électrocution.

– Pourras-tu atteindre le pas d'atterrissage sans être vue ? ajouta-t-il.

– Je crois que oui. Je reviens tout de suite.

Elle redescendit le chemin puis s'enfonça parmi les buissons qui bordaient l'héliport. Trente secondes plus tard, elle réapparut de l'autre côté et, cachée par l'hélicoptère, courut jusqu'à la porte de la cabine puis, gardant son pistolet braqué sur le pilote, rejoignit Sam. Le pilote, un Noir de petite taille en salopette bleu marine, semblait mort de peur.

– La caisse est à bord, bien arrimée, annonça Remi.

– Où est Rivera ? s'étonna Yaotl.

– Il fait la sieste.

Le garde bougea alors la main, essayant subrepticement de s'emparer de sa kalachnikov.

– Pas question, réagit aussitôt Sam en visant sa tête. *Usifanye hivyo !* ajouta-t-il en swahili.

L'homme s'immobilisa et laissa retomber sa main.

Sam recula et fit signe au pilote de le rejoindre.

– Comment t'appelles-tu ?

– Jingaro.

– Tu es le pilote d'Okafor ?

– Oui.

– Tu parles bien anglais ?

– Je suis allé à l'école missionnaire.

– Tu piloteras l'hélicoptère pour nous.

– Je ne peux pas faire ça.

– Mais si.

– Si je le fais, Okafor me tuera.

– Si tu ne le fais pas, c'est moi qui te tuerai.

– Pas de la même manière que lui. Et peut-être qu'il tuera aussi ma famille. Je vous en prie, je pilote pour lui, c'est tout. Rien d'autre. Vous voyez que je n'ai même pas d'arme. Je pilote juste l'hélicoptère.

– C'est vrai ce que tu me racontes pour ta famille ?

– Oui, c'est la vérité. Je regrette de ne pas pouvoir vous aider. Je n'aime pas monsieur Okafor, mais je n'ai pas le choix.

Sam regarda Jingaro dans les yeux et décida qu'il disait la vérité.

– L'hélicoptère est prêt à voler ?

– Oui. Vous êtes pilote ?

– Un peu, fit Sam en haussant les épaules. Je sais à peu près décoller, rester en stationnaire et atterrir.

Jingaro eut un moment d'hésitation puis reprit :

– Cet appareil est équipé d'un coupleur de vol stationnaire. Sur le tableau de bord, tout à fait à droite, vous verrez un bouton avec les initiales « C-V-S ». Tant que vous maintenez le vol régulièrement, vous pouvez enclencher le coupleur et l'appareil passera en stationnaire. Faites attention aussi aux pédales du gouvernail : elles sont dures. Je les aime bien comme ça. On a plus de mal à surcompenser. N'ayez pas peur d'appuyer fort. Ne dépassez pas cent nœuds car l'hélico est bien plus maniable.

– Merci.

– Je vous en prie. Maintenant, frappez-moi.

– Quoi ?

– Frappez-moi. Si Okafor me soupçonnait de…

– Je comprends. Bonne chance.

– À vous aussi.

Sam prit son élan et abattit sa paume sur le nez du pilote. Pas assez fort pour briser l'os mais assez pour le faire aussitôt saigner. Le pilote recula en trébuchant et s'affala sur le dos.

– Reste là, lança Sam. Ne bouge pas. Remi, tu vois les jumelles marines d'ici ?

Elle prit les siennes dans la poche de côté de son sac à dos et les braqua sur le toit de la maison.

– Je les vois. Pour l'instant, elles sont orientées vers le sud. Elles pivotent lentement dans notre direction. Encore trente secondes et l'héliport sera dans leur champ.

Sam se tourna vers le garde.

– *Unazungumza kiingereza ?* demanda-t-il en swahili. Tu parles anglais ?

– Un peu.

Sam désigna la machette dans le fourreau accroché à sa ceinture et dit :

– *Kisu. Bwaga Ku.* Couteau. Lance-le, ordonna Sam en montrant ses pieds. Maintenant !

Le garde obtempéra et Sam ramassa aussitôt la machette. Puis, se tournant vers le petit groupe, il expliqua :

– Écoutez tous, voici le plan. Nous allons marcher jusqu'à l'hélicoptère. Nous passerons les premiers et vous suivrez à deux ou trois mètres, déployés en ligne…

– Pourquoi ? coupa Yaotl.

– Pour servir de sacs de sable si quelqu'un nous tire dessus. Yaotl, tâche que les deux autres comprennent.

– Vous ne vous en tirerez pas comme ça…

– Peut-être pas, mais on va quand même tenter le coup.

– Et si nous refusons ? lança Nochtli.

– Puisque tu as posé la question, tu seras le premier que j'abattrai.

– Je ne vous crois pas et, même si vous le faites, les autres gardes seront ici dans une minute.

– Probablement, mais tu ne le verras pas, riposta Sam en faisant un pas en avant, son .357 braqué sur la poitrine de Yaotl. Tu te souviens de ton séjour à notre villa ?

– Oui.

– Nous t'avons traité convenablement ?

– Oui.

– Eh bien, maintenant, c'est fini. (Pour souligner son propos, Sam releva le .357 en le pointant sur le front de Yaotl.) Tu en veux une preuve ? (Yaotl secoua la tête.) Arrange-toi pour que les autres comprennent bien le plan.

Yaotl traduisit d'abord à Nochtli, puis au garde. Les deux hommes acquiescèrent de la tête.

– Où irez-vous donc, monsieur Fargo ? Si vous saviez piloter, vous n'auriez pas discuté avec le pilote. Si vous arrêtez maintenant et que vous vous rendiez…

Sam l'interrompit.

– Nous en avons assez de l'île du Cauchemar. Nous partons et nous emportons notre cloche avec nous.

– Elle a tant de valeur, intervint Remi, pour que vous ayez assassiné neuf touristes pour elle ? Sam, il cherche à gagner du temps.

Sam hocha la tête.

– Surveille-les pendant que je fais disparaître ces chariots de golf. Yaotl, donne-moi les lacets de tes chaussures.

Yaotl s'exécuta et lança ses lacets roulés en boule aux pieds de Sam qui les ramassa avant de se diriger vers le motocaddy. Trente secondes plus tard, le volant était attaché à un montant. Sam desserra le frein à main, appuya ses bras sur le pare-chocs avant et poussa le chariot par-dessus la crête d'où il commença à descendre tout seul. Quelques instants plus tard, il avait disparu dans l'obscurité. Il répéta l'opération avec le tracteur puis rejoignit Remi.

– Prête ? demanda-t-il.

– Si on veut.

– Je ne sais pas s'ils réagiront rapidement une fois que l'éclairage sera coupé, alors ne perdons pas de temps.

Sam suivit du regard les jumelles marines du toit jusqu'à ce qu'elles se soient déplacées vers le lampadaire. Remi l'arrêta.

– Attends, Sam. Tournez-vous face à l'hélicoptère, ordonna-t-elle alors aux autres. Maintenant, levez les yeux et regardez bien la lumière.

Une nouvelle fois, ils obéirent.

– Pour les éblouir, expliqua-t-elle à Sam.

– Encore une raison qui fait que je t'aime, approuva Sam en souriant.

Quand les jumelles de marine montées sur le toit furent braquées vers le sud-ouest il s'agenouilla devant le lampadaire puis, prenant une profonde inspiration, abattit le tranchant de la machette sur la ligne électrique. Il y eut un bref sifflement, une gerbe d'étincelles. Sam recula sa main. La lumière s'éteignit.

– Ça va ? s'inquiéta Remi.

– Oui, mais ça a détourné mon attention. Bon, allons-y.

Ils se séparèrent pour contourner le pas d'atterrissage, chacun dans un sens, avant de se retrouver devant le groupe.

Clignant des yeux et secouant la tête pour lutter contre l'aveuglement, Yaotl et les autres avancèrent vers l'hélicoptère, Remi en tête, Sam fermant la marche, son pistolet braqué sur le groupe.

– Six mètres, annonça Remi à Sam. Trois.

– Stop, ordonna soudain Sam en s'arrêtant. Écartez-vous, je vais faire la check-list.

– Je les surveille.

Sam lança leurs sacs dans la cabine et grimpa dans le poste de pilotage où, avec sa torche, il inspecta commandes et tableaux de bord ; un instant submergé par tant de contrôles techniques, il réussit néanmoins à se concentrer sur l'essentiel et, trente secondes plus tard, il avait trouvé ce qu'il cherchait.

Il abaissa le commutateur de la batterie : l'éclairage intérieur et les cadrans s'allumèrent. Il se tourna ensuite vers la commande de la pompe à essence, puis vérifia le contact de l'alimentation auxiliaire qui activait l'amorçage de la turbine : elle couina quelques secondes puis se mit en marche et les rotors commencèrent à tourner, d'abord lentement puis de plus en plus vite tandis que l'aiguille du compte-tours grimpait.

Sam se pencha par le hublot et dit à Remi :

– Ramasse leurs armes.

Remi transmit l'ordre au groupe et, l'un après l'autre, chaque homme avança et lança dans la soute pistolet ou kalachnikov. Avec de grands gestes, elle les fit alors reculer jusqu'au bord de l'espace balayé par les pales.

– Remi, c'est l'heure de dire adieu, cria Sam en voyant le compte-tours atteindre la barre du régime maximal.

– Avec plaisir, répliqua-t-elle en montant à bord.

Sans quitter le groupe des yeux, elle poussa le petit arsenal dans le filet de sécurité fixé à la cloison.

– Cramponne-toi à quelque chose, lui recommanda Sam.

– C'est fait ! lui répondit-elle après avoir enroulé sa main libre autour des mailles du filet.

Sam testa le contrôle cyclique entre ses jambes, puis le manche du collectif sur le côté, mesura l'inclinaison des pales et pour finir les pédales anticouple. Il engagea le collectif et, lentement, l'appareil décolla. Il testa le contrôle cyclique pour vérifier l'assiette. Tout allait bien.

– Sam, cria soudain Remi, nous avons un problème !

– Quoi donc ?

– Regarde à droite !

Sam jeta un coup d'œil par le hublot. Il lui fallut un moment pour se rendre compte de ce qui se passait. Yaotl et les autres s'étaient dispersés sur le pas d'atterrissage tandis qu'une forme noire et rectangulaire arrivait en cahotant dans leur direction : c'était le tracteur, et Sam aperçut à la lueur du clair de lune Rivera penché sur le volant.

– Il a fini sa sieste, lança Remi.

– Les clefs ! Je savais bien que j'avais oublié quelque chose, cria Sam avant de se pencher de nouveau sur les instruments.

Il actionna le collectif pour prendre de l'altitude mais, dans sa hâte, il poussa le contrôle cyclique sur la droite et appuya sur la pédale du gouvernail. L'hélicoptère plongea vers la droite et la queue pivota. Sam corrigea la trajectoire et l'appareil, piquant vers le bas, rebondit sur le pas d'atterrissage avant de remonter. Sam risqua alors un nouveau coup d'œil au hublot latéral.

À dix mètres de là, le tracteur se rapprochait rapidement. Une silhouette – Nochtli, semblait-il – traversa l'héliport en courant et se jeta sur le plateau du tracteur.

– Ralentis-les, cria Sam. Vise le moteur ! Ça fait une meilleure cible !

De l'arrière, Remi ouvrit le feu avec une des kalachnikovs, lâchant des rafales dans le sol devant le tracteur. Sans résultat. Elle changea alors de cible : des projectiles frappèrent l'avant de l'engin, soulevant des gerbes d'étincelles sur les garde-boue et faisant voler en éclats le plastique ; un panache de vapeur jaillit du moteur puis, après quelques ratés, le tracteur se mit à ralentir mais ne fut plus visible de l'hélicoptère.

Sam releva le collectif pour tenter de gagner de l'altitude.

– Je n'arrive plus à les voir, dit Remi.

Sam regarda par un hublot puis par l'autre.

– Où donc…

L'appareil s'inclina soudain du côté de la porte ouverte. Remi, ses pieds se dérobant sous elle, glissa vers l'ouverture béante et, instinctivement, elle desserra ses doigts crispés sur la kalachnikov pour se cramponner à sa ceinture de sécurité. La mitraillette se mit alors à filer sur la tôle de la cabine, rebondit sur la caisse de la cloche, puis disparut par la porte.

– Nous avons perdu une kalachnikov ! cria Remi. Elle aperçut au même instant une main dans l'ouverture, qui cherchait à tâtons une prise, puis la tête de Nochtli. Et gagné un passager !

Sam jeta un coup d'œil par-dessus son épaule.

– Donne-lui un coup de pied !

– Quoi ?

– Écrase-lui les doigts !

Remi leva la jambe et abattit violemment son pied sur les doigts de Nochtli, lequel poussa un hurlement mais ne lâcha pas prise. Il se hissa à l'intérieur en gémissant et tenta de saisir les courroies attachant la caisse. Remi s'apprêtait à donner un nouveau coup de pied quand, après trois claquements successifs venant d'en dessous, des balles vinrent s'enfoncer dans le chambranle de la porte de la cabine.

– Sam !

– J'ai entendu. Tiens bon. Je vais essayer de lui faire lâcher prise !

Sam inclina l'hélicoptère sur la gauche pour tenter de repérer d'où venaient les coups de feu. En bas, vers la droite, Rivera était debout sur le plateau du tracteur, la kalachnikov qui avait échappé à Remi coincée contre son épaule ; des flammes orange en jaillissaient et le hublot côté passager s'étoila comme une toile d'araignée. Sam actionna de nouveau le cyclique, continuant à faire glisser l'appareil vers les arbres qui entouraient le pas d'atterrissage. Puis il tira sur le collectif pour gagner de l'altitude.

Dans la cabine, Remi plia de nouveau la jambe pour décocher un violent coup de talon sur la cuisse de Nochtli qui, en poussant un gémissement, s'effondra à plat ventre sur le pont, se brisant le nez dans sa chute. Remi en profita pour chercher une arme à tâtons.

Soudain, la silhouette sombre du sommet des arbres se découpa sur la gauche de Sam tandis qu'une balle, après avoir traversé l'appuie-tête du siège du passager et frôlé le menton de Sam, allait frapper le pare-brise. Sam grogna, leva le collectif, mais trop tard : des branches raclèrent le ventre de l'appareil.

– Allons, remonte, remonte, marmonna-t-il. Remi, peux-tu…

– Tu sais, je suis occupée !

Une branche accrocha la tige de la queue de l'appareil qui se mit à tourner comme une toupie. Des alarmes hurlèrent aussitôt dans le poste de pilotage. Des voyants rouges et orange clignotèrent sur le tableau de bord. Malgré les efforts de Sam pour compenser, des branches claquèrent sur le hublot.

Remi, touchant enfin le bois de la crosse d'une des kalachnikovs, se mit à tirer de toutes ses forces : l'arme glissa du filet, puis s'arrêta. Remi recula pour mieux voir et constata qu'une courroie bloquait le canon. Quant à Nochtli, il se redressait et commençait à se traîner vers Remi. Elle laissa sa main glisser et ses doigts rencontrèrent un objet métallique en forme de tube : le canon d'un revolver. Elle parvenait à le dégager du filet quand Nochtli lui saisit la cheville. Remi, serrant les dents, abattit alors le pistolet qui le frappa violemment au menton. Elle vit sa tête se renverser et ses yeux rouler dans leurs orbites. Toujours agenouillé, il oscilla un moment puis bascula en arrière et disparut par l'ouverture.

– Il est tombé ! cria-t-elle à Sam.

– Tu n'as rien ?

Elle reprit son souffle et répondit :

– Un peu secouée, mais je suis toujours là !

Des balles criblaient le fuselage. Sam entrevit alors une ouverture dans la voûte de feuillage ; il manœuvra désespérément, parvint à orienter le nez de l'appareil dans la bonne direction puis piqua vers le sol tout en levant le collectif. Dans le fracas du bois labourant l'aluminium, l'hélicoptère bondit en avant et plongea dans la percée. Sam réussit à guider l'appareil au-dessous de la ligne des arbres et l'immobilisa à six mètres au-dessus de la pente, cherchant du regard la commande marquée C-V-S signalée par Jingaro. Il pressa le bouton : l'hélicoptère frémit, glissa légèrement de côté, piqua du nez et s'arrêta enfin en position stationnaire. Les alarmes et les clignotants s'éteignirent. Sam retira prudemment ses mains des commandes et poussa un grand soupir. À l'arrière, Remi se précipita pour fermer la porte. Le battement des rotors se calma.

Sam se tourna dans son siège, tendit la main et attira Remi vers lui.

– Ça va ?

– Oui. Et toi ?

Il acquiesça de la tête.

– Fichons le camp d'ici. Je crois que nous avons largement abusé de l'hospitalité de nos hôtes.

Chapitre 20

La Grande Île de Sukuti

ILS VENAIENT DE DOUBLER LA CÔTE SUD DE L'ÎLE lorsque Sam constata que les coups de feu de Rivera avaient causé des dégâts autres qu'esthétiques : les pédales du gouvernail ne répondaient que mollement et il en allait de même du cyclique qui réagissait avec un peu de retard.

– Qu'est-ce que tu en penses ? demanda Remi.

– Le système hydraulique probablement, répondit Sam tout en examinant les cadrans pour contrôler la pression d'huile, la température, le compte-tours… Le moteur chauffe peut-être un peu et la pression d'huile est instable.

– Ce qui signifie ?

– Rien de bon.

– Nous sommes loin de la plage ?

– Environ cinq kilomètres.

– On peut supposer que Rivera ne renoncera pas.

– Tout à fait d'accord, et la question est de savoir s'ils vont faire appel à des renforts et s'ils vont réagir vite.

– Ou s'ils sont capables de réparer les Rinkers rapidement.

– Exact. Laisse-moi voir si je peux régler les problèmes de l'hélico.

Sam actionna les commandes avec prudence, les unes après les autres : réduisant altitude et vitesse, il se retrouva à cent pieds de l'eau et volant à soixante nœuds – soit quelque cent dix kilomètres à l'heure. En dessous, la mer était calme et d'un noir seulement troublé par le reflet des feux de navigation clignotants.

– Sam, remarqua Remi, ils vont repérer les lumières.

– De toute façon, ils nous suivent avec leur radar. Quand nous traverserons la plage, je les éteindrai. Avec la terre en toile de fond, nous serons invisibles.

– Tu penses qu'ils vont nous poursuivre ?

– Certainement, fit-il en jetant un coup d'œil aux cadrans. La température du moteur a légèrement baissé, mais la pression d'huile reste faible et les commandes sont toujours un peu molles.

– C'est le système hydraulique, alors ?

– C'est probable. Le moindre pépin peut nous envoyer dans la flotte. Il faut tenir encore quatre minutes environ.

– Et pas d'atterrissage en catastrophe, ajouta Remi.

– Surtout pas.

À travers le pare-brise, ils voyaient la tache sombre de la côte africaine se préciser : des arbres, des plages de sable blanc, des collines et des vallées, des rivières et des torrents sillonnant le terrain.

Ils se trouvaient à huit cents mètres de la plage quand Sam sentit le cyclique vibrer dans sa main : un bruit sourd se produisit au-dessus de leurs têtes tandis que la cabine et toute la carlingue commençaient à trembler. Une alarme se déclencha. Des voyants jaunes et rouges s'allumèrent.

– Je n'aime pas ça, lâcha Remi avec un sourire crispé.

– Tu as raison, reconnut Sam. Cramponne-toi à quelque chose. On va être un peu secoués.

Il remonta le collectif et piqua du nez, l'appareil poussé maintenant à plus de cent quarante kilomètres à l'heure. Il vit alors les bancs de sable glisser sous le fuselage, puis la plage et enfin le vert sombre de la forêt. Il tendit la main et éteignit les feux de navigation.

– Il y a un grand banc de sable juste avant la berge de la rivière, lança-t-il. Tu crois que tu peux t'occuper de la cloche ?

– Qu'entends-tu par « m'occuper de la cloche » ?
– La pousser par la porte.
– Ça, je peux. Quel est ton plan ?
– Je reste en vol stationnaire pendant que toi, les armes et la cloche, vous sautez sur le banc de sable.
– Et toi ?
– Je me poserai sur la rivière.
– Quoi ? Non, Sam…
– Tu l'as dit toi-même : ils sont à notre poursuite. Si nous pouvons larguer ce bazar, ils n'auront rien à chercher.
– Tu y arriveras ?
– Si je réussis à arrêter les rotors assez vite.
– Encore un « si », je commence à en avoir marre, maugréa Remi.
– Ce sera le dernier pour un moment.
– Hum, j'ai déjà entendu ça.
– Quand tu seras sur le sol, repère un gros tronc d'arbre à proximité et mets-toi derrière. Si les rotors n'arrêtent pas de mouliner suffisamment tôt avant que l'appareil bascule, les pales vont se détacher et gicler comme du shrapnel.
– Comment ça, quand l'appareil basculera ?
– Les hélicoptères sont trop lourds du haut. Dès que l'appareil touchera l'eau, il basculera.
– Je n'aime pas ça du tout…
– Voilà le banc de sable. Prépare-toi !
– Tu sais que tu es exaspérant ?
– Je sais.

Remi marmonna un juron puis se retourna pour détacher l'arrimage de la caisse. Elle la contourna en rampant, cala son dos contre la paroi et ses jambes contre le colis, puis le poussa de toutes ses forces.

– Prête, cria-t-elle quand la caisse eut heurté la porte.

Sam réduisit encore vitesse et altitude jusqu'à ce qu'ils se trouvent à une dizaine de mètres au-dessus du banc de sable, volant à moins de quarante kilomètres à l'heure. L'appareil tremblait maintenant : le bruit sourd s'était ralenti de façon inquiétante, remplacé par une vibration qui secouait toute la carlingue.

– Ça ne s'arrange pas, constata Remi.

– Nous y sommes presque. Vérifie la distance, ajouta-t-il tandis qu'il faisait descendre l'hélicoptère, mètre par mètre.

Remi entrouvrit la porte et pencha la tête à l'extérieur.

– Six mètres… quatre… trois…

– Tu peux sauter de là ? demanda Sam.

– Mes cours de gym sont peut-être un peu loin, mais je suis encore capable de sauter de trois mètres les yeux fermés.

Sam poussa le coupleur et lâcha les commandes. L'appareil pencha de côté, frémit, plongea d'un mètre puis se stabilisa.

– Bon, vas-y, cria Sam. Fais-moi signe quand tu seras en sûreté en bas.

Remi avança, le dos courbé, passa la tête entre les sièges, lui donna un baiser en lui souhaitant « Bonne chance » puis revint sur ses pas et ouvrit complètement la porte.

– Tâche d'éviter les patins, lui recommanda Sam.

Remi appuya son épaule contre la caisse, respira un bon coup et poussa. La caisse bascula par l'ouverture et disparut. Puis ce fut le tour des armes. Remi jeta alors un dernier coup d'œil à Sam et sauta. Dix secondes plus tard, Sam l'aperçut un peu plus loin sur le banc de sable. Elle leva victorieusement les pouces puis s'engouffra dans l'obscurité.

Sam compta jusqu'à soixante pour lui donner le temps de se mettre à l'abri, puis saisit le collectif. Il désengagea le coupleur et prit le cyclique. L'appareil piqua un peu du nez et Sam maintint le rotor sous cet angle le temps de franchir le banc et la rivière. Quand il eut atteint une section tout à la fois assez large et assez profonde, il redressa l'appareil et mit le collectif en vol stationnaire.

Il jeta un dernier coup d'œil autour de lui car, une fois l'hélicoptère submergé, il ferait complètement nuit à l'intérieur. Il devrait donc, sans point de repère visuel, en sortir à tâtons.

Il s'assura qu'il saurait détacher sa ceinture de sécurité, examina la poignée de la porte de la cabine puis répéta mentalement les mouvements qu'il aurait à exécuter.

Il abaissa légèrement le collectif et sentit l'hélicoptère tomber. Il colla son visage au hublot. Les patins se trouvaient à un mètre cinquante environ de l'eau. C'était suffisant. Plus près, Sam craignait de ne plus avoir de marge de manœuvre en cas d'erreur.

– Allons-y, murmura-t-il.

Il lâcha le cyclique, arrêta les moteurs, tira sur le collectif pour ralentir les pales puis le reprit. Il avait l'estomac noué. L'hélicoptère heurta violemment la surface de l'eau et Sam fut projeté contre les sangles. Il sentit l'appareil basculer à droite, pensa : *le collectif*, et poussa la commande vers la gauche. L'effet fut immédiat. Les pales tournant toujours, le groupe du rotor réagit aussitôt en penchant à gauche pour retrouver son centre de gravité. L'eau déferla sur le pare-brise, d'abord à l'horizontale, puis en diagonale tandis que l'hélicoptère basculait sur le côté. Sam bloqua son menton contre sa poitrine, agrippa à deux mains les sangles et serra les dents.

Il sentit un choc violent. Une lumière éblouissante jaillit devant ses yeux. Puis plus rien.

Il s'éveilla en toussant. Il avait la bouche pleine d'eau. Il renversa la tête en arrière, crachota de nouveau et s'obligea à ouvrir les yeux. Comme il ne voyait que du noir, il eut un moment de panique. Il se maîtrisa et se força à respirer. Il tendit la main, les doigts écartés jusqu'à ce qu'il touche quelque chose de solide : le pommeau du cyclique. La pesanteur lui tirait la tête vers la gauche. L'hélicoptère reposait sur le flanc : la rivière, trop étroite, ne lui avait pas permis de basculer complètement : une bonne nouvelle, démentie malheureusement par le bruit de l'eau s'engouffrant dans la cabine derrière lui. L'eau arrivait déjà à son visage.

– Remue-toi, Sam, murmura-t-il.

Il tendit devant lui son bras droit, sentit sous sa main le capitonnage du siège du passager et continua à tâtonner jusqu'à ce que ses doigts trouvent la ceinture de sécurité puis la boucle de la sangle ; il plongea alors sa main gauche sous l'eau et pressa le bouton « Éjection ». Il tomba sur le côté, remonta sa main libre, la croisa sur la gauche et s'extirpa peu à peu de l'eau pour que ses genoux atteignent l'espace séparant le poste de pilotage de la cabine. Là, il poussa ses jambes par l'ouverture et se déploya de tout son long jusqu'à sentir sous ses pieds la cloison de la cabine. Il se dégagea de sa ceinture et se glissa dans la cabine où il se retrouva penché, de l'eau jusqu'à la poitrine. Il tendit les bras vers le haut, palpa la porte de la cabine et en suivit du bout des doigts le contour. De l'eau giclait par les coutures du capitonnage. Il trouva la serrure, appuya doucement : elle semblait fonctionner.

– Respire un bon coup, se dit-il.

Il aspira une grande goulée d'air, abaissa la poignée et fit glisser la porte. Un torrent d'eau déferla sur sa tête. Il recula en trébuchant et se coula sous la surface. Il laissa la vague le pousser contre la cloison de la cabine, en profitant pour replier ses jambes sous lui. La pression diminua. Il se redressa d'un coup de pied, les bras écartés devant lui, ses mains s'agrippant au châssis de la porte et battant des pieds pour avancer…

Sa tête émergea de l'eau.

Il entendit Remi crier : « Sam ! »

Il ouvrit les yeux et pivota, cherchant à s'orienter.

– Sam ! appela-t-elle une nouvelle fois.

Il se retourna et la vit plantée sur le rivage, se signalant par de grands gestes.

– …diles ! hurla-t-elle.

– Quoi ?

– Crocodiles ! Nage !

Sam obéit, utilisant ses dernières forces pour sprinter vers le bord. Il toucha le sable, se mit à genoux, puis se redressa avant de s'effondrer dans les bras de Remi. Ils firent, enlacés, quelques pas sur le sable puis s'affalèrent sur la plage.

– J'avais oublié les crocodiles, dit Sam au bout de quelques instants.

– Moi aussi. Je les ai repérés dans les bas-fonds à une cinquantaine de mètres du rivage. Le choc a dû les réveiller. Et toi, ça va ? Rien de cassé ?

– Je crois que non. Je ne sais même pas comment je m'en suis tiré.

Remi désigna le milieu de la rivière. Sam tourna les yeux dans cette direction, mais son regard mit quelques secondes à s'ajuster. De l'hélicoptère on ne voyait plus qu'une pale pointant, telle l'extrémité d'une branche, peu au-dessus de la surface.

– Les autres débris se sont enfoncés sous l'eau.

– Tout comme je l'avais prévu, dit Sam avec un sourire las.

– Prévu ?

– *Espéré*. Et la cloche ?

– Malgré quelques fentes dans le bois, la caisse est étonnamment intacte. J'ai récupéré nos sacs et les armes. Maintenant, cherchons un abri au cas où nous aurions de la visite.

Chapitre 21

CRAIGNANT DE LAISSER SUR LE SABLE des traînées révélatrices, ils ne déplacèrent pas la caisse qui, par hasard, avait atterri dans un endroit idéal – un petit bras de rivière asséché près du lit principal. Ils se contentèrent de la recouvrir de broussaille et de branches mortes. Ensuite ils effacèrent leurs traces avec le feuillage et quittèrent le banc de sable. Une fois sur la terre ferme, ils s'enfoncèrent dans un taillis où, à une trentaine de mètres, ils découvrirent un creux de trois mètres sur trois entouré de tas de bûches. De là, ils pouvaient non seulement surveiller la caisse mais aussi le terrain découvert qui descendait jusqu'à la plage.

Après avoir balayé le secteur avec le canon de leurs fusils pour en chasser les serpents et les diverses bestioles susceptibles de rôder dans les parages, ils s'installèrent dans leur trou. Pendant que Sam guettait l'arrivée d'éventuels visiteurs, Remi fit l'inventaire du contenu de leur paquetage.

– Rappelle-moi d'envoyer un mot de félicitations à Ziploc pour les sacs, dit-elle. Ils sont vraiment étanches : le téléphone satellite semble intact.

– Et la batterie ?

– Assez pour un appel, peut-être deux.

Sam regarda sa montre. Un peu plus de deux heures du matin.

– Ce serait peut-être le moment d'appeler Ed Mitchell pour lui rappeler sa proposition, répondit Sam.

Remi tira de son sac la carte de Mitchell et la tendit à Sam qui composa aussitôt le numéro.

À la quatrième sonnerie, Mitchell répondit d'une voix râpeuse :

– Ouais.

– Ed, c'est Sam Fargo.

– Qui ça ?

– Sam Fargo… le client que vous avez emmené à l'île de Mafia il y a deux jours.

– Oh, oui… Mais dites donc… quelle heure est-il ?

– Un peu plus de deux heures. Je n'ai pas beaucoup de temps. Il faudrait nous évacuer.

– Ça fait une paie que je n'ai pas entendu ce mot. Vous avez un problème ?

– On peut le dire.

– Où êtes-vous ?

– Sur la côte, à environ quatre milles et demi de la Grande Île de Sukuti, expliqua Sam en lui décrivant brièvement les lieux.

– Vous voyez du pays, constata Mitchell. Un instant, ne quittez pas. (Sam entendit un froissement de papiers, puis le silence.) Vous savez, reprit ensuite Mitchell, que vous êtes assis au beau milieu d'un secteur infesté de crocodiles, n'est-ce pas ?

– Nous le savons maintenant.

– Impossible de poser un avion là-bas. Il faudra que je prenne un hélico, ce qui complique un peu les choses.

– Nous vous revaudrons ça comme il faut.

– Je le sais bien, mais ce n'est pas ce qui m'inquiète. Je ne serai sans doute là qu'après le lever du jour. Vous pourrez tenir le coup ?

– Il le faudra bien, répondit Sam.

– Est-il envisageable qu'on m'accueille en me tirant dessus ?

– Ce n'est pas impossible.

Dix secondes de silence, puis un gloussement.

– Bah, la vie, c'est prendre des risques, non ?
– À qui le dites-vous ? fit Sam en riant avant de raccrocher.
– Tiens, bois un coup, lui proposa alors Remi.
Sam se retourna, but une longue gorgée de la gourde, accepta un morceau de bœuf séché puis raconta sa conversation avec Mitchell.
– Ce type est un don du Ciel. Donc, il sera ici dans quatre ou cinq heures ?
– Avec de la chance.
Ils restèrent quelques minutes à mâchonner sans rien dire. Puis Sam regarda sa montre.
– Ça fait quarante minutes que nous avons quitté l'île.
– Tu ne crois pas qu'ils…
D'un geste de la main, Sam l'interrompit et Remi se tut.
– Je les entends, reprit-elle quelques secondes plus tard. Il y en a deux, quelque part au large.
– Difficile à préciser, fit Sam, mais on dirait les Rinkers. De toute façon, mieux vaut le supposer.
– À quelle distance sommes-nous dans les terres ?
– Quatre cents mètres, peut-être un peu plus.
Ils écoutèrent encore quelques minutes. Le bruit des moteurs s'amplifia puis brusquement se tut.
– Ils ont débarqué, annonça Sam.
Ils inspectèrent leurs armes : deux kalachnikovs – l'une avec un chargeur plein, l'autre à laquelle il manquait la douzaine de balles que Remi avait tirées sur le scooter –, le Magnum .357 et le P30. Suffisant pour riposter à une fusillade ? C'était le problème. Jusqu'à maintenant, le sort leur avait souri avec Rivera et ses hommes, mais ni l'un ni l'autre ne se faisaient beaucoup d'illusions : ils n'avaient guère de chances de s'en sortir en cas d'affrontement avec des soldats des Forces Spéciales.
– Installons-nous, déclara Sam.
– Et faisons-nous invisibles.
Une fois leurs sacs poussés sous une souche pourrie et recouverts de terre, ils s'allongèrent sur le sol, l'un à côté de

l'autre, de façon à bien voir les abords de la plage. Sam tendit à Remi une poignée de terre boueuse, et tous deux se barbouillèrent les joues et le front.

– Promets-moi une chose, Sam, dit Remi en se tartinant le visage.

– Une suite au Moevenpick ? suggéra-t-il.

– J'allais dire une douche bien chaude et un petit déjeuner copieux mais, puisque tu te montres d'humeur généreuse, j'ai dressé une liste…

*

À travers une fente entre les souches, Remi aperçut un point lumineux à quelques centaines de mètres à l'est. Elle donna une petite tape sur l'épaule de Sam, murmura *torche électrique* et lui indiqua la direction. Le faisceau semblait flotter dans le ciel, apparaissant et disparaissant entre les arbres au fur et à mesure que son propriétaire progressait dans les terres.

– Je dois reconnaître une qualité à Rivera, chuchota Sam, il est aussi tenace qu'un chien avec un os.

– Il en a sans doute dit autant de nous, mais dans un langage moins châtié. Va-t'on attendre de leur voir, selon l'expression, le blanc des yeux ?

– Non, nous croisons les doigts en priant qu'ils ne s'aventurent même pas par ici.

– Qu'est-ce qui les en empêcherait ?

– L'obscurité en pleine forêt africaine signifie prédateurs.

– Quelle délicate attention que de me le rappeler.

– Désolé.

Au même instant, quelque part au loin, ils entendirent la pétarade étouffée d'une grosse voiture. Un bruit qu'ils connaissaient déjà mais pour l'avoir entendu à l'occasion d'un safari organisé ou bien à l'abri dans un refuge de chasse. Mais ici, en plein air et seuls, il leur faisait froid dans le dos.

Ça vient de loin, murmura Sam.

La lumière d'une deuxième torche vint bientôt rejoindre la première, puis une troisième et une quatrième. Les hommes avançaient de front, comme des rabatteurs dans une partie de chasse. Ils se trouvèrent vite assez près pour permettre à Sam et Remi de distinguer leurs silhouettes. Comme il était prévisible, chacun semblait armé d'un fusil d'assaut.

Cinq minutes plus tard, le groupe atteignit le banc de sable. Un des hommes – peut-être Rivera – paraissait donner des ordres en désignant le bord du rivage, puis l'intérieur des terres. Les faisceaux des torches balayèrent le banc puis la rivière. Par deux fois, l'un d'eux frôla la pale d'hélicoptère qui dépassait de l'eau, mais sans provoquer une réaction. Soudain, un homme montra quelque chose de l'autre côté de la rivière et, avec un ensemble presque parfait, chacun saisit aussitôt son fusil.

La main sur la détente, les hommes reculèrent pour regagner la terre ferme. Ils discutèrent quelques minutes puis se séparèrent, deux d'entre eux descendirent le cours de la rivière et les deux autres le remontèrent. Sam et Remi les surveillaient avec attention car la rivière contournait la bordure nord du petit bois et le sentier passait à moins de quinze mètres de leur cachette.

– J'ai jeté un coup d'œil quand nous avons survolé ce coin. Le passage à gué le plus proche se trouve à quinze cents mètres en aval. Nous allons pouvoir mesurer leur détermination.

Manifestement conscients des autres dangers que présentait la rivière, les deux hommes en restaient à bonne distance, traversant le champ de vision de Sam et de Remi jusqu'à l'endroit où la rivière tournait à l'est et s'enfonçait derrière les taillis. Arrivés là, ils prirent la direction du sud-est, balayant au passage la ligne des arbres du faisceau de leur torche. Désormais, à moins de vingt mètres, on distinguait mieux leur silhouette. Et surtout celle de l'un d'eux : grand et maigre, il avançait du pas mesuré d'un soldat. C'était Itzli Rivera.

Sam sentit tout d'un coup des pattes griffues sur sa cheville. Instinctivement, il lança un coup de pied. La créature invisible poussa un petit cri et s'enfonça dans les buissons.

Rivera s'arrêta brusquement et leva bien haut un poing fermé, le signal universel du soldat pour dire « Halte ! ». Son compagnon s'immobilisa et ils s'accroupirent lentement sur un genou, tournant méthodiquement la tête, le regard aux aguets, l'oreille tendue. Ils relevèrent leur torche, s'arrêtant de temps en temps sur un point ou sur un autre. Rivera regarda par-dessus son épaule et fit un geste à son équipier. Ils se relevèrent ensemble, pivotèrent sur place et s'enfoncèrent dans les bois, directement vers la cachette où étaient tapis Sam et Remi.

Sam sentit la main de Remi sur son épaule. Il leva doucement le bras pour la serrer dans un geste qui se voulait rassurant.

Rivera et son compagnon continuaient d'avancer. Ils étaient à dix mètres.

À six. À trois.

Ils s'arrêtèrent et regardèrent à gauche puis à droite, le faisceau de leur torche se glissant par les interstices entre les troncs disposés autour de Sam et Remi. On entendit des craquements de branchage. Rivera murmura quelque chose à son compagnon. Sam et Remi sentirent la souche au-dessus de leurs têtes s'enfoncer de quelques centimètres. Au bord apparut la pointe d'une paire de bottes et le faisceau d'une torche envahit le creux où ils étaient blottis.

Cinq interminables secondes s'écoulèrent.

La torche s'éteignit. Les bottes s'éloignèrent, lentement le bruit des pas s'assourdit.

Sam compta jusqu'à cent puis, avec prudence, leva la tête afin de jeter un regard entre les bûches. Leur silhouette se découpait à la lueur des torches ; Rivera et son compagnon avaient atteint la ligne des arbres et se dirigeaient vers le sud, vers le banc de sable. Sam les observa encore une minute puis tourna la tête, sa bouche collée à l'oreille de Remi.

– Ils s'en vont mais attendons un peu au cas où ils reviendraient sur leurs pas.

Ils restèrent immobiles encore une vingtaine de minutes, tapis dans leur abri jusqu'à ce qu'ils entendent au loin les moteurs des Rinkers démarrer.

– Encore un moment, chuchota Sam... Cinq minutes, c'est bon, je vais inspecter les lieux. (Il se glissa hors du creux et disparut une dizaine de minutes.) Ils sont partis, annonça-t-il à son retour en aidant Remi à s'extraire de sa cachette.

– J'espère que cette cloche en vaut la peine, lança-t-elle avec un grand soupir.

– Encore quelques heures, et nous serons en sûreté.

Ed Mitchell avait tenu parole : à l'instant précis où le soleil pointait parmi les arbres, ils entendirent le bruit sourd de rotors d'hélicoptère. Par précaution, Sam et Remi regagnèrent précipitamment leur cachette, jetant de temps en temps un coup d'œil à travers les buissons tandis que le crépitement du moteur se faisait plus bruyant. À l'ouest, ils regardèrent la carlingue jaune et blanche d'un hélicoptère Bell virer au-dessus de la plage pour s'enfoncer vers les terres en suivant le cours de la rivière. Quand l'appareil eut atteint le banc de sable, la porte de la cabine s'ouvrit. Un instant plus tard, un panache de fumée bleue se mit à flotter au-dessus du sol.

Sam et Remi roulèrent d'un même élan et se relevèrent.

– Prête à rentrer ? (Remi secouant la tête, Sam se reprit en riant.) Ah, c'est vrai ! Pardon ! D'abord une douche bien chaude et un petit déjeuner.

Une heure plus tard, la caisse bien arrimée dans la cabine de l'hélicoptère, ils se posaient sur le terrain de Ras Kutani. Pendant que Mitchell filait chercher la Land Rover qui devait les ramener à Dar es Salaam, Sam et Remi branchaient le téléphone satellite pour contacter Selma qui attendait fébrilement leur appel.

– Où étiez-vous ? lança-t-elle. Cela fait une éternité que je suis assise auprès du téléphone.

– C'est ta façon d'exprimer le souci que tu te faisais pour nous ? demanda Remi.

– Exactement. Maintenant expliquez-vous.

Sam décrivit brièvement les événements des jours précédents puis conclut par le sauvetage de la cloche. Selma poussa un soupir.

– J'aimerais bien pouvoir vous affirmer avec certitude que vous n'avez pas perdu votre temps.

– Que veux-tu dire ? s'étonna Sam.

– Nous avons reçu hier le premier envoi du musée de Morton. Avec diverses pièces, nous avons trouvé une sorte de journal : plus précisément, le journal de Blaylock.

– Voilà une bonne nouvelle, dit Remi avant d'ajouter d'un ton un peu hésitant : N'est-ce pas ?

– Ce serait en effet le cas, répondit Selma, si je n'avais pas la quasi-certitude que Winston Lloyd Blaylock, le Mbogo de Bagamoyo, était bel et bien fou à lier.

Chapitre 22

Goldfish Point,
La Jolla, Californie

Epuisés mais pressés de se remettre au travail dès leur retour, Sam et Remi passèrent le plus clair du vol à dormir et à manger, tout en s'efforçant de ne plus penser aux propos inquiétants de Selma concernant Winston Blaylock. Leur chef documentaliste ne pratiquait guère l'hyperbole, aussi prenaient-ils au sérieux ses soupçons qui, s'ils s'avéraient fondés, gommaient tous leurs efforts pour récupérer la cloche du *Shenandoah.* Bien sûr, la cloche conservait néanmoins une valeur historique incontestable. Les mystérieuses inscriptions sur sa face intérieure et l'obsession de Blaylock pour le navire (qu'il se fût agi de l'*Ophelia*, du *Shenandoah* ou de l'*El Majidi*) leur avaient fait soupçonner un mystère plus profond – celui qui avait apparemment poussé Itzli Rivera et peut-être un membre du gouvernement mexicain à assassiner neuf touristes.

Comme promis, Pete Jeffcoat et Wendy Corden les attendaient à l'arrivée des bagages.

– Vous semblez fatigués, constata Pete en prenant leurs valises.

– Tu aurais dû nous voir il y a dix-huit heures et une dizaine de fuseaux horaires plus tôt, renchérit Sam.

– Que vous est-il arrivé ? s'inquiéta Wendy en désignant la pommette enflée de Sam et son doigt.

Si celui-là était soigneusement entouré d'un pansement fait dans les règles de l'art, la coupure sur sa joue était couverte d'une couche de Super Glue – un traitement qu'Ed Mitchell avait jugé préférable aux points de suture.

– J'ai laissé brûler un ragoût et Remi s'est mise en colère, lâcha Sam, ce qui lui valut une petite bourrade sur le bras de la part de sa femme.

– Ah, les hommes ! lança Remi à Wendy.

– Nous sommes bien contents que vous soyez de retour, dit Peter. Selma s'arrachait les cheveux. Ne lui dites pas que je vous l'ai raconté.

Les bagages commençaient à arriver sur le tapis roulant et Pete alla prendre ceux des Fargo.

– Des nouvelles de la cloche ? demanda Sam à Wendy.

– Elle est en route, probablement au milieu de l'Atlantique actuellement, et, avec un peu de chance, nous devrions la recevoir après-demain.

– Peux-tu nous expliquer pourquoi Selma pense que Blaylock est timbré ?

Wendy secoua la tête.

– Elle a passé près de trois jours d'affilée à essayer de rassembler tous les éléments. Je préfère qu'elle vous l'explique elle-même.

Sam et Remi avaient installé leur domicile ainsi que le centre d'opérations dans les trois étages d'une maison d'environ onze mille mètres carrés : de style espagnol, avec de vastes volumes ouverts, des plafonds à poutres d'acajou, des fenêtres et des baies immenses – ils devaient acheter leur nettoyant pour vitres par seaux de cinquante litres.

À l'étage supérieur, l'appartement de Sam et Remi. En dessous, quatre suites d'amis, un salon et une cuisine-salle à manger surplombant la falaise. Au premier niveau, une salle de gymnastique dotée de tout l'équipement nécessaire, un sauna, une piscine d'entraînement de haute technologie, ainsi qu'un espace de parquet où Remi prenait ses leçons d'escrime et Sam celles de judo.

Le rez-de-chaussée se répartissait entre les dix-huit cents mètres carrés de bureaux pour Sam et Remi et l'espace réservé à Selma, lequel comportait, entre autres, trois stations de travail équipées d'ordinateurs reliés à des écrans de soixante-quinze centimètres ainsi que deux écrans géants de téléviseur encastrés dans le mur. En face, l'orgueil et la joie de Selma : un aquarium de quarante mètres de long et d'une contenance de deux mille cinq cents litres d'eau salée où s'ébattait un assortiment de poissons de toutes les couleurs de l'arc-en-ciel et dont elle connaissait par cœur les noms scientifiques.

Selma nourrissait une autre passion, le thé ; un placard entier de sa salle de travail en abritait de multiples espèces, parmi lesquelles un hybride rare de Darjeeling, du Phoobsering-Osmanthus auquel Sam et Remi attribuaient l'énergie apparemment inépuisable de Selma. Pour son apparence, Selma Wondrash faisait preuve d'un éclectisme extrême : coupe de cheveux style années soixante, lunettes d'écaille et collier assorti, ainsi qu'une sorte d'uniforme composé d'un pantalon kaki, de tennis et d'un tee-shirt de couleur généralement vive.

Mais Sam et Remi ne voyaient aucun inconvénient à l'excentricité de Selma qui, ils le savaient, n'avait pas sa pareille en matière de logistique, de recherche et de débrouillardise.

En entrant dans la grande salle, Sam et Remi trouvèrent Selma, penchée sur l'aquarium, en train de griffonner sur un bloc-notes. Elle se retourna, les aperçut et termina ce qu'elle écrivait.

– Mon *Centropyge loricula* n'a pas l'air en forme, dit-elle, puis traduisit : « poisson ange flamboyant ».

– Oh, fit Remi, c'est un de mes préférés.

– Bienvenue, monsieur et madame Fargo, déclara Selma en inclinant cérémonieusement la tête.

Sam et Remi avaient depuis longtemps renoncé à convaincre Selma de les appeler par leurs prénoms.

– C'est bon de rentrer chez soi, répondit Sam.

Selma s'avança jusqu'à l'interminable établi d'érable qui occupait le centre de la pièce et s'assit. Sam et Remi s'installèrent sur les tabourets qui lui faisaient face. Le lourd bâton de marche de Blaylock était posé devant Selma.

– Vous avez l'air en forme, observa Selma.

– Ce n'était pas l'avis de Pete et de Wendy.

– Je comparais votre forme actuelle avec celle que je vous imaginais ces derniers jours. Tout est relatif.

– C'est vrai, acquiesça Remi. Allons, Selma, pourquoi tournez-vous autour du pot ?

– Je n'aime guère vous donner des renseignements incomplets, expliqua Selma.

– *Incomplet* pour vous équivaut pour nous à *mystérieux*, or nous adorons le mystère.

– Alors, vous aimerez certainement ce que j'ai pour vous. D'abord, un petit préambule. Avec l'aide de Pete et de Wendy, j'ai disséqué, indexé et annoté la biographie de Blaylock écrite par Morton. Si vous le souhaitez, vous pourrez la lire plus tard, elle est sur notre serveur. Mais en voici la version condensée, conclut Selma en ouvrant une chemise cartonnée, et elle se mit à lire tout haut.

– Blaylock est arrivé à Bagamoyo en mars 1872 avec, pour tout bagage, les vêtements qu'il avait sur le dos, quelques pièces d'argent, une carabine Henry de calibre 44, un couteau de chasse fixé à sa botte, assez gros pour « abattre un baobab », et une dague à la ceinture.

– Morton a incontestablement un don créatif, dit Remi en regardant Sam. Tu te rappelles l'histoire que nous avons lue à propos de la touriste anglaise assassinée ?

– Sylvie Radford, précisa Sam.

– Tu te souviens de ce qu'elle avait découvert en plongeant ?

– Une dague, répondit Sam en souriant. Qui avait peut-être appartenu à Blaylock. Un peu tiré par les cheveux, non ? Selma, peux-tu...

Elle griffonnait déjà sur son bloc.

– Je vais voir ce que je peux retrouver.

– Une dague, un grand couteau de chasse. Faciles à confondre. Morton aurait pu se tromper. Pardon Selma, continue.

– Naturellement, Blaylock terrifiait les indigènes : non seulement il les dépassait tous de trente centimètres en taille et à la ceinture, et en plus il n'était pas souriant. Dès le premier soir de son arrivée à Bagamoyo, une douzaine de malfrats se sont groupés avec l'intention de le soulager de son argent. Deux sont morts sur place et les autres ont dû se faire soigner.

– Il les a abattus ? demanda Sam.

– Non. Il ne s'est servi ni de sa carabine, ni de son couteau de chasse ni de sa dague. Il s'est défendu à mains nues. Après cela, personne ne l'a plus jamais embêté.

– Ce qu'il recherchait probablement, observa Sam. Se débarrasser de six hommes sans utiliser d'arme ne peut qu'impressionner.

– En effet. En moins d'une semaine, il était engagé comme garde du corps par un riche Irlandais qui partait en safari ; un mois plus tard, il montait son affaire de guide. Si fort qu'il fût avec ses mains, il l'était plus encore avec sa Henry. Là où les autres guides et chasseurs européens utilisaient des fusils de chasse de gros calibre, Blaylock était capable d'abattre un buffle du Cap en pleine charge – un bongo – d'une seule balle de sa carabine.

« Deux mois après son arrivée, Blaylock contracta la malaria ; il resta six semaines couché, au bord de la mort, pendant que ses deux compagnes – des Massaïs qui travaillaient à Bagamoyo – le ramenaient à la santé. Bien que Morton ne l'ait jamais mentionné, cet épisode durant lequel il avait frôlé la mort sembla l'avoir laissé un peu... dérangé.

« Après sa malaria, Blaylock disparaissait pendant des mois pour, ainsi qu'il les appelait, des "expéditions en quête de visions". Il vivait au milieu des Massaïs, prenait des concubines, étudiait avec les guérisseurs du village, vivait seul dans la brousse, partait à la recherche des mines du roi Salomon ou de Tombouctou, déterrait des fossiles dans les gorges d'Olduvai ou suivait la piste de Mansa Musa dans l'espoir de retrouver son sceptre d'or… Une anecdote raconte même que Blaylock aurait été le premier à retrouver Livingstone. D'après le récit de Morton, Blaylock aurait envoyé un messager à Bagamoyo pour alerter Henry Morton Stanley ; la fameuse rencontre près du lac Tanganyika et le célèbre « Docteur Livingstone, je présume » se situe peu après.

– Alors, si l'on en croit Morton, dit Remi, Winston Lloyd Blaylock était l'Indiana Jones du XIXe siècle.

Sam sourit.

– Tout à la fois chasseur, explorateur, héros, mystique, Casanova et indestructible sauveur. Mais tout cela, c'est dans la biographie écrite par Morton, n'est-ce pas ?

– Exact.

– Au fait, on peut supposer que Morton doit son nom au Morton de Henry Morton Stanley ?

– Encore exact. À vrai dire, d'après l'arbre généalogique qui se trouve à la fin du livre, tous les descendants en ligne directe de Blaylock ont reçu des noms évoquant d'une certaine façon l'Afrique : lieux, histoire, personnages célèbres…

– Si tu as pêché tout cela dans la biographie, qu'y a-t-il donc dans le journal dont tu as parlé ? demanda Sam.

– J'ai employé le terme « journal » à défaut d'un autre, plus approprié. Il s'agit en fait d'un pot-pourri : livre de bord, cahier de croquis…

– Pouvons-nous le voir ?

– Si tu veux. Il est au coffre (à côté de sa salle de travail, Selma disposait d'une pièce d'archives à température et humidité contrôlées). Il est en piètre état : rongé par les insectes, plein de taches, avec des pages collées par l'eau. Pete et Wendy travaillent à le restaurer. Nous photographions et numérisons tout ce que nous pouvons avant de nous attaquer aux parties endommagées. Ah, encore une chose : il semble que le journal ait également servi à Blaylock de livre de bord.

– Pardon ? s'étonna Remi.

– Il ne fait jamais allusion au *Shenandoah* pas plus qu'à l'*El Majidi*, mais nombre de ses notes indiquent clairement qu'il passait parfois de longues périodes en mer. Toutefois Blaylock mentionne très souvent le nom d'Ophélie.

– Dans quel contexte ?

– C'était sa femme.

– D'où son obsession, je suppose, dit Sam. Non seulement il a mentalement rebaptisé le *Shenandoah*, mais il a également gravé le nom d'Ophélie sur la cloche.

– Ophélie n'est pas du tout un prénom africain, ajouta Remi. Ce devait donc être le nom de sa femme aux États-Unis.

– Elle n'est jamais citée dans la biographie, souligna Selma. Et il ne donne pas non plus le moindre détail sur elle dans le journal – à part de petites choses çà et là. Lui manquait-elle simplement ou bien y avait-il quelque chose de plus, je n'en sais rien, mais elle n'était jamais loin de ses pensées.

– Trouve-t-on des dates dans le journal ? interrogea Sam, qui permettraient un recoupement avec la biographie de Morton ?

– Les deux ne donnent que les mois et les années ; dans le journal, les dates sont rares. Nous essayons d'établir quelques concordances, mais les repères ne cadrent pas. Par exemple, à une certaine époque, d'après la biographie, il marche au Congo, et, d'après le journal, il est en mer. Pour l'instant, nous n'avançons pas beaucoup.

– Une chose ne correspond pas, intervint Sam.

– Une chose ? répliqua Remi. Moi, j'en ai une véritable liste.

– Moi aussi. Mais, prenons le livre de bord. Si nous pensons que Blaylock était en mer avec le *Shenandoah* – je veux dire l'*El Majidi* – alors, nous nous heurtons à une contradiction.

Pour autant que nous sachions, après que le sultan de Zanzibar a acheté le *Shenandoah* en 1866, il l'a pratiquement laissé à l'ancre jusqu'à sa destruction en 1872 ou 1879. Je pense que quelqu'un aurait quand même remarqué sa disparition.

– Bonne observation, dit Selma en prenant une note. Autre point curieux : le sultan Majid est mort en octobre 1870 et a eu pour successeur son frère et âpre rival, Sayyid Barghash ben Said. Il est alors devenu le légitime propriétaire de l'*El Majidi*. Certains historiens trouvent étrange que Sayyid n'ait pas changé le nom du navire ou même qu'il l'ait gardé à quai.

– Pourrions-nous, ajouta Sam, établir une chronologie du *Shenandoah/El Majidi* ? Ce serait plus facile pour se représenter la suite des événements.

Selma décrocha le téléphone et appela la salle des archives.

– Wendy, peux-tu établir une chronologie approximative de l'histoire du *Shenandoah/El Majidi* ? Merci.

– Nous avons besoin également d'en savoir davantage sur la vie de Blaylock avant son arrivée en Afrique, reprit Remi.

– J'y travaille aussi, répondit Selma. J'ai contacté un vieil ami susceptible de nous aider.

Wendy sortit de la salle des archives, leur fit un grand sourire, leva un doigt pour dire *Juste une seconde* puis s'assit derrière un des ordinateurs. Elle pianota sur le clavier cinq minutes et annonça :

– Sur votre écran.

Sam utilisa la commande à distance pour afficher le nouveau texte :

« Mars 1866 : vente du *Shenandoah* au sultan de Zanzibar.
Novembre 1866 : arrivée à Zanzibar du *Shenandoah* rebaptisé l'*El Majidi.*
Novembre 1866-octobre 1870 : à part quelques voyages commerciaux, l'*El Majidi* reste le plus clair du temps à l'ancre.

Octobre 1870 : mort du premier sultan. Début du règne du frère.
Octobre 1870-avril 1872 : l'*El Majidi* présumé à l'ancre.
Avril 1872 : l'*El Majidi* endommagé par un ouragan. Envoyé à Bombay pour réparations.
Juillet 1872 : l'*El Majidi* signalé comme victime d'un naufrage sur la route de Zanzibar.
Juillet 1872-novembre 1879 : situation inconnue.
Novembre 1879 : en route pour Bombay, l'*El Majidi* signalé comme naufragé à proximité de l'île de Socotra. »

– Nous avons, résuma Sam, deux rapports apparemment fiables mais contradictoires signalant son naufrage et, pendant plus de six années, on perd toute trace de l'*El Majidi*.

– Selma, quelle est la date la plus ancienne dans le journal de Blaylock ?

– Pour autant qu'on puisse l'affirmer, août 1872, cinq mois environ après son arrivée en Afrique. D'après notre chronologie, un mois donc après le signalement du naufrage de l'*El Majidi*, et au début des années où on perd sa trace.

– Six ans, répéta Remi. Où était ce bateau pendant tout ce temps ?

Mexico

À deux mille quatre cents kilomètres plus au sud, Itzli Rivera, assis dans l'antichambre, attendait depuis une heure d'être introduit dans le cabinet du Président.

Derrière son bureau, l'assistante de Garza, une jeune femme aux yeux de biche, avec des cheveux d'un noir de jais et une taille de guêpe, tapait à la machine ; ses doigts planaient au-dessus du clavier puis, de temps en temps, frappaient une touche, l'air perplexe. *Comme si elle essayait de terminer une grille de Sudoku du niveau maître*, se dit Rivera. De toute évidence, elle n'avait pas été choisie pour ses talents bureaucratiques.

Afin de tuer le temps, Rivera se demanda si Garza l'avait obligée à prendre un prénom mexica. Et, dans ce cas, lequel ? Là-dessus, la voix du président Garza retentit dans l'interphone posé devant la jeune femme, répondant ainsi à la question que se posait Rivera.

– Chalchiuitl, vous pouvez faire entrer monsieur Rivera.

– Bien, monsieur le Président.

Elle adressa un sourire à Rivera et lui désigna la porte d'un doigt aux ongles ridiculement longs.

– Vous pouvez...

– Je l'ai entendu, merci.

Rivera traversa le tapis, poussa les doubles portes et les referma derrière lui. Il s'avança jusqu'au bureau de Garza et s'arrêta dans une sorte de garde-à-vous.

– Assieds-toi, ordonna Garza.

Rivera obtempéra.

– J'étais en train de lire ton rapport, poursuivit Garza. As-tu quelque chose à ajouter ?

– Non, monsieur le Président.

– Laisse-moi résumer si tu permets...

– Je vous en prie, monsieur le Président.

– C'était pour la forme, Itzli. Toi et tes hommes, après vous être fait rouler dans la farine pendant des jours par ces chasseurs de trésor... ces Fargo... vous réussissez enfin à vous emparer de la cloche et à la transporter sur l'île d'Okafor. Et tout ça, pour vous la faire piquer sous votre nez ! Non seulement ils ont récupéré la cloche mais en plus ils ont volé l'hélicoptère d'Okafor, un appareil de quatre millions de dollars.

Rivera acquiesça de la tête.

– Et j'ai perdu un homme : Nochtli s'est tué en tombant de l'hélicoptère.

Le président Garza écarta ce détail d'un geste.

– Tu es resté très vague au sujet de la façon dont les Fargo sont parvenus à monter à bord de l'hélicoptère. Peux-tu préciser ? Tu étais là quand tout cela est arrivé ?

Rivera s'éclaircit la voix et se tortilla nerveusement sur son siège.

– J'étais… inconscient.

– Pardon ?

– L'homme, Sam Fargo, m'a attaqué à bord du yacht d'Okafor. Il m'a surpris. Il a de toute évidence une certaine pratique des arts martiaux.

– En effet. (Garza fit pivoter son fauteuil et regarda par la fenêtre. Il pianota une minute sur son sous-main, puis reprit :) Il faut donc supposer qu'ils ne renonceront pas. Ce qui pourrait jouer en notre faveur. S'ils sont aussi malins qu'ils en ont l'air, nous savons qu'ils se rendront certainement sur un des sites que nous avons déjà fouillés.

– Sûrement.

– Commence à prévenir tes contacts – service d'immigration, employés d'aéroports, tous ceux qui pourront nous alerter quand les Fargo se présenteront.

– Oui, monsieur le Président. Je commencerai par Antananarivo. Rien d'autre ?

Garza regarda son sous-fifre.

– Tu veux dire : ton échec entraînera-t-il des conséquences ?

– Oui, monsieur le Président.

– Tu t'attends à quoi, Itzli ? lança Garza avec un petit rire glacé. À une scène de cinéma, peut-être ? Que je tire de ma ceinture un revolver à crosse nacrée et que je t'abatte ? Ou que j'ouvre une trappe sous tes pieds ? (Rivera se permit un sourire, mais Garza resta impassible.) Pour l'instant, tu restes le plus qualifié pour ce poste. Le meilleur, en fait. Prouve-moi maintenant que ma confiance est justifiée : dans l'idéal, cela supposerait la mort de Sam et Remi Fargo.

– Bien, monsieur le Président, je vous remercie.

– Encore une chose avant que tu partes : je veux que tu t'occupes du service religieux.

– Pour Nochtli, dit Rivera. Oui, monsieur le Président, je vais…

– Mais non, mais non, pour l'autre… Yaotl. Il paraît que sa femme et lui sont morts dans un accident de voiture ce matin.

Rivera sentit un frisson le parcourir.

– Quoi ?

– Triste, n'est-ce pas ? Il a perdu le contrôle de sa voiture : elle est tombée dans un ravin. Ils sont tous les deux morts sur le coup.

– Ils avaient un enfant, un enfant de cinq ans.

Garza plissa les lèvres d'un air songeur.

– Oh oui, la fillette. Elle était à l'école quand c'est arrivé. Il va donc falloir lui trouver une famille d'accueil. Tu t'occuperas de ça aussi ?

– Oui, monsieur le Président.

Chapitre 23

Bibliothèque du Congrès,
Washington, D.C.

LE PREMIER INDICE CONCERNANT LA VIE de Winston Blaylock avant son arrivée en Afrique leur fut fourni par une vieille amie de Selma, Julianne Severson qui, après le départ de Selma, avait repris le Département des Collections spéciales de la bibliothèque du Congrès.

Elle accueillit Sam et Remi à l'entrée sur la 2e Rue, réservée aux chercheurs du Jefferson Building. Les deux autres bâtiments de la bibliothèque, le John Adams Building, et le James Madison Building se trouvaient respectivement à un bloc plus à l'est et au sud.

– C'est un plaisir de vous accueillir, monsieur et madame Fargo… dit Severson après leur avoir serré la main.

– Sam et Remi, proposa aussitôt Remi.

– Merveilleux. Moi, c'est Julianne. Cela fait quelque temps que je compte parmi vos fans. Vous ne le réalisez probablement pas, mais vos aventures éveillent un vif intérêt dans le domaine de l'Histoire, particulièrement chez les enfants.

– Merci, Julianne, répondit Sam.

Elle leur tendit deux badges plastifiés attachés à un cordon à passer autour du cou.

– Des cartes de lecteur, expliqua-t-elle en souriant avec un petit haussement d'épaules. Dans le cadre du programme de sécurité des Collections spéciales. Depuis le 11-Septembre, les formalités sont devenues beaucoup plus rigoureuses.

– C'est compréhensible.

– Si vous voulez bien me suivre… Je suis à votre disposition pour vous aider dans vos recherches.

– C'est très aimable à vous, dit Remi, mais nous ne voulons pas prendre de votre temps.

– Allons donc. La bibliothèque tourne très bien toute seule; mon assistante saura régler les éventuels problèmes, expliqua Severson en s'engageant, suivie par Sam et Remi, dans un escalier de marbre. Que connaissez-vous de la bibliothèque ?

– Ce n'est pas notre première visite, mais figurez-vous qu'il ne s'agissait jamais de recherches, répondit Remi.

La tour à elle seule était impressionnante, Sam et Remi le savaient. La bibliothèque du Congrès, la plus vieille institution fédérale du pays, avait été fondée en 1800 et logée dans le Capitole jusqu'à ce que, en 1814, les troupes britanniques y mettent le feu, détruisant les trois mille volumes qui constituaient le fonds de la bibliothèque. Un an plus tard, le Congrès votait les crédits pour la restaurer et achetait les six mille volumes que possédait personnellement Thomas Jefferson.

Depuis lors la bibliothèque s'est considérablement développée : 33 millions de livres et d'imprimés, 3 millions d'enregistrements, 12 millions 500 000 photographies, 5 millions 300 000 cartes, 6 millions de partitions et 63 millions de manuscrits – dans 500 langues différentes –, au total quelque 145 millions de pièces réunies sur 1200 kilomètres de rayonnages.

– Je me sens presque plus dans une cathédrale que dans une librairie, observa Remi. L'architecture est…

– Impressionnante ? suggéra Severson.

– Exactement. Les sols de marbre et les colonnes, les arches, les plafonds voûtés, les œuvres d'art…

– Je crois me rappeler, remarqua Severson en souriant, que Selma a dit un jour de cet endroit qu'il « évoquait tout à la fois une cathédrale, un musée et une galerie d'art, avec un peu de bibliothèque pour faire bonne mesure ». Et, à mon avis, les membres du Congrès songeaient en 1815 surtout à la grandeur. Après le saccage auquel s'étaient livrés les Anglais, j'imagine que, pendant la reconstruction, la mentalité était « on va leur montrer ».

– Faire plus grand, plus beau, plus ostentatoire. Comme un pied de nez architectural, en quelque sorte, dit Remi.

Severson se mit à rire.

– Nous allons dans la grande salle de lecture ? demanda Sam.

– Non, nous allons au premier : le département des Livres rares et des Collections spéciales. La grande salle de lecture reçoit aujourd'hui un groupe de jeunes écoliers : l'endroit sera donc un peu trop animé.

Ils atteignirent une porte où s'affichait le numéro 239 et entrèrent.

– Installez-vous à cette table pendant que j'allume l'ordinateur. Même si notre catalogue s'avère maintenant plus maniable pour l'utilisateur, je pense que cela faciliterait les choses si je vous aidais un peu dans vos recherches.

« Selma m'a adressé par e-mail certains des documents et m'a donné quelques précisions : il s'agit de Winston Lloyd Blaylock et de son épouse Ophélie qui, pense-t-on, aurait séjourné aux États-Unis avant mars 1872. Rien d'autre ?

– Nous avons un signalement sommaire, dit Remi.

– Tout peut nous aider.

– Un mètre quatre-vingt-dix, sans doute dans les cent dix kilos.

– Et il portait, ajouta Sam, une carabine Henry de calibre 44, une arme, à ma connaissance, pas très courante.

– Certainement pas aussi courante que les Winchesters, les Remingtons ou les Springfields. La Henry n'était pas une arme de série durant la guerre de Sécession, mais nombre de soldats de l'Union l'achetaient sur leurs propres deniers. Le gouvernement, toutefois, en fournissait aux éclaireurs, aux groupes d'attaque et aux unités des Forces Spéciales. Les soldats confédérés les détestaient : en effet, dotées d'un chargeur de seize balles, elles permettaient à un soldat bien entraîné d'en tirer vingt-huit à la minute. Elles étaient à cette époque ce qui se rapprochait le plus d'une mitraillette actuelle. Savez-vous si Blaylock la maniait couramment ?

– D'après notre source, c'était un fin tireur.

Hochant la tête, Severson se remit à pianoter sur son clavier et, pendant les cinq minutes suivantes, on n'entendit plus que le tapotement des touches et, de temps à autre, un murmure : « Fascinant », « Intéressant ». Elle finit par lever les yeux.

– J'ai ici un état de service, une copie sur microfilm des Archives nationales. Deux sources en fait : les archives du Service militaire, et les Publications M594 et M861 qui regroupent les « Organisations des Volontaires » aussi bien pour l'Union que pour la Confédération.

– Des traces de Blaylock ?

– Je dispose en fait de cinquante-neuf mentions. Puisque Blaylock possédait une carabine Henry, commençons par la liste de l'Union. (Elle se remit à taper.) Le problème est que j'ai plusieurs W. Blaylock et deux W.L. Blaylock. Le premier comporte une annexe – un dossier médical. Votre Blaylock a-t-il été blessé ?

– Pas à notre connaissance.

Severson, en souriant, tapota l'écran, manifestement excitée par ce qu'elle avait découvert.

– Amputation de la jambe droite dans un hôpital de campagne au cours de la bataille d'Antietam, ce qui l'élimine, hein ? Oh, pardon, cela fait un peu morbide, non ?

– Ne vous excusez pas, dit Sam. Selma et vous partagez le même amour de la recherche. Nous avons l'habitude.

– Bon, voici l'autre mention. Intéressante. Ce Blaylock a été détaché de l'armée de l'Union, mais sans qu'on précise pour quelle raison. Il n'a été ni muté ni blessé. Simplement détaché.

– Qu'est-ce que cela signifie ? s'enquit Remi.

– Je ne sais pas trop. Laissez-moi voir si je peux trouver plus de précisions.

*

Un quart d'heure plus tard, Severson releva le nez de son ordinateur.

– Ça y est ! Un état de service complet. Qui pourrait concerner votre homme : William Lynd Blaylock.

– C'est proche, acquiesça Sam. Manifestement proche.

– Son signalement concorde aussi : un mètre quatre-vingt-dix, quatre-vingt-quinze kilos.

– Ce ne serait pas extraordinaire qu'il ait pris dix ou quinze kilos après avoir quitté l'armée, observa Remi.

– Il manque des parties de ses états de service. J'ai les premiers détails de son entraînement, de ses premières affectations, de ses promotions, des campagnes auxquelles il a participé, de ses notes… Mais, après 1862, ses affectations figurent sous la mention « missions extérieures ».

– Ça fait très James Bond, remarqua Remi.

– Vous n'en êtes pas si loin, répondit Severson. Lors de la guerre de Sécession, le terme de « mission extérieure » s'appliquait généralement à des unités de guérilla – on dirait aujourd'hui « Forces spéciales ».

– Comme les Rangers de Loudoun ou les Tuniques bleues de Quantrill…

– Tout à fait, acquiesça Severson. Rapprochez cela du mystérieux détachement de Blaylock en 1863 et je parierais pour un soldat devenu espion.

L'après-midi s'avançait, et Severson continuait de pianoter sur son ordinateur, notant par moments une référence et, de temps en temps, faisant part de ses découvertes à Sam et à Remi. À quatre heures, elle s'arrêta et regarda sa montre.

– Mon Dieu, comme le temps passe. C'est presque l'heure de la fermeture. Il n'y a pas de raison pour que vous restiez ici maintenant. Pourquoi ne rentreriez-vous pas dîner à votre hôtel ? Je vous appellerai si je trouve quelque chose. Pardon : *Quand* je trouverai quelque chose.

– Je vous en prie, Julianne, rentrez aussi chez vous, dit Remi. Je suis sûre que vous avez d'autres projets.

– Non. Ma colocataire donnera à manger à mon chat et je grignoterai quelque chose ici.

– Nous ne pouvons pas..., tenta Sam.

– Vous plaisantez ? Pour moi, cela équivaut un peu à une chasse au trésor.

– Je connais ça, dit Remi en souriant. Vous êtes sûre que Selma et vous n'êtes pas parentes ?

– Nous appartenons à une société secrète : la Légion des bibliothécaires, répondit Severson. Allez-vous-en tous les deux et laissez-moi à mes recherches. Je vous recontacterai.

Comme à chacun de leurs séjours ou de leurs passages à Washington, Sam et Remi avaient retenu la suite Robert Mills à l'hôtel Monaco. Vingt minutes après avoir quitté la bibliothèque du Congrès, leur taxi ralentit devant le perron de l'établissement.

Le Monaco, dont les murs abritaient jadis la poste principale désormais classée Monument historique, était situé dans le Penn Quarter, un quartier du XIXe siècle à deux pas du Mail, du Smithsonian American Art Museum, du J. Edgar Hoover Building, de l'US Navy Memorial et d'un nombre suffisant de restaurants étoilés pour faire la joie d'un gourmet pendant quelques années.

– Soyez les bienvenus, monsieur et madame Fargo, dit le portier. Je fais tout de suite monter vos bagages. Entrez s'il vous plaît, je crois que le concierge vous attend.

Dix minutes plus tard, ils s'installaient dans leur suite. Encore fatigués par leur odyssée africaine, ils firent une sieste d'une heure puis prirent une douche et s'habillèrent pour descendre dîner au restaurant du Monaco, la Brasserie de la Poste, au coin de la 8e Rue.

Après un coup d'œil au menu et à la carte des vins, ils optèrent pour une bouteille d'un muscadet du Domaine de la Quilla – un blanc sec et généreux de la vallée de la Loire – qui accompagnerait une salade de roquette avec du basilic, de la menthe et du parmesan, puis des moules dans une sauce au vin blanc relevée par du safran, de la moutarde et de l'ail confit. Le Monaco, le menu : pour eux, une tradition bien établie.

Remi but une gorgée de vin, ferma les yeux et poussa un soupir.

– Il faut que je te fasse un aveu, Sam. J'adore autant qu'une autre l'aventure, mais je dois reconnaître que j'apprécie aussi le charme d'un bon repas et d'un lit bien chaud avec des draps propres.

– Je ne dirai pas le contraire.

Le portable de Remi sonna. Elle regarda l'écran puis reposa l'appareil.

– C'est Selma. Elle a trouvé un autre symbole aztèque dans le journal de Blaylock.

Avant de partir pour Washington, ils lui avaient demandé de concentrer ses recherches sur tout ce qui pouvait ressembler au caractère représentant Miquiztli, le symbole de la mort. Pour faciliter le travail de Selma, Remi avait téléchargé sur Internet une photo en haute résolution du calendrier aztèque, la Pierre du Soleil de vingt-quatre tonnes, exposée au Musée national d'anthropologie de Mexico.

– Nous disposons de quatre symboles pour l'instant, nota Remi.

– Pas de combinaison discernable ? Aucune annotation près des symboles ?

– Pas la moindre. Elle dit qu'il n'y a aucun lien entre eux.

– Un de ces jours, il faudra que tu me fasses un petit cours sur tous ces trucs aztèques.

– Je verrai ce que je peux faire. Il existe peu de peuples anciens avec une histoire et une culture plus complexes. Même après un semestre d'études sur le sujet, j'avais l'impression de n'avoir fait qu'effleurer la surface. Ce qui ne facilite pas les choses, c'est que la plupart des récits historiques sont en faveur des Espagnols.

– Ce sont toujours les vainqueurs qui écrivent l'Histoire.

– C'est malheureusement vrai.

Sam but une gorgée de vin.

– Il paraît probable que Rivera et son employeur partagent avec Blaylock – même si cent quarante ans les séparent – la même obsession. Mais ne me demande pas pourquoi. L'angle aztèque n'est peut-être qu'une coïncidence. Ou bien sommes-nous trop près de la forêt pour en distinguer les détails ?

– Je ne pense pas, Sam. C'est sûrement le dénominateur commun qui relie Blaylock, le bateau, la cloche et Rivera. La question est de savoir où les deux éléments du milieu ont leur place ?

Le serveur apporta leurs salades.

– Nous ne savons toujours pas, dit Sam, pourquoi Rivera s'est intéressé au *Shenandoah*. À part l'*Ophelia*, qui est une pure invention de Blaylock, le navire avait deux autres noms : le *Roi des mers* et l'*El Majidi*. Il ne s'agit pas seulement de savoir *quoi* mais aussi *quand*.

– Et s'ils tombaient sur quelque chose ayant un rapport avec Blaylock – un autre journal, ou des lettres, par exemple. Pis encore, si Selma avait raison : si la malaria de Blaylock l'avait rendu un peu fou et que les gribouillis de son journal ne correspondaient à rien ?

– Autrement dit, résuma Sam, nous suivrions tous une fausse piste.

Après le dîner, ils partagèrent une tranche de pudding aux fraises et à la rhubarbe et terminèrent sur deux tasses de café éthiopien. Peu avant neuf heures, ils regagnaient leur chambre. Le voyant rouge du téléphone annonçait un message.

– Je savais bien, dit Remi, que j'avais oublié quelque chose : je n'ai pas donné à Julianne nos numéros de portable.

Sam appela le répondeur de l'hôtel et activa le haut-parleur.

– Sam, Remi, c'est Julianne. Il est environ huit heures trente. Je rentre travailler à la maison, mais je serai de retour à la bibliothèque demain matin à six heures. Passez vers huit heures. Je crois que j'ai trouvé quelque chose.

Chapitre 24

Bibliothèque du Congrès

À SEPT HEURES QUARANTE, ils se présentaient devant l'entrée des chercheurs ; un garde de la Sécurité les accueillit, vérifia leurs papiers puis les escorta jusqu'à la salle des Collections spéciales au premier étage où ils découvrirent Julianne Severson assise à son poste de travail, la tête sur le bureau, et portant les mêmes vêtements que la veille.

Au bruit de la porte qui se refermait, elle se redressa brusquement et regarda autour d'elle. Elle les aperçut, cligna les yeux puis sourit.

– Bonjour, dit-elle.

– Julianne, s'exclama Remi, dois-je comprendre que vous n'êtes pas rentrée chez vous ?

– J'ai failli. J'en avais vraiment l'intention, mais je suivais une piste qui m'a amenée à une autre et ainsi de suite… Vous savez ce que c'est…

– Eh oui, et c'est pourquoi, répondit Sam en brandissant un carton, nous avons apporté quelques tranches de rosbif, des petits pains et du fromage à la crème. Si cela peut vous aider…

Severson se précipita sur le café, engloutit presque entièrement un petit pain puis, après s'être essuyé les lèvres et sommairement recoiffée, rejoignit Sam et Remi à son poste de travail.

– Ça va mieux, merci, constata-t-elle en rapprochant un gros classeur en papier kraft bourré de sorties d'imprimante ainsi qu'un grand bloc jaune couvert de notes. Quand j'en aurai terminé ici, je vous imprimerai évidemment tout le matériel que j'ai trouvé mais, pour l'instant, je me contenterai de vous en résumer l'essentiel.

« D'abord une bonne nouvelle : tout ce que j'ai découvert a été déclassifié depuis longtemps et peut donc être consulté sans problème. J'ai passé la nuit à tout rassembler : ce qui provient d'archives privées, de collections universitaires, des ministères de la Défense et de la Marine, du Service secret, d'ouvrages documentaires, de périodiques, etc. Et quoi que vous me demandiez, je l'aurai vérifié.

– Nous sommes tout ouïe, dit Sam.

– Laissez-moi d'abord vous montrer une photographie de mon Blaylock et dites-moi s'il correspond au vôtre.

Elle tira un cliché de son classeur et le fit glisser sur la table. Remi ouvrit sur son iPhone leur photo de Blaylock, celle qu'ils avaient trouvée au musée de Bagamoyo. La version de Severson montrait un grand gaillard, large d'épaules, d'une vingtaine d'années tout au plus, arborant l'uniforme de l'armée de l'Union. Sam et Remi comparèrent les photos.

– C'est lui, confirma Sam. Plus âgé, un peu grisonnant et le visage plus marqué, mais il s'agit du même homme.

Severson hocha la tête et reprit son cliché.

– Celui que vous connaissez sous le nom de Winston Lloyd Blaylock s'appelait en fait William Lynd Blaylock, né à Boston en 1839 ; il était sorti d'Harvard deux ans auparavant, à l'âge de dix-neuf ans, avec un diplôme de mathématiques – plus précisément de topologie.

– C'est-à-dire ? se renseigna Remi.

– Le domaine des mathématiques, développa Sam, concernant l'étude des surfaces courbes, des déformations continues. Le ruban de Möbius en constitue un bon exemple.

– Pas étonnant alors que Blaylock ait nourri un faible pour la spirale de Fibonacci. Pardon, Julianne, continuez.

– Un mois après sa sortie d'Harvard, il a été recruté par le ministère de la Guerre.

– Comme cryptologue ? suggéra Remi.

– Exactement. Il semble bien que Blaylock était un génie. Un prodige.

Sam et Remi se regardèrent. À cause des références à la spirale de Fibonacci et à la spirale d'or qu'ils avaient découvertes dans le journal de Blaylock, ils s'étaient demandé si ce texte ne renfermait pas plus qu'il n'y paraissait. À savoir, des messages cachés ou des codes. Avec les années, ils avaient appris bien des choses au sujet des personnes qui cachent ou chassent des trésors, la plus importante étant que ces gens se donnent le plus grand mal pour protéger leur obsession des regards indiscrets. Si cela avait été vrai de Blaylock, sans doute aurait-il eu recours à la méthode qu'il connaissait le mieux : les mathématiques et la topologie.

– Quelques jours après l'attaque de Fort Sumter, continua Severson, Blaylock quitta son travail pour s'engager dans l'armée de l'Union. Après la formation habituelle, il se retrouva sous-lieutenant et fut aussitôt lancé dans la mêlée, participant en juillet et en août à plusieurs batailles : Rich Mountain, Carrick's Ford, First Bull Run. Il se révéla apparemment bien plus qu'un simple matheux puisqu'il fut promu lieutenant et récolta de nombreuses décorations.

« Au printemps suivant, en 1862, il fut muté dans l'unité de cavalerie des Rangers de Loudoun et servit sous les ordres de Samuel Means qui dépendait directement du secrétaire à la Guerre, Edwin Stanton. Comme vous l'avez déjà mentionné, Sam, les Rangers de Loudoun étaient alors l'équivalent de ce qu'on appelle aujourd'hui les Forces Spéciales. Ils constituaient une petite unité, opérant derrière les lignes ennemies, vivant sur le pays et exécutant des raids, des missions de sabotage et de collecte de renseignements. Un groupe de rudes gaillards.

« Peu avant que les Rangers ne deviennent une unité de l'armée régulière en 1864, le secrétaire Stanton en recruta certains, dont Blaylock, dans le Secret Service. Quelques années plus tard, Blaylock refit surface en Angleterre, à Liverpool où, sous le nom de Winston Lloyd Babcock, il opéra en clandestin pour un nommé Thomas Haines Dudley.

– Le maître espion de Lincoln, intervint Sam.

– Vous connaissez ? demanda Severson.

– J'ai lu quelques ouvrages qui le mentionnent. Il était quaker, me semble-t-il. Consul des États-Unis à Liverpool. C'est lui qui dirigeait le réseau d'espionnage du Secret Service en Grande-Bretagne.

– Avec, ajouta Severson, près d'une centaine d'agents sous ses ordres, tous se consacrant à arrêter le flux clandestin d'approvisionnement depuis le Royaume-Uni vers la Confédération. Malgré la neutralité officielle de l'Angleterre durant la guerre, on trouvait au sein du gouvernement et en dehors un grand nombre de sympathisants sudistes. Vous voulez savoir quelle était la mission principale de Blaylock ?

Ce fut Remi qui répondit : Sam et elle avaient tous deux deviné.

– Remplacer le pavillon sur les navires marchands utilisés par la Confédération, proposa-t-elle.

– Exact encore, confirma Severson. Plus précisément, Blaylock était à la tête d'une cellule qui s'intéressait particulièrement à un navire appelé le *Sea King* – connu plus tard sous le nom de CSS *Shenandoah*.

– Celui qui s'est échappé, dit Sam. Qui non seulement a disparu mais a passé les neuf mois suivants à faire des ravages parmi la flotte de l'Union jusqu'après la fin de la guerre.

– Pour Blaylock, poursuivit Severson, ce fut un désastre personnel et professionnel.

– Professionnel ? releva Sam. Il a été réprimandé. Relevé de ses fonctions ?

– Je n'en ai trouvé aucune preuve. À vrai dire, cela fut tout à fait le contraire. Thomas Haines Dudley, ardent supporter de Blaylock, rédigea plusieurs recommandations élogieuses à son propos. Dans une lettre de 1864 au chef du Secret Service, William Wood, il qualifie Blaylock ainsi : « L'un des agents les plus brillants que j'ai jamais eu le plaisir d'avoir sous mes ordres. » Je crois simplement que Blaylock a pris tellement à cœur cet échec que cela a eu des répercussions sur son travail. Deux semaines plus tard, il s'est embarqué à Londres pour rentrer aux États-Unis. En arrivant là-bas, il apprit que son épouse, Ophélie, était morte pendant sa traversée. Tragique ironie du sort, elle avait trouvé la mort au cours d'un raid mené par une guérilla confédérée connue sous le nom de Mosby Rangers – une de ces unités qu'avait combattues Blaylock du temps où il servait dans les Loudoun Rangers.

– Mon Dieu, murmura Remi, le pauvre homme. Sait-on si Ophélie était la cible ? Mosby et ses hommes la recherchaient-ils à cause de son mari ?

– Il ne semble pas. Je crois qu'elle s'est simplement trouvée au mauvais endroit au mauvais moment.

– Oui, pauvre Blaylock qui, à son retour chez lui en état de disgrâce, n'y retrouvera même pas l'amour de sa vie, résuma Sam. Remi, je commence à croire que la malaria n'est qu'un aspect de ses problèmes mentaux.

– Je suis d'accord. C'est bien possible.

– Tout comme son tempérament obsessionnel, ajouta Severson. Selma m'a envoyé par e-mail un croquis qu'elle a fait du bateau. Rebaptiser un navire du nom de sa femme... C'est vraiment de l'amour.

– Julianne, demanda Remi, avaient-ils des enfants ?

– Non.

– Que s'est-il passé après son retour en Amérique ?

– Il n'y a pas grand-chose à en dire. Je n'ai trouvé qu'une seule trace de lui : en 1865, il a été engagé par un établissement récemment fondé, le Massachusetts Institute of Technology. Il semble que Blaylock soit retourné à la vie civile comme professeur de maths.

– Jusqu'en mars 1872, quand il réapparaît à Bagamoyo.

– Et quatre ans après que le *Shenandoah* a été vendu au sultan de Zanzibar, dit Remi qui ajouta d'un son songeur : C'est vraiment une série de coïncidences. À moins que le chagrin de Blaylock ne se soit transformé en rage. Le *Shenandoah* s'enfuit alors qu'il était censé le surveiller et ensuite sa femme meurt. S'il était vraiment fou, il en est peut-être arrivé à en rendre le *Shenandoah* responsable. C'est un peu tiré par les cheveux, mais l'esprit humain abrite bien des mystères.

– Vous avez peut-être raison mais seul Blaylock connaissait la réponse, commenta Severson. Cependant je peux vous dire une chose : je ne pense pas qu'il soit parti pour l'Afrique sur un coup de tête. Je crois plutôt qu'il y a été envoyé.

– Par qui ? demanda Sam.

– Par le secrétaire à la Guerre, William Belknap.

Cette information plongea quelques instants Remi et Sam dans un silence songeur.

– Comment le savez-vous ? demanda enfin Sam.

– Je ne le sais pas avec certitude, reconnut Severson. À ce stade, je ne peux que m'appuyer sur des preuves indirectes et, notamment, sur des lettres personnelles échangées entre Belknap, George Robeson, le secrétaire à la Marine, et le directeur du Secret Service, Herman Whitley.

« Dans une lettre de novembre 1871 adressée aussi bien à Belknap qu'à Robeson, Whitley déclare avoir reçu un rapport du renseignement. Il n'en mentionne pas la source, mais trois lignes m'ont sauté aux yeux. La première évoque "des apôtres du capitaine Jim marchant sur ses pas" ; la deuxième parle de "notre homme à Zanzibar qui nous prend pour des idiots" ; et enfin la troisième : "je tiens de source autorisée que le mouillage en question est fréquemment inoccupé" .»

– « Notre homme à Zanzibar »... peut-être le sultan Majid II, avança Remi.

– Et le « capitaine Jim », le capitaine du *Shenandoah*, James Waddell, poursuivit Sam. Le mot « apôtres » choisi par Whitley est intéressant. Or un homme comme lui ne serait pas arrivé à la position qu'il occupait sans une solide maîtrise de la langue. « Apôtre » désigne un vrai croyant, quelqu'un qui se consacre à suivre l'exemple d'un maître. Quant au mouillage inoccupé...

– Probablement une allusion à l'endroit où le sultan était censé avoir abandonné le récemment rebaptisé *El Majidi*, dit Remi.

– Tout à fait.

– Ce n'est pas tout, poursuivit Severson. Dans une lettre qui a suivi quelques jours plus tard, Belknap et Robeson encourageaient Whitley à contacter « notre ami Quaker » – Thomas Haines Dudley, à mon avis – pour lui demander si, parmi ses agents, certains seraient susceptibles d'enquêter sur « le navire en question ». Six semaines plus tard Whitley répondait. D'après « les sources du Quaker », le vaisseau en question avait été repéré, mais pas à son mouillage. Il était à Dar es Salaam, retournant au port – et je cite – « toutes voiles dehors, machines sous pression, et canons armés, avec un équipage de marins qualifiés d'origine caucasienne ».

Sam et Remi gardèrent quelques instants le silence. Puis Sam finit par dire :

– À moins que quelque chose ne m'échappe, je dirais que les « apôtres » du capitaine Waddell ont réarmé le *Shenandoah* pour la guerre.

– J'ai gardé le meilleur pour la fin, continua Severson. Dans la même lettre, Whitley informe Belknap et Robeson qu'il a donné au Quaker – Dudley – l'ordre de dépêcher sur place son meilleur agent pour enquêter sur la situation à Dar es Salaam.

– Et nous savons qui Dudley considérait comme son meilleur agent : Blaylock.

– Qui arrive à Bagamoyo deux mois plus tard, précisa Remi.

– Ça me semble coller mais – vous l'avez vous-même souligné, Julianne –, pour l'instant, il ne s'agit que de preuves indirectes.

– Je n'ai pas fini de classer toutes les lettres, mais en attendant je pense à quelqu'un capable de nous aider. Que penseriez-vous tous les deux d'un petit voyage en Géorgie ?

Chapitre 25

Savannah, Géorgie

Après avoir écouté jusqu'au bout l'exposé de Julianne Severson et noté sa suggestion qu'il y avait une possibilité pour eux d'éclaircir un nouveau pan de l'histoire de Blaylock, Sam et Remi prirent en début d'après-midi un vol qui les amena peu avant trois heures à Savannah.

Pendant que Sam s'occupait de louer une voiture, Remi consulta son répondeur.

– Selma a reçu la cloche ce matin, annonça-t-elle à Sam lorsqu'il la rejoignit, clefs de la voiture en main.

Sam sourit et poussa un grand soupir.

– Je dois reconnaître qu'après tant d'efforts pour la récupérer, j'ai fait des cauchemars où je la voyais tomber de l'avion et sombrer dans l'océan.

– Moi aussi. Selma dit qu'elle est en très bon état. Elle a appelé Dobo qui va venir la récupérer.

Alexandru Dobo – qui préférait qu'on l'appelât simplement Dobo – était un marginal ; un peu surfeur, un peu expert en restauration d'antiquités, il leur servait d'homme à tout faire pour les travaux qui dépassaient leurs compétences. Ancien directeur du département de Restauration et de Conservation de l'Université d'architecture Ovidius de Roumanie, et consultant du musée de la Marine de Constanta ainsi que du musée d'Histoire naturelle et d'Archéologie de Roumanie, Dobo n'avait pas encore eu à faire avec un objet d'art qu'il ne pût restaurer.

Selma étant originaire d'un pays voisin, la Hongrie, elle aimait évoquer avec Dobo les souvenirs – bons ou mauvais – de « leur pays natal ».

– Il travaillera dessus toute la nuit, ajouta Remi.

– Pourquoi ? La connexion est mauvaise ?

– Épouvantable.

– Ont-ils avancé sur le journal ?

– Elle a simplement dit qu'ils étaient « encore dessus ». (Dans la bouche de Selma, il fallait comprendre par là une progression, lente mais régulière, que toute question superflue risquerait de compromettre.) Elle a également parlé de la spirale et de la suite de Fibonacci. Ils les retrouvent partout. Comme un mantra. Quel homme intéressant, ce Blaylock !

– Allons-y, suggéra Sam en agitant le trousseau de clefs.

– Quelle voiture as-tu prise ?

– Une Cadillac Escalade.

– Sam…

– Hybride.

– Bon.

Aux yeux de Sam et Remi, Savannah incarnait le charme et l'histoire sudistes : on retrouvait cette impression à chaque détour des petites rues aux pavés couverts de mousse ; sur les places plantées de cerisiers et dans les monuments conservés avec soin ; sur les balcons et les murs dégoulinants d'hortensias et de glycines ; et sur la façade des vieilles demeures à colonnade de style néo-classique. Sans oublier le crissement des cigales. À vrai dire, c'était l'amour qu'ils portaient à la ville qui les avait amenés à accepter sans poser de question le voyage que leur avait suggéré Severson. Quand ils avaient cherché à lui en faire expliquer les raisons, la bibliothécaire s'était contentée de sourire en disant : « Je crois que vous trouverez là-bas quelque chose qui vous rappellera des souvenirs. »

Pour Sam et Remi, Savannah incarnait le charme du Sud et son passé : on les retrouvait à chaque détour des rues aux pavés couverts de mousse et sur les monuments entretenus avec soin ; dans les bouquets d'hortensia et de chèvrefeuille qui pendaient des balcons ; sur les façades à colonnes des demeures néo-classiques de planteurs. Même le crissement des cigales faisait partie du charme de Savannah.

Malgré la chaleur, ils roulaient vitres ouvertes afin d'admirer le paysage. Tenant d'une main son chapeau de plage qui menaçait sans cesse de s'envoler, Remi demanda :

– Où allons-nous exactement ?

– Whitaker Street, près de Forsyth Park. Juste à côté de Heyward House, je crois.

Ancienne résidence d'été d'un planteur, l'un des signataires de la Déclaration d'indépendance, Heyward House n'était qu'un des monuments du quartier historique de Bluffton. S'y promener équivalait à se promener dans l'Histoire.

Ils se garèrent à côté de Forsyth Park, à l'ombre d'un grand chêne, et firent quelques pas jusqu'à une maison gris taupe aux volets verts. Sam vérifia l'adresse : il s'agissait bien de celle que leur avait donnée Severson.

– C'est là.

Un panneau peint à la main au-dessus du perron annonçait en cursives : « MUSÉE ET GALERIE DE MADEMOISELLE CYNTHIA ».

En montant les marches, ils attirèrent l'attention d'un vieux chien de chasse qui, levant la tête du tapis sur lequel il était couché, poussa un bref aboiement avant de se rendormir.

La porte s'ouvrit et, derrière la moustiquaire, apparut une femme au visage ratatiné vêtue d'une jupe blanche et d'un chemisier rose.

– Bonjour, les enfants, les accueillit-elle avec l'accent traînant des habitants du Sud.

– Bonjour, madame, répondit Remi.

– Vous avez constaté que Bubba me sert de sonnette.

– Il fait très bien son travail, confirma Sam.

– Oh, oui il est très sérieux. Entrez, je vous en prie.

Elle entrouvrit la porte, Sam la poussa un peu plus et suivit Remi à l'intérieur.

– Je suis mademoiselle Cynthia, se présenta la vieille femme en tendant la main.

– Remi...

– Fargo, je sais. Et vous devez être Sam Fargo.

– Oui, madame. Comment avez-vous...

– Julianne m'a annoncé votre arrivée. Et, comme je reçois peu de visiteurs, je ne risquais pas de me tromper. Entrez donc, je vous en prie, je vais faire du thé.

D'une démarche un peu hésitante mais non dépourvue d'une certaine élégance, elle les guida jusqu'à ce qui était vraisemblablement le salon. Une pièce à la décoration surchargée, avec des rideaux de dentelle, des canapés et des fauteuils recouverts de velours semblant sortir tout droit d'un décor pour *Autant en emporte le vent*.

– Mademoiselle Cynthia, interrogea Sam, puis-je vous demander comment vous vous connaissez, Julianne et vous ?

– J'essaie de me rendre à Washington une fois par an. J'adore l'histoire de cette ville. J'ai rencontré mademoiselle Julianne il y environ cinq ans au cours d'une visite guidée. Je crois qu'elle a bien aimé les questions dont je la harcelais, alors nous avons gardé le contact. Chaque fois que je trouve une nouvelle pièce que je n'arrive pas à identifier, je l'appelle à l'aide. Elle est venue en visite à plusieurs reprises. Excusez-moi un instant pendant que je surveille notre thé. (Elle disparut par une autre porte et revint deux minutes plus tard.) Il infuse. En attendant, laissez-moi vous montrer ce que vous êtes venus voir.

Elle leur fit retraverser le salon, l'entrée et un petit vestibule pour déboucher dans une pièce spacieuse et ensoleillée aux murs d'un blanc de neige.

– Bienvenue dans le musée de mademoiselle Cynthia, dit-elle.

Un peu comme au musée de Morton à Bagamoyo, mademoiselle Cynthia avait rassemblé une foule d'objets d'art – tous se rapportant à la guerre de Sécession – depuis des mousquets et de vieux fusils jusqu'à des pièces d'uniforme et des daguerréotypes.

– J'ai collectionné tout cela moi-même, déclara avec fierté mademoiselle Cynthia. Sur des champs de bataille, dans des vide-greniers, dans des ventes... Vous seriez surpris de ce qu'on peut découvrir tout au long d'une vie quand on sait ce qu'on cherche. Vous pourrez regarder tout cela à loisir, mais laissez-moi d'abord vous montrer ceci.

Miss Cynthia se dirigea vers le mur du fond qui, du plancher au plafond, était littéralement tapissé de photographies encadrées et de dessins. Elle s'arrêta devant, l'air songeur, en promenant son regard sur sa collection.

– Ah, voilà.

Elle clopina jusqu'au coin et décrocha une image d'environ dix centimètres sur quinze dans un cadre de bois noir. Elle recula et tendit à Sam le daguerréotype granuleux d'un trois-mâts en bois au mouillage.

– Remi, regarde ça, fit Sam.

– Mon Dieu, murmura Remi, c'est notre bateau.

Dans le coin droit, en caractères un peu effacés par le temps, un seul mot : Ophélie.

Cinq minutes plus tard dans le salon, une tasse de thé à la main, ils contemplaient encore avec stupéfaction la photographie.

– Comment... ? demanda enfin Sam. Où est-ce que... ?

– Cette Julianne a une mémoire... eidétique, je crois que c'est le qualificatif qu'on utilise.

– Une mémoire photographique.

– Exactement. Elle a passé des heures dans mon musée. Ce matin, par ce machin, un e-mail, elle m'a envoyé un croquis au crayon en me demandant de le comparer à ma photo. Je suppose que le dessin était de vous ?

– Plus encore de vous, non ? avança Remi.

– J'ai dit à Julianne, se contenta de poursuivre mademoiselle Cynthia en souriant imperceptiblement, que, malgré la différence de support, les deux se ressemblaient comme des jumeaux. Exactement les mêmes... jusqu'à l'inscription.

– Ophélie.

– Oui. Malheureusement, nous n'avons jamais su grand-chose d'elle.

– Je vous demande pardon ? s'étonna Sam.

– Excusez-moi, je vais trop vite. Voyez-vous, William Lynd Blaylock était mon arrière-arrière-arrière – je ne sais plus combien d'« arrière » il faut mettre –, mais il était mon oncle.

Mademoiselle Cynthia eut un charmant sourire et but une gorgée de thé.

Sam et Remi se regardèrent. Rémi fronça les lèvres d'un air songeur et dit :

– Vous êtes une Blaylock ?

– Oh, non, non, je suis une Ashworth. Tout comme Ophélie jusqu'à ce qu'elle épouse William. Après la mort de Tante Ophélie, mon arrière-arrière..., ma grand-mère Constance est restée en contact avec William. Bien sûr, ce n'est jamais allé plus loin que de l'amitié, mais j'imagine qu'il y avait aussi entre eux une certaine tendresse. Il lui écrivait souvent, quelques mois après son retour d'Angleterre et jusqu'à la fin, vers 1883, je crois.

– Quand vous dites « la fin », reprit Sam, vous parlez de sa mort ?

– Je ne sais pas. À vrai dire, personne ne sait ce qu'il est devenu. Je fais simplement allusion à la dernière lettre qu'il a envoyée à Grand-Mère Constance. (Ses yeux brillaient.) Seigneur, il y en a des douzaines avec des timbres de tous les coins du monde. C'était un personnage. Toujours lancé dans une aventure ou des recherches. J'ai cru comprendre que Grand-Mère Constance craignait qu'il ne fût un peu dérangé. Elle accueillait toutes ses histoires avec un certain scepticisme.

– Vous avez mentionné des lettres, dit Remi. En avez-vous encore…

– Certainement. Au sous-sol. Vous aimeriez les voir ?

N'osant même pas parler, Sam se contenta de hocher la tête.

Ils la suivirent dans la cuisine et descendirent quelques marches étroites jusqu'à la porte de derrière. Comme on pouvait s'y attendre, le sous-sol était sombre et humide, avec des murs de pierre et un sol cimenté tout craquelé. Grâce à la lumière qui filtrait par l'escalier, mademoiselle Cynthia trouva le commutateur. Au centre de la cave, une unique ampoule de soixante watts s'alluma, révélant, entassés contre les murs, des cartons de toutes les tailles et de toutes les formes.

– Vous voyez les trois cartons à chaussures, à côté de la caisse pour décorations d'arbre de Noël ? indiqua mademoiselle Cynthia.

– Oui, dit Sam.

– Elles sont là-dedans.

De retour dans le salon, Sam et Remi constatèrent avec soulagement en ouvrant les boîtes que les lettres avaient été classées et rangées dans de grandes pochettes en plastique.

– Mademoiselle Cynthia, vous êtes une fée, affirma Sam.

– Allons donc. Maintenant, j'y mets une seule condition, déclara-t-elle d'un son sévère. Vous m'écoutez ?

– Oui, madame, répondit Sam.

– Prenez-en soin et rapportez-les-moi quand vous aurez terminé.

– Je ne comprends pas, intervint Remi. Vous nous laisseriez les…

– Bien sûr. Julianne m'a parlé de vous en bien. Elle m'a expliqué que vous tentiez de découvrir ce qui était arrivé à Oncle Blaylock en Afrique – ou Dieu sait où il a fini ses jours. Un mystère pour notre famille qui dure depuis cent vingt-sept ans. Je serais très heureuse de le voir résolu. Comme je suis trop vieille pour ce genre d'aventure, je pourrais au moins l'apprendre plus tard de vous. À condition que vous me promettiez de revenir me raconter tout cela.

– Nous le promettons, affirma Sam.

Chapitre 26

La Jolla, Californie

– DRESSEZ UN INVENTAIRE SOMMAIRE DE TOUT ÇA, puis rangez-les dans le coffre, demanda Selma tout en faisant glisser des cartons sur la table de travail.

Pete et Wendy, ses assistants, s'en emparèrent puis disparurent dans la salle des archives.

Sam et Remi, doutant du bon état des lettres de Blaylock et résistant à la tentation, s'étaient abstenus d'ouvrir les pochettes de plastique avant leur retour.

– Ce voyage me paraît avoir été fructueux, remarqua Selma.

– Quel personnage, ton amie Julianne ! s'exclama Remi.

– Si jamais je suis renversée par un bus, c'est la première personne que vous devriez contacter pour me remplacer.

– Avant d'appeler police-secours ou après ? s'enquit Sam.

– Très drôle, monsieur Fargo. Dites-moi, on peut lui faire confiance à cette Ashworth ?

– Tout à fait, affirma Remi. Entre le journal de Blaylock et la biographie de Morton, nous devrions être capables d'établir ou de réfuter l'authenticité des lettres. Définitivement.

Selma hocha la tête.

– Pendant que Pete et Wendy y travaillent, cela vous intéresserait de voir où nous en sommes à propos du journal ?

– J'ai hâte de savoir, confirma Sam.

Ils s'assirent tous les trois devant l'écran de l'ordinateur et Selma, avec la télécommande, se brancha sur le serveur. Ayant trouvé le dossier, elle cliqua sur le clavier et l'image emplit l'écran.

– Fichtre, commenta Sam, voilà un esprit qui travaille. Mais est-ce celui d'un génie ou d'un fou ?

– Ou encore celui de quelqu'un qui rêvasse beaucoup ? suggéra Remi. Mais, en l'occurrence, Blaylock ne me donne pas l'impression d'être un rêveur.

– C'est une page assez typique. Sur d'autres, il n'y a que du texte, mais la majorité présente un méli-mélo de notes et de croquis, certains à main levée, d'autres en utilisant un gabarit ou des instruments de géomètre.

– De toute évidence, l'image dans le coin gauche de la page est une carte tracée à la main, dit Sam. Et une partie du texte au milieu… « Grand oiseau vert en pierres précieuses ». À droite, encore du texte – que je n'arrive pas à déchiffrer –, et puis des symboles géométriques, ici. As-tu essayé de grossir le texte ?

– J'en ai chargé Wendy, la reine du graphisme, acquiesça Selma. Mais plus on grossit l'image, plus elle devient floue.

– Qu'y a-t-il en bas à droite ? « Orizaga », non ? Selma, as-tu vu cela ailleurs ?

– Ce nom-là ? En beaucoup d'endroits.

Remi se leva et s'approcha de l'écran.

– Au milieu, à gauche et à droite… Leonardo le Menteur et « 63 grands hommes ». Entre les deux, ces chiffres ici… « 1123581321 ». On dirait un message chiffré.

– En bas, à droite, c'est manifestement une sorte d'oiseau, ajouta Selma.

– Le « grand oiseau en pierres précieuses » ? proposa Remi.

– Peut-être bien. Quant aux deux images au milieu – celle qui ressemble un peu à une peinture rupestre et l'arc en dessous –, on les retrouve sur des douzaines et des douzaines de pages.

Tous trois restèrent quelques minutes à contempler silencieusement l'écran. Sam, plissant les yeux, se leva à son tour et s'approcha de l'écran en montrant du doigt la séquence de chiffres signalée par Remi.

– Je dois être plus fatigué que je ne le croyais, dit-il. Ces chiffres sont ceux de la suite de Fibonacci. (Sachant que sa femme ne partageait pas sa passion pour les maths, Sam développa.) La somme des deux premiers chiffres est égale au troisième chiffre, celle du troisième et du quatrième, au cinquième, et ainsi de suite.

Il revint vers la table et griffonna sur un bloc :

1+1 = 2
1+2 = 3
2+3 = 5
3+5 = 8

– Vous voyez l'idée, reprit-il. C'est également la base du nombre d'or, de la spirale d'or ou même de la suite de Fibonacci. Tenez, je vais vous montrer.

Il se dirigea vers un autre ordinateur, passa sur Google et fit un double clic sur une icône qui emplit tout l'écran.

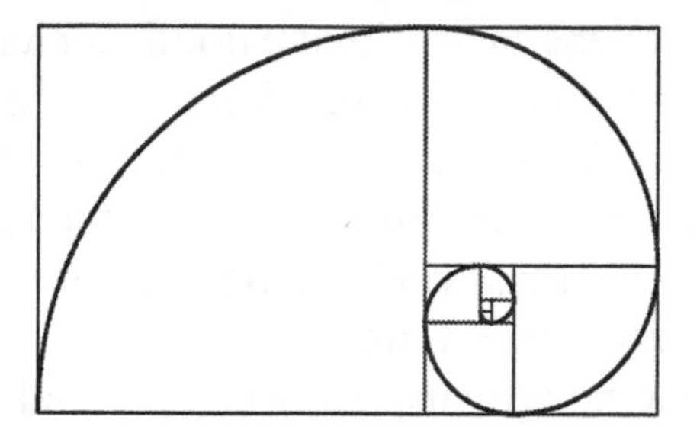

– On construit simplement une grille avec des nombres choisis dans une suite de Fibonacci et on l'inscrit dans un arc, expliqua Sam. Votre première grille pourrait mesurer trois centimètres carrés, ou trente. Peu importe.

– C'est ce qu'on a vu sur la page du journal, dit Remi. Une suite de Fibonacci.

– Au moins une partie d'une suite, précisa Sam. Cette suite tient une place essentielle dans une foule de théories de la géométrie sacrée. On rencontre la spirale dans la nature : dans la forme des coquillages, les boutons des fleurs. Les Grecs utilisaient beaucoup la spirale en architecture. Même aujourd'hui, les concepteurs de sites Web et les graphistes y ont recours. Des études scientifiques montrent que la spirale d'or exerce un effet plaisant sur l'œil : personne ne sait exactement pourquoi.

– La question, poursuivit Remi, est de savoir pourquoi elle obsédait Blaylock à ce point. Quel autre usage peut-on en faire, Sam ?

– En fait, on peut l'utiliser pour tout ce qui touche à la géométrie. J'ai lu que la NSA, l'Agence de Sécurité nationale, avait recours en cryptographie à la suite de Fibonacci et à la spirale, mais ne me demande pas comment. Ça dépasse de loin mes compétences. Selma, y a-t-il d'autres images qui se répètent ?

Pour toute réponse, Selma décrocha le téléphone et composa le numéro de la salle des archives.

– Peter, te souviens-tu de l'image douze-alpha-quatre ? Oui, c'est celle-là. Combien de répétitions ? Tu l'as numérisée ? Bien. Bob, place-la sur le serveur, veux-tu ? Je voudrais la montrer à monsieur et madame Fargo. J'attends. Merci.

Selma raccrocha, saisit la télécommande et remonta dans le système d'archives du serveur.

– L'image que nous avons baptisée douze-alpha-quatre est répétée neuf fois, en général dans les marges, mais parfois au centre du cadre. La voici. Wendy, d'un coup de sa baguette magique, l'a isolée. Elle est encore assez floue.

Selma déplaça la flèche sur une icône de l'écran puis cliqua. L'image s'agrandit.

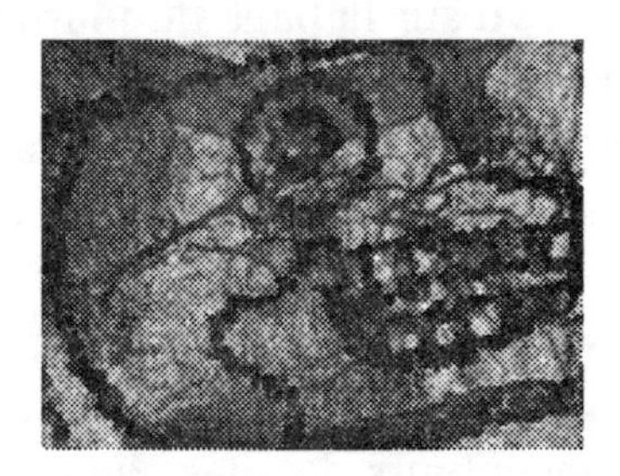

– Ça ressemble à un crâne, dit Sam.

– C'est ce que j'ai pensé aussi, répondit Selma.

Sam regarda Remi : la tête penchée de côté, les yeux plissés, elle contemplait l'image.

– Remi… dit-il, Remi.

– Oui ? fit-elle en se tournant vers lui.

– Je connais cette expression. Qu'est-ce qui se passe dans ton cerveau ?

Sans répondre, elle secoua la tête d'un air absent puis, toujours sans un mot, elle s'approcha d'un ordinateur, s'assit et se mit à pianoter sur le clavier.

– J'ai juste eu une impression de déjà-vu. Depuis que nous sommes tombés sur eux, les noms de Rivera et ses sbires sont restés gravés dans mon esprit. Pourquoi des noms aztèques ?

Cela m'a paru bizarre. J'ai suivi pendant un semestre les cours de l'école des Études mésoaméricaines anciennes, alors je savais que j'avais déjà vu cette image.

Elle frappa encore quelques touches et murmura :

– Ça y est !

Elle fit pivoter son siège et désigna l'écran.

– On l'appelle Miquiztli. En nahuatl, la langue des Aztèques, il représente la mort.

Chapitre 27

– PLUTÔT MENAÇANT, GRIMAÇA SAM au bout d'un moment.

– C'était également le symbole de l'au-delà. Tout cela reste dans le même contexte. Selma, avons-nous d'autres indices du même genre ?

– Oui, trois. Selma les fit apparaître sur l'écran.

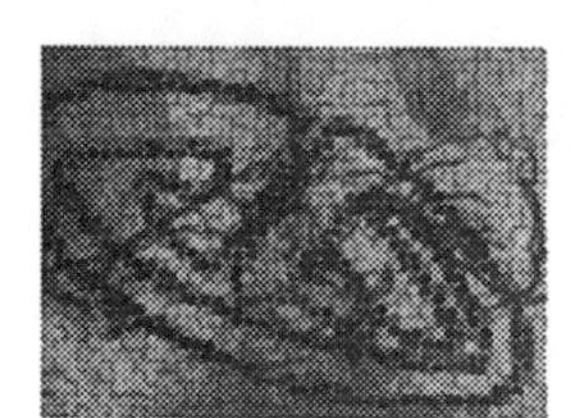 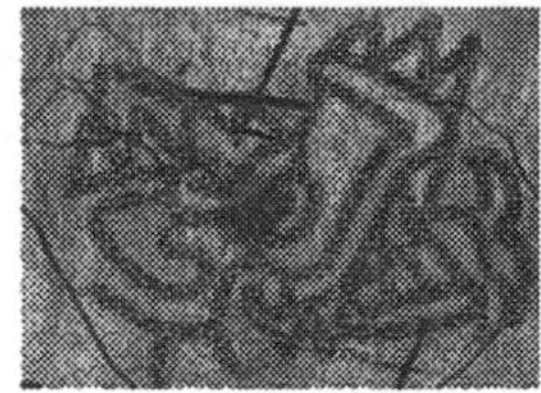 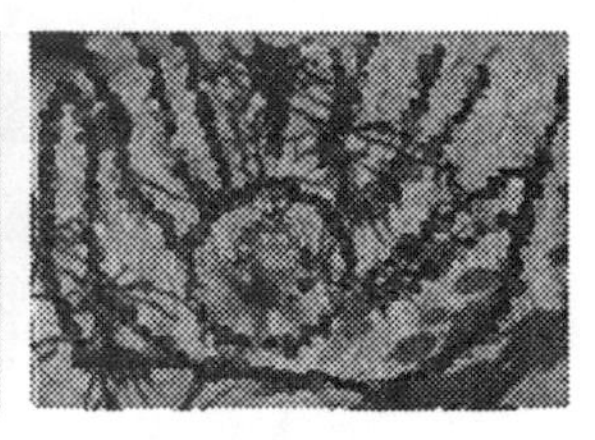

Remi les contempla un moment, puis demanda :

– Avons-nous des images qui peuvent nous permettre de les comparer ? (Selma décrocha le téléphone.) Si je ne me trompe pas, poursuivit Remi, elles sont toutes aztèques aussi. Celle de droite, c'est Tecpatl, qui représente un poignard de silex ou d'obsidienne ; celle du milieu, c'est Cipactli, le crocodile ; la dernière, c'est Xochitl, la fleur. Elle représente le dernier des vingt jours du mois.

– Et, demanda Sam à Selma, elles étaient isolées comme la première ? Aucune annotation ?

Selma avait terminé sa communication.

– Aucune. Wendy est en train de télécharger quelques images bien nettes du serveur, dit-elle en pointant la flèche pour remplacer les images d'archives par les nouvelles.

Elles étaient marquées « Silex », « Crocodile » et « Fleur ».

– Elles semblent correspondre, nota Selma.

– En effet, renchérit Sam. Remi, elles proviennent du calendrier aztèque, n'est-ce pas ? Cela pourrait être utile de voir l'ensemble.

– J'ai la représentation que Remi a téléchargée pour moi, dit Selma.

Elle fit défiler les images, trouva le bon dossier et cliqua dessus.

– Ça, murmura Sam, c'est bien un calendrier. Comment diable s'y retrouvaient-ils ?

– Avec de la patience, répondit Remi. Les symboles que nous avons trouvés jusqu'à maintenant appartiennent tous au cercle du mois. C'est le quatrième à partir du bord.

– Pas étonnant que celui de Mexico soit aussi grand. Quelles dimensions exactement ?

– Trente-cinq mètres de diamètre et un mètre vingt d'épaisseur.

– Il fallait bien cette taille-là pour qu'il ressorte de l'ensemble. C'est fascinant.

– Surtout quand on pense qu'il date de plus de cinq cents ans. Dont trois cents passés sous la grande place. Des ouvriers l'ont découvert en effectuant des travaux de réparation sur la cathédrale. C'est un des derniers vestiges de la culture aztèque.

La sonnerie du portable de Selma rompit le silence qui venait de s'installer. Elle décrocha, écouta un instant, puis dit :

– Nous serons ici. Apportez-la jusqu'à la grille où Pete vous attendra.

Elle raccrocha et expliqua à Sam et Remi :

– Dobo est en route avec la cloche.

– Ç'a été rapide, constata Remi.

– Un vrai matin de Noël, renchérit Sam.

Vingt minutes plus tard, Pete Jeffcoat et Dobo franchissaient le seuil de la salle, l'un poussant, l'autre tirant une caisse à claires-voies d'un mètre sur cinquante centimètres montée sur des roues ; à l'intérieur, la cloche du *Shenandoah*. Malgré quelques taches sombres qui demeuraient, les talents de magicien de Dobo avaient fait disparaître les plaques ternies et les bernacles. Le bronze de l'extérieur luisait sous les lumières halogènes de la grande salle de travail.

Les poings sur les hanches, Dobo en bleu de travail et T-shirt blanc examinait son travail.

– Pas mal, hein ? dit-il.

– Beau travail, Dobo, acquiesça Sam.

Heureusement, Alexandru Dobo souriait fréquemment sinon, avec son crâne chauve et sa grosse moustache tombante, il aurait eu l'air sinistre. « Un Cosaque perdu dans le temps » avait un jour fait remarquer Remi.

– Merci, mon ami, tonna-t-il en lui assénant une grande claque sur l'épaule. (Sam recouvra de justesse son équilibre et recula encore d'un pas.) Vous avez vu l'intérieur ? reprit le Roumain. Regardez ! Piotr, viens me donner un coup de main.

Dobo et Pete détachèrent la cloche de son crochet puis la retournèrent.

– Regardez, regardez !

Sam, Remi et Selma s'avancèrent pour inspecter l'intérieur de la cloche. Remi poussa un soupir.

– On peut dire que c'est une surprise, déclara Sam.

– Ça, oui, confirma Remi.

Gravés au hasard sur le bronze de la cloche, apparaissaient des douzaines, des centaines peut-être, de symboles aztèques.

Au bout de quelques minutes, Sam murmura :

– Allons, tous à bord du train fou de Blaylock.

Sam et Remi rassemblèrent leur petite équipe autour de la grande table de travail et, pendant les heures suivantes, ils réfléchirent devant deux grandes pizzas au mystère qui s'offrait à eux. Le cœur du problème, décidèrent-ils, se résumait en deux questions :

1. L'apparente instabilité mentale de Blaylock jetait-elle un doute sur leurs découvertes ?

2. Rivera et ses hommes s'étaient-ils lancés dans une quête folle sous l'influence de Blaylock ou de quelqu'un d'autre ?

De toute évidence, Rivera soit recherchait, soit essayait de dissimuler quelque chose, probablement d'origine aztèque.

– S'ils ont vraiment assassiné les touristes dont vous avez parlé, dit Pete Jeffcoat, il devient évident qu'ils s'efforcent de cacher quelque chose. Pour ma part, j'ai du mal à croire qu'ils feraient cela juste à cause de Blaylock. Ne se poseraient-ils pas les mêmes questions sur lui que nous-mêmes ?

– Bien raisonné, admit Sam.

– Si c'est le cas, intervint Wendy, Blaylock n'était peut-être pas fou, seulement un peu excentrique, et il y avait une raison à son obsession pour les Aztèques.

– Ainsi qu'à sa fixation sur les navires, ajouta Selma.
– Bon, fit Remi, admettons. Comment et pourquoi, nous l'ignorons, en tout cas le *Shenandoah* – ou l'*El Majidi* – commença, à un moment donné, à obséder Blaylock, lequel s'orienta alors vers tout ce qui concernait les Aztèques. Avant d'aller plus loin, nous devons découvrir ce qui s'est passé et pour quelles raisons.
– Où en sommes-nous à propos des lettres de mademoiselle Cynthia ? demanda alors Sam en se tournant vers Pete et Wendy.
– Dans environ une heure, nous devrions les avoir toutes examinées, répondit Wendy. Puis encore deux heures pour les scanner et obtenir une reconnaissance optique des caractères. Nous serons alors en mesure de les classer chronologiquement et de rechercher le mot clé.
– Vous avez des projets pour ce soir ? s'enquit Sam en souriant.
– Oui, maintenant, nous en avons.

Habituée à la façon dont fonctionnait le cerveau de son mari, Remi n'éprouva aucune surprise à son réveil quand elle le découvrit assis au bord du lit, son iPad posé sur ses genoux. Le réveil annonçait 4 h 12 du matin.
– Une illumination ? interrogea-t-elle.
– Je pensais au chaos.
– Bien entendu...
– ... et que la plupart des mathématiciens n'y croient pas. Ils savent que cela existe – il y a même une théorie du chaos – mais je pense qu'ils croient tous au fond à un ordre sous-jacent. Même s'il n'est pas évident.
– Je peux l'admettre.
– Pourquoi alors Blaylock se serait-il donné tant de mal pour graver au hasard des signes aztèques à l'intérieur d'une cloche ? Et pourquoi la cloche ?
– Je pense qu'il s'agit d'une question purement rhétorique.
– C'est bien ce que je me demande. As-tu lu ce poème provenant du journal de Blaylock ?

– Je ne savais même pas qu'il y en avait un.

– Je le découvre moi aussi. Pete et Wendy viennent de le télécharger, expliqua Sam avant de réciter :

Sur l'amour de mon cœur je dessine mon attachement
Je confie mes pieds à la gyre d'Engai
Là-haut, la terre tourne et mes jours sont réduits de moitié
Paroles des Anciens
Paroles du père Algarismo

– Pas mal pour un matheux, observa Remi.

– Je me demande s'il s'est servi de la cloche parce que c'est un support durable, contrairement au papier. Je me demande aussi s'il l'a utilisée à cause de sa forme.

– Je ne te suis plus.

– Le premier vers de son poème : « *Sur l'amour de mon cœur je dessine mon attachement* » parle sans doute de son épouse, d'Ophélie, nom sous lequel il a rebaptisé l'*El Majidi*.

– Et on peut considérer la cloche d'un navire comme son cœur, compléta Remi qui avait compris.

– Exact. Maintenant le second vers : « *Je confie mes pieds à la gyre d'Engai* ». Engai, en swahili, est l'une des orthographes de la version massaï du mot « Dieu » ; quant à la *gyre* – du latin *gyrare* –, elle évoque un tourbillon ou une spirale.

– Comme dans la suite de Fibonacci. La spirale que Dieu imprime à la nature.

– C'est à cela que je pensais. Blaylock utilisait la spirale pour se guider. En rassemblant les vers du poème, tu as Blaylock qui grave sur la cloche la source de son attachement – de son obsession – et qui se sert de la suite de Fibonacci comme d'une sorte de technique de codage.

– Et, au moment où il a rédigé cette inscription – sa femme était morte et il venait de découvrir le *Shenandoah* –, son « attachement » s'est transformé en autre chose, poursuivit Remi. Mais la gyre ? Que vient-elle faire là ?

– Imagine une spirale d'or.

– Oui…

– Maintenant… l'image est gravée à l'intérieur de la cloche : elle part des anses et descend en spirale jusqu'à la lèvre inférieure. Et là où la spirale croise un symbole, cela signifie…

Remi hochait la tête.

– Quoi donc ? demanda-t-elle en haussant les épaules.

– Je ne sais pas. Cela se rapporte peut-être aux trois derniers vers du poème, j'y travaille. Tout ce que j'ai relevé avec certitude, c'est que la suite de Fibonacci et les symboles aztèques apparaissent très fréquemment dans son journal. J'en conclus qu'ils jouent probablement un rôle si Blaylock cherche à cacher quelque chose.

Ils se levèrent, se préparèrent une carafe de café et descendirent dans la salle de travail : Selma dormait sur un lit pliant disposé dans un coin, on avait diminué l'intensité de l'éclairage halogène, et Pete et Wendy, le visage éclairé par la lueur de leur écran, travaillaient devant leur ordinateur.

– Café, les enfants ? murmura Sam.

Wendy secoua la tête en souriant et désigna de la tête les boîtes de Red Bull posées sur la table.

– On a presque fini, dit Pete. Ces sacs en plastique ont tenu le coup. Ça n'est qu'une supposition, mais je dirais que, d'une façon ou d'une autre, les caractères ont été protégés depuis qu'ils ont été tracés.

– Vous avez tout déchiffré ? interrogea Remi.

– Oui, acquiesça Wendy, à part quelques passages illisibles çà et là. Dans deux heures, tout sera téléchargé et classé.

– Sam a une idée qu'il voudrait essayer, dit Remi.

– Nous sommes tout ouïe, répondit Wendy.

Sam expliqua sa théorie ; Pete et Wendy la considérèrent quelques instants puis, à l'unisson, hochèrent affirmativement la tête.

– Ça me paraît plausible, déclara Pete.

– À moi aussi, confirma Wendy. Les mathématiciens – et Blaylock en était un – adorent l'ordre au sein du chaos, ajouta-t-elle.

Du fond de la salle, la voix enrouée de Selma lança :

– Qu'est-ce que vous racontez ?

– Rendors-toi, lui conseilla Remi.

– Trop tard, je suis réveillée. Alors, qu'est-ce que vous racontez ?

Elle se leva et s'avança en traînant les pieds jusqu'à la table de travail. Remi lui versa une tasse de café et la glissa vers elle. Selma la saisit et but une gorgée pendant que Sam expliquait de nouveau sa théorie de la spirale/cloche/symbole.

– Ça vaut la peine d'essayer, reconnut Selma. Les anses de la cloche seraient l'endroit le plus probable pour débuter la spirale, mais comment en connaissez-vous la dimension ? Et vous supposez qu'elle se déroulerait pour s'achever sur la lèvre de la cloche ? Et si ce n'était pas le cas ?

– Rabat-joie, fit Sam avec un sourire las.

Le groupe reprit la discussion. En tête de liste, figurait la question de l'échelle. On pouvait construire une spirale de Fibonacci à n'importe quelle échelle. Si Blaylock utilisait réellement une spirale, il se référait certainement à des dimensions précises pour la première case de la grille. Ils tournèrent autour de cette idée une heure durant avant de reconnaître qu'elle ne les menait nulle part.

– Ça pourrait être n'importe quoi, marmonna Sam en se frottant les yeux. Un chiffre, une note de musique, un griffonnage…

– … ou quelque chose que nous n'avons pas encore vu, intervint Remi. Quelque chose que nous n'avons pas remarqué.

De l'autre côté de la table, Pete Jeffcoat posa sa tête sur la table et allongea les bras devant lui ; sa main droite heurta la canne de Blaylock qui roula jusqu'au bord et tomba bruyamment sur le sol.

– Bon sang ! fit Pete. Pardon !

– Pas de problème.

Sam s'agenouilla pour ramasser la canne. Le battant s'était libéré de son attache de cuir et ne pendait plus que par une unique lanière. Sam ramassait le tout quand, soudain, il s'immobilisa pour scruter le pommeau.

– Sam ? interrogea Remi.

– Il me faudrait une torche électrique.

Wendy ouvrit un tiroir et tendit une lampe à Sam ; il l'alluma aussitôt et braqua le faisceau sur l'objet.

– Le pommeau est creux, murmura-t-il. J'aurais besoin d'une longue pince à épiler.

Wendy dénicha de nouveau ce qu'il avait demandé. Sam s'en empara et, délicatement, introduisit dans l'ouverture les branches de l'instrument ; il les fit tourner quelques secondes puis commença à les retirer.

Entre les branches de la pince apparut un coin de parchemin.

Chapitre 28

– OH, BIEN SÛR, ÇA N'AURAIT PAS PU ÊTRE SIMPLE, une carte marquée d'un gros X par exemple !

Pour ne pas endommager le parchemin ou tout autre indice qui y serait encore éventuellement caché, Pete et Wendy avaient emporté la canne de Blaylock dans la salle des archives afin d'en extraire ce qu'elle pouvait contenir.

Dix minutes plus tard apparut sur l'écran de la salle de travail une image numérique de ce que Sam avait récupéré avec sa pince à épiler.

– Nous avons dû réduire la carte, annonça Pete en sortant de la salle des archives, car elle mesurait à peu près quinze centimètres de large sur vingt-cinq de long.

– Et ces notations le long de la côte ? s'enquit Sam.

– Une fois la carte numérisée, Wendy essaiera de la nettoyer grâce à son Photoshop magique. Les *R* placés en suffixe désignent probablement des noms de rivières – en français, semble-t-il. On pourrait également travailler sur le fragment de mot qu'on voit dans le coin supérieur gauche : « runes ».

« Il y a une autre notation, continua Pete. Vous voyez la flèche que j'ai mise en surimpression ?

– Oui, répondit Remi.

– On distingue des caractères microscopiques sur cette petite île. Nous travaillons là-dessus aussi.

La porte des archives s'ouvrit : Wendy apportait un rectangle de parchemin inséré en sandwich entre deux plaques de verre.

– Qu'est-ce que c'est ? interrogea Remi.

– La surprise du chef. Roulée tout au fond de la canne, répondit Wendy en posant les plaques de verre sur la table.

Sam, Remi et Selma se rapprochèrent et regardèrent sans rien dire une dizaine de secondes.

– Un codex, un manuscrit aztèque, murmura enfin Remi.

*

Pour affronter ce double problème, ils décidèrent de partager leurs forces : Pete et Wendy s'attaqueraient à l'identification de la carte ; Sam, Remi et Selma, au nouveau parchemin.

– À l'origine, *codex*, en latin, désignait un bloc de bois puis, avec le temps, n'importe quel livre ou parchemin relié. Il a servi de modèle pour la fabrication des livres modernes mais, avant que cela devienne une pratique courante de relier les textes, n'importe quoi était considéré comme un codex – même un simple morceau de parchemin ou plusieurs pliés ensemble. Vous voyez, quand les Espagnols ont envahi le Mexique en 1519...

– Si on en venait aux Aztèques ? l'interrompit Sam.

– D'accord, mais n'oubliez pas que les historiens débattent beaucoup à propos des Aztèques, tant sur des points insignifiants que sur des problèmes fondamentaux. Je vais vous donner un condensé de la version grand public.

« Sous le terme populaire “Aztèques”, on regroupe les peuplades parlant le nahuatl – le mexica selon certains historiens – et qui, parties de quelque part au nord, ont émigré au VIe siècle dans le centre du Mexique.

– « Quelque part au nord », observa Selma, c'est un peu vague.

Remi acquiesça.

– Encore une source de controverses, j'y reviendrai dans une minute. Les Aztèques ont donc poursuivi leur migration dans la vallée de Mexico, déplaçant ou absorbant d'autres tribus – et, en même temps, certains aspects de leur mythologie et de leur culture –, jusqu'aux environs du XIIe siècle. À cette époque, la quasi-totalité du pouvoir dans la région était concentrée entre les mains des Tépanèques à Azcapotzalco. Avance rapide : le pouvoir change de mains, de nouvelles alliances sont conclues puis rompues, et les Aztèques n'exercent que peu d'influence.

« Jusqu'en 1323 où, selon la légende, les Aztèques ont une vision : celle d'un aigle perché sur un cactus, un serpent dans son bec ; après quelques années d'errance, les Aztèques étaient tombés sur une île marécageuse et inhabitable au milieu du lac Texcoco – qui a presque entièrement disparu aujourd'hui – et qui se trouve au pied de Mexico. C'est sur cette île qu'ils sont censés avoir eu cette vision. Ils cessent alors leurs errances et commencent à bâtir une ville qu'ils appelleront Tenochtitlán.

« Malgré le terrain très défavorable, les Aztèques ont réussi une merveille technique. Tenochtitlán, leur nouvelle capitale, occupait environ mille trois cents hectares sur la rive ouest du lac Texcoco. Ils construisirent des chaussées reliant la ville à la terre, bâtirent des aqueducs pour ravitailler la ville en eau potable ; ils aménagèrent des plazas, édifièrent des palais, des quartiers résidentiels et des centres commerciaux, tous reliés par des canaux. Quand les moissons de la terre ferme ne suffirent plus à nourrir la population devenue trop nombreuse, les ingénieurs aztèques créèrent des jardins flottants – des *chinampas* – capables de donner jusqu'à sept récoltes par an.

« Cela dura une cinquantaine d'années, jusqu'à la fin des années 1420, date à laquelle se forma la Triple Alliance entre Tenochitlán, Texcoco et Tlapocan. L'alliance devenant de plus en plus puissante, toutes les autres tribus tombèrent sous son joug. Puis, lentement, au cours du siècle suivant, les Aztèques et Tenochtitlán prirent le dessus.

– C'est alors que Cortés arriva, intervint Sam.

– Exactement, au printemps 1519, et, en deux ans, l'Empire aztèque fut pratiquement détruit.

– En quoi consiste alors le reste de la controverse ? demanda Selma. À propos des Aztèques ?

– On s'interroge sur leur provenance – le nord, le sud, et de quel territoire ? De nombreuses cultures mésoaméricaines classiques et préclassiques – Toltèques, Mayas, Olmèques – présentent des points communs avec celle des Aztèques. Le problème de l'œuf et de la poule, en quelque sorte. S'agissait-il simplement d'un phénomène de croisement culturel ou bien l'un de ces peuples était-il le précurseur de tous les autres ? De nombreux historiens pensent que les Aztèques étaient les vrais précurseurs de la Méso-Amérique.

Sam et Selma digérèrent tout cela, puis Sam reprit :

– Bon, tu parlais des codex…

– En effet, dit Remi. Après l'invasion de Cortés et l'effondrement de l'Empire aztèque, il existait une foule de codex rédigés pour la plupart par des Jésuites et des Franciscains, certains par des soldats ou des diplomates et même quelques-uns par des Aztèques qui les avaient dictés à d'autres. Ceux-là sont assez rares et on n'en faisait généralement peu de cas – du moins jusqu'au cours des deux derniers siècles. Les codex aztèques s'écartaient en effet de la « ligne » espagnole selon laquelle le peuple aztèque était composé de sauvages et la conquête un événement merveilleux inspiré par Dieu. Vous voyez le style.

– Une fois de plus, les vainqueurs dictent l'Histoire.

– Exactement.

– Tu parles, intervint Selma, du Codex Borbonicus, du Mendosa et du Florentin…

– Absolument. Il y en a des douzaines qui, généralement, décrivent la vie aztèque avant, pendant et après la conquête espagnole. Certains ne racontent que des activités de routine tandis que d'autres relatent des faits historiques, l'arrivée de Cortés, les batailles livrées, des cérémonies et ainsi de suite.

Remi prit une loupe dans un tiroir et se pencha pour examiner le texte. Elle passa dix minutes à scruter chaque centimètre carré puis se redressa en poussant un soupir.

– Par son thème, celui-là ressemble beaucoup au Codex Boturini, censé raconter l'histoire des Aztèques depuis Aztlán jusqu'au Mexico d'aujourd'hui.

– Aztlán ? se renseigna Sam.

– Un des deux territoires mythiques d'où seraient originaires les peuples Nahua parmi lesquels figurent les Aztèques. Nombre d'historiens discutent le point de savoir si Aztlán est une légende ou si cette région existait vraiment.

– Tu parlais de deux territoires.

– L'autre s'appelle Chicomoztoc, ou le Lieu des Sept Cavernes, un site important pour la tradition et la religion aztèques. Regardez nos codex. Vous voyez ce creux en forme de fleur dans le coin inférieur droit ? C'est ainsi qu'on représente généralement Chicomoztoc. Mais ce dessin-là me semble légèrement différent. Je dois faire quelques comparaisons. Selma et Sam acquiescèrent de la tête.

– Je le déchiffre assez bien, déclara Sam. Il représente certainement un voyage par mer, le canoë étant, je présume, une métaphore ?

– Difficile à dire. Mais as-tu remarqué l'objet en forme de peigne sur le côté ?

– Je l'ai vu en effet.

– C'est le glyphe du chiffre cent pour les Aztèques.

– Il s'agit de personnages ou de vaisseaux ?

– D'après son emplacement, je pencherais pour les bateaux.

– Cent navires, appareillant de Chicomoztoc, proposa Sam. Mais vers… où ?

– Vers l'endroit où se trouvent l'oiseau et l'objet en dessous ? suggéra Selma. Qu'est-ce que c'est ? Je ne distingue pas bien.

– Une épée, ou une torche peut-être ? tenta Sam.

– Je ne sais pas trop, reconnut Selma, pourtant cet oiseau me paraît familier.

– C'est normal, répondit Remi, on le rencontre dans le journal de Blaylock. Tu devrais reconnaître autre chose.

Sam montra du doigt la forme esquissée occupant la moitié supérieure du codex.

– Également dans le journal de Blaylock.

– Un bon point pour monsieur Fargo. Et encore une, ajouta Remi en lui tendant la loupe. L'inscription.

Sam approcha la loupe de son œil et, penché sur le codex, il lut à haute voix.

– Mon espagnol n'est pas très au point, mais voici… « *Dado este 12vo día de Julio, año de nuestro Señor 1521, por su alteza Cuauhtemotzin. Javier Orizaga, S.J.* »

Sam releva la tête :

– Remi ?

– Traduit approximativement, ça donne : « En ce douzième jour de juillet de l'an de grâce 1521, pour son altesse Cuauhtemotzin. Javier Orizaga, S.J. »

– Orizaga… Encore un nom qu'on trouve dans le journal de Blaylock. « Orizaga était-il ici ? »

– Ici, où donc ? interrogea Selma. À Chicomoztoc ?

– À chacun de deviner, répondit Remi. Mais tu as manqué le clou. (Sans ajouter un mot, elle se dirigea vers une station de travail, brancha le navigateur de recherche sur *famsi.org* – la Fondation pour l'Avancement des etudes mésoaméricaines. Puis elle fit pivoter son siège.) De toute évidence, S.J. accolé à Orizaga signifie « Société de Jésus ». Le 12 juillet 1521 se situe douze jours après ce que les Espagnols ont appelé La Noche Triste, la « Triste Nuit », qui marque leur retraite précipitée de la capitale aztèque de Tenochtitlán après que Cortés et ses conquistadors eurent massacré des centaines d'Aztèques – dont leur roi Montezuma II – au Grand Temple, le Templo Mayor. Un tournant pour l'Empire aztèque. En août de l'année suivante, Tenochtlán fut rasée et le dernier souverain aztèque, Cuauhtemotzin, capturé et torturé.

– Cuauhtemotzin, répéta Sam en se retournant un instant vers le codex. Celui auquel Orizaga prétend avoir adressé ce texte.

– Cuauhtemotzin, murmura Selma, a lu le message et, comprenant que son peuple était condamné, il a voulu que quelqu'un le sache…, conclut Selma d'une voix étranglée.

Remi hocha la tête.

– Si ce codex est authentique, nous sommes peut-être devant les dernières volontés du peuple aztèque.

Chapitre 29

Madagascar, océan Indien

– ENCORE L'AFRIQUE, MARMONNA SAM en arrêtant la Range Rover sur le bord de la piste. Il a fallu que ce soit l'Afrique.

Il coupa le moteur et passa en position parking.

– À ne surtout pas dire devant les indigènes, le prévint Remi. Nous sommes à cinq cents kilomètres de la côte africaine et, pour les gens d'ici, Madagascar constitue un monde à part.

Sam leva les bras : il capitulait, sachant qu'elle avait raison. Leur marathon San Diego-Atlanta-Johannesburg-Antananarivo leur avait en effet laissé tout le temps nécessaire pour s'instruire à propos de Madagascar.

Ils mirent pied à terre, passèrent derrière la Land Rover et commencèrent à rassembler leur matériel.

L'identité de la carte retrouvée à l'intérieur de la canne de Blaylock n'avait conservé son mystère que quelques heures, le temps pour Pete et Wendy d'étudier les bases de données cartographiques collectées par les Fargo au fil des années. La carte en question se révéla tirée d'une autre, plus étendue, dessinée par Moreau, un explorateur français, en 1873, quelque vingt-trois ans après l'annexion de l'île par la France. Le fragment de mot dans le coin supérieur gauche venait en fait de *Prunes*, pour l'île des Prunes, le nom donné par un explorateur à une série d'atolls situés le long de la côte. En partant de là, Pete et Wendy n'eurent guère de mal à retrouver le nom des rivières et à isoler la partie de la côte en question.

Mais pourquoi Madagascar revêtait-elle autant d'importance aux yeux de Blaylock ? Cela demeurait un mystère pour Sam et Remi.

À l'exception d'une carte très détaillée, Sam et Remi ne disposaient que d'une copie plastifiée de celle de Moreau ainsi que d'un agrandissement de la zone entourant l'annotation miniaturisée – où ils avaient reconnu l'écriture de Blaylock – que Pete avait découverte superposée au tracé d'une crique de la côte. Habitués au penchant de Blaylock pour ce genre de notes, ils n'avaient pas été surpris de constater qu'elle ne comptait que huit mots :

1442 empans 315°
Dans la Gueule du lion

Quatrième plus grande île du globe, Madagascar représentait à bien des égards un monde à part. Elle abritait, par exemple, cinq pour cent des espèces végétales et animales du monde, dont quatre-vingts pour cent n'existaient que sur son territoire : des lémuriens de toutes les tailles et présentant les zébrures les plus diverses, des crocodiles troglodytes, des plantes carnivores et des centipèdes géants, trente-deux espèces de caméléons, deux cent deux espèces d'oiseaux et une foule de baobabs qu'on aurait crus nés de l'esprit d'un réalisateur de films de science-fiction. Et… absolument aucun serpent venimeux.

L'histoire de Madagascar n'était pas moins unique. Tandis que son histoire officielle commençait au VIIe siècle avec les Bantous utilisant des campements sur la pointe septentrionale de l'île comme comptoirs pour leur commerce avec les marchands arabes de passage, des découvertes archéologiques datant de quelques décennies permirent de remonter plus loin en suggérant que les premiers colons étaient arrivés des Célèbes, en Indonésie, entre 200 et 500 de l'ère chrétienne.

Au cours des onze cents années suivantes, Madagascar devint le creuset de l'Afrique, peuplé essentiellement de colons portugais, indiens, arabes et somaliens, jusqu'à l'avènement de l'âge de l'exploration qui vit puissances coloniales et pirates se ruer sur cette île. La famille Merina parvint alors, avec l'appui des Britanniques, à prendre le contrôle de presque tout le territoire, y exerçant une hégémonie qui se termina près d'un siècle plus tard avec l'invasion française en 1883 et ce qu'on appela la guerre franco-hova. En 1896, la France annexa Madagascar et la famille royale des Merina fut exilée en Algérie.

Sam et Remi passèrent en revue leur matériel une dernière fois puis chargèrent leur paquetage avant de contempler le paysage. En sortant de l'aéroport d'Antananarivo, ils avaient pris la Route 2 vers l'est pour descendre des hautes terres qui traversaient l'île du nord au sud jusqu'aux basses terres où ils se trouvaient, un ruban large de quelque trois kilomètres de forêt tropicale et bordé d'escarpements et de terrains ravinés sillonnés de chutes d'eau. Derrière eux s'étendait le canal des Pangalanes : sur près de huit cents kilomètres se succédaient lacs et étangs, naturels ou non, reliés entre eux par des canaux.

Ils espéraient trouver dans cette section des Pangalanes l'endroit indiqué par Blaylock grâce à cette mystérieuse notation. De là, il suffirait d'arpenter 1 442 « empans » (qu'ils espéraient être en rapport avec la longueur de la canne de Blaylock) sur une direction de 315 degrés et de chercher la « Gueule du lion » mentionnée par le voyageur. Seulement Moreau, l'auteur de la carte, n'avait manifestement pas suivi les cours de cartographie à l'École des explorateurs ; il n'avait aucun sens de l'échelle ni des distances. Sam et Remi allaient devoir progresser un peu au petit bonheur.

– Ça n'a jamais eu l'air simple, soupira Remi, mais, quand on regarde cet endroit... Elle se tut soudain et secoua la tête d'un air accablé.

– Un pays oublié par le temps, acquiesça Sam.

Marchant en tête, Sam quitta la route pour une piste probablement tracée par des animaux sauvages mais qui disparut au bout d'une centaine de mètres ; il dégaina alors sa machette et se mit à se frayer un chemin dans les taillis. À chaque pas, des feuilles en dent de scie leur écorchaient la peau et des tiges épineuses s'accrochaient à leurs vêtements, les contraignant à s'arrêter pour se dégager. Au bout d'une demi-heure – ils n'avaient même pas parcouru quatre cents mètres –, s'ouvrit devant eux une clairière grande comme un garage. Remi consulta leur GPS, regarda autour d'elle pour s'orienter, puis se repéra. Ils reprirent leur marche, Sam ouvrant la voie tandis que Remi donnait la direction. Une nouvelle demi-heure passa. La sueur perlait sur leur peau malmenée et leurs vêtements étaient saturés comme s'ils sortaient d'une piscine. Malgré le soleil étincelant, ils frissonnaient presque. Au bout d'une autre demi-heure, Sam s'arrêta et leva la main pour imposer le silence. Il se retourna vers Remi et se tapota le nez. Elle hocha la tête. De la fumée. Non loin de là brûlait un feu de camp.

Et puis, de quelque part sur leur gauche leur parvint un bruit de feuillage froissé. Quelque chose bougeait dans les broussailles. Ils s'immobilisèrent, osant à peine respirer, essayant de repérer d'où venait le bruit. Ils l'entendirent encore, mais plus loin, leur sembla-t-il.

– Seriez-vous par hasard perdus, braves gens ? lança soudain une voix masculine.

Sam regarda Remi, qui haussa les épaules. Sam répondit :

– « Perdus » non, seulement un peu égarés.

– Ma foi, gloussa l'inconnu, c'est déjà mieux. Si vous avez envie de faire une pause, j'ai du café tout prêt.

– Eh bien, pourquoi pas ? Où donc...

– Regardez à gauche. Avancez droit devant vous de dix ou douze pas et vous tomberez sur une piste creusée par le gibier. Elle vous mènera droit à moi.

Effectivement, quelques instants plus tard, ils distinguèrent dans le taillis, à une dizaine de mètres, la lueur d'un brandon.

– On arrive.

Cinq minutes plus tard, ils débouchaient dans une clairière ceinte de baobabs nains : entre deux arbres, un hamac en filet et, au milieu de l'espace, entouré de deux souches faisant office de sièges, un petit feu de camp pétillait. Un homme d'environ soixante-dix ans, aux cheveux argentés, leur souriait. Une lueur malicieuse brillait dans ses yeux verts.

– Bienvenue. Asseyez-vous donc.

Sam et Remi se débarrassèrent de leurs sacs, s'assirent sur la grosse souche en face de l'inconnu puis se présentèrent. L'homme hocha la tête et déclara en souriant :

– Tout le monde m'appelle le Kid.

– À cause de ça ? demanda Sam en désignant de la tête le revolver que l'autre portait à la ceinture.

– Plus ou moins.

– Un Webley ?

– Vous avez l'œil. Un Mark VI, calibre .455. Des années 1915.

– Assez parlé revolvers, les garçons, intervint alors Remi. Merci de votre invitation : j'ai l'impression que ça fait deux jours que nous sommes ici.

– Donc, pour Madagascar, à peu près deux heures.

Sam consulta sa montre.

– Vous avez raison. (Il remarqua une pyramide de mottes de terre d'une soixantaine de centimètres de haut au pied de leur hôte.) Est-ce que je peux vous demander…

– Ah, ça. Des truffes de Madagascar. Les meilleures du monde.

– Jamais entendu parler, reconnut Remi.

– La plupart sont vendues au Japon. Mille dollars la livre.

– Vous avez alors, calcula Sam, quelques milliers de dollars entassés à vos pieds.

– Dans ces eaux-là.

– Comment les trouvez-vous ?

– Grâce à l'odeur, l'emplacement, les traces d'animaux. Au bout de dix ans, c'est plus une impression qu'autre chose.

– Dix ans ? Pas tout le temps ici, j'espère.

– Non, répondit le Kid en riant. La saison des truffes ne dure que cinq semaines. Les quarante-sept autres semaines, j'ai un petit coin sur la plage près d'Andevoranto. Un peu de pêche, un peu de plongée, un peu de randonnée et beaucoup de temps à regarder les couchers de soleil.

– Ça m'a l'air merveilleux.

– Ça l'est, madame, si l'on ne tient pas compte des écorchures qu'on récolte ici.

Sam et Remi jetèrent un coup d'œil aux croisillons rouges qui leur décoraient bras et jambes. L'homme prit alors un vieux sac à dos en toile posé contre la souche, fouilla à l'intérieur et en tira un flacon de verre sans étiquette qu'il lança à Remi.

– Un remède local qui fait des miracles, déclara le Kid. Ne me demandez pas ce qu'il y a dedans.

Sam et Remi tamponnèrent leurs écorchures avec l'onguent verdâtre et malodorant ; la brûlure disparut aussitôt.

– Ça sent un peu l'urine animale, constata Sam.

– Je vous ai conseillé de ne rien essayer de savoir, rappela le Kid en souriant. Puis-je me permettre de vous demander ce que vous faites par ici ?

Et il leur versa une tasse de café d'une cafetière noire de suie posée à côté du feu.

– Nous cherchons un endroit qui peut-être existe ou bien pas du tout, répondit Sam.

– Ah, le chant des sirènes des pays perdus ! Figurez-vous que les lieux imaginaires figurent parmi mes spécialités.

Sam chercha dans la poche latérale de son sac, en retira la carte de Moreau et la lui tendit. Le Kid l'étudia trente secondes et la lui rendit.

– Bonnes ou mauvaises nouvelles. Choisissez.

– Mauvaises, répondit Remi.

– Vous avez environ quatre-vingts ans de retard. Cette région des Pangalanes a été engloutie lors du tremblement de terre de 1932.

– Et la bonne ?

– La terre s'est asséchée maintenant. Et je peux probablement vous amener à quelques mètres de l'endroit que vous cherchez.

Ils finirent leur café, puis le Kid jeta quelques poignées de terre sur son feu et empaqueta ses affaires ; ensuite ils se mirent en marche, le Kid en tête, Remi au milieu et Sam en dernier. Le Kid n'utilisait ni machette ni boussole : il se dirigeait vers le nord-est, suivant des pistes qui, au premier abord, ne semblaient rien de plus que des brèches dans le feuillage. Malgré son âge, il avançait d'un pas régulier qui incita Sam et à Remi à penser que leur guide avait sans doute passé plus de temps à l'air libre que calfeutré.

Après quarante minutes de marche plutôt silencieuse, le Kid lança par-dessus son épaule :

– Cet endroit que vous cherchez… Qu'a-t-il de si spécial ?

Remi lança à Sam un regard interrogateur. Sam réfléchit un moment, puis répondit :

– Vous m'avez l'air d'un honnête homme, Kid. Je ne me trompe pas ?

Le Kid s'arrêta et se retourna en souriant.

– Vous ne vous trompez pas. J'ai gardé plus de confidences que je n'ai franchi de pas.

Sam le regarda quelques instants, puis hocha la tête.

– Allons-y et nous vous raconterons une histoire.

Le Kid se retourna vers l'avant et reprit sa marche.

– Avez-vous jamais entendu parler du CSS *Shenandoah* ?

*

Au bout d'une heure, le sous-bois commença à s'éclaircir et ils se trouvèrent au cœur d'une savane parsemée de bouquets de baobabs. À moins de deux kilomètres sur leur gauche, les herbages cédaient de nouveau la place à la forêt tropicale qui s'élevait jusqu'à l'escarpement alors que, sur leur droite, ils apercevaient le canal des Pangalanes et, plus loin, le bleu de l'océan Indien.

Ils s'arrêtèrent pour boire un peu d'eau et le Kid dit alors :

– Eh bien, un sacré personnage, ce Blaylock…

– Oui, acquiesça Remi. Mais, ajouta-t-elle, nous sommes toujours incapables de distinguer le vrai du faux dans son histoire, la vérité des fantasmes provoqués par la malaria et le chagrin.

– Ce sont les avantages et les inconvénients de l'aventure, répondit le Kid. Pour ma part, je trouve qu'on ne devrait jamais manquer l'occasion de prendre la route la moins fréquentée.

Sam leva sa gourde en souriant.

– Bravo.

Ils trinquèrent.

– Pourquoi ne souffleriez-vous pas un peu tous les deux pendant que j'explore les lieux ? Je crois que nous ne sommes pas loin, mais j'ai besoin de vérifier quelques détails.

Le Kid posa son sac et s'enfonça dans les herbes qui lui montaient jusqu'aux genoux. Sam et Remi se laissèrent tomber sur le sol et écoutèrent les vagues se briser sur la plage. Des papillons de toutes les couleurs survolèrent les hautes herbes, tournoyèrent un moment puis repartirent. D'un baobab voisin, un maki à la queue zébrée s'était pendu à une branche et, la tête en bas, les observait. Au bout de deux minutes, il remonta dans le feuillage et disparut.

Sans bruit, le Kid surgit derrière eux.

– Eurêka, dit-il simplement.

À peine cinq minutes plus tard, alors qu'ils gravissaient un petit tertre à la pente raide, le Kid s'arrêta et tendit les mains devant lui.

– C'est ici ? demanda Sam.

– Ici. Après le séisme, la crique s'est refermée et l'eau s'est évaporée, ne laissant à découvert que la partie supérieure de l'île. Quatre-vingts ans de boues apportées par l'océan et les tempêtes ont rempli la dépression.

Sam et Remi regardèrent autour d'eux. Heureusement, le tertre ne dépassait pas quarante mètres carrés.

– Je suppose, dit Remi, que nous cherchons le centre et que nous compterons à partir de là.

– Rappelez-moi, demanda le Kid, le nombre d'empans indiqués par Blaylock ?

– Quatorze cent quarante-deux, un peu moins de trois kilomètres.

– Soit, pour Madagascar, trois ou quatre heures, essentiellement en forêt tropicale. Je préconise donc, résuma le Kid après avoir observé le ciel, que nous nous installions pour la nuit.

Chapitre 30

Madagascar, océan Indien

Eveillés peu après l'aube, Sam et Remi suivirent les conseils du Kid et allèrent se rincer dans une flaque laissée par la marée, pendant que ce dernier improvisait un repas de truffes et de purée de marrons au manioc. Ils regagnèrent le campement juste au moment où l'eau de la cafetière commençait à bouillir. Remi remplit les trois tasses tandis que Sam aidait le Kid à servir.

– Je devrais sans doute vous demander, dit le Kid entre deux bouchées, ce que vous savez de la situation ici.

– Vous parlez de la situation politique ? répondit Sam. Pas grand-chose, à part ce que nous lisons dans les journaux : un coup d'Etat, un nouveau président et un ex-président en exil mécontent.

– C'est à peu près cela. Ce que vous ne savez pas, c'est que l'ex-président est rentré d'exil. On raconte qu'il s'est installé à Maroantsetra, sur la côte. S'il parvient à rassembler des hommes et des armes en quantité suffisante, il déclenchera sans doute une guerre civile ; s'il ne réussit pas, ce sera un massacre. Dans un cas comme dans l'autre, le climat ne sera pas favorable aux Blancs. Dans les villes, ça va, mais par ici... (Le Kid haussa les épaules.) Vous feriez mieux de vous méfier.

– De quoi ? demanda Remi.

– Surtout des types armés de kalachnikovs circulant sur des camionnettes à plateau.

– Espérons que nous les repérerons avant qu'ils nous voient.

– Ça vaudrait mieux. Autrement, si vous avez l'air de ne pas valoir le déplacement, ils passeront peut-être leur chemin. Dans ce genre de situations, les sous-fifres considèrent quelquefois l'enlèvement comme une bonne occasion de se faire un peu d'argent.

– Avec de la chance, répondit Sam, nous serons de retour à Antananarivo avant la nuit.

– Après avoir trouvé ce qu'il y a à trouver, avança le Kid en souriant.

– Ou constaté qu'il n'y a rien à trouver, ajouta Remi.

Peu après huit heures, une fois leurs sacs bouclés, ils gravirent la petite colline, mirent le cap sur 315 degrés puis s'enfoncèrent dans la savane, le Kid en tête, Remi au milieu et Sam fermant la marche avec son GPS calibré sur 1 442 empans de la canne de Blaylock, soit quelque 3 030 mètres.

– Espérons qu'en cent trente ans la longueur de la canne de Blaylock n'aura pas varié, lança Sam.

– Ou qu'il n'ait pas su se servir d'un mètre, renchérit Remi.

Ils n'avaient pas parcouru la moitié du trajet que leurs bottes et les jambes de leur pantalon étaient trempées de rosée. Quand ils atteignirent la lisière de la forêt, le soleil émergeait à l'horizon et ils en sentaient la chaleur sur leur dos.

– Attendez-moi un instant, dit soudain le Kid qui s'était arrêté. (Il se mit alors à longer les arbres d'abord en direction du nord sur une cinquantaine de mètres, puis vers le sud.) Par ici, cria-t-il.

Sam et Remi le rejoignirent : il avait bien entendu trouvé un sentier.

Trois mètres plus loin, le soleil brillait moins et ne laissait sur le feuillage que des traînées et des taches de lumière.

– Nous avons fait 1 650 mètres, il en reste 1 380, décompta Sam.

Ils reprirent leur marche et, bientôt, la pente s'accentua, le sentier se rétrécit, les obligeant parfois à quelques contorsions. Ils retrouvèrent les feuilles coupantes et les échardes plus nombreuses que jamais.

Le Kid s'arrêta.

– Vous entendez ? demanda-t-il.

Sam hocha la tête.

– Un torrent. Quelque part sur la gauche ?

– Je reviens, annonça le Kid.

Il quitta le chemin et la forêt l'engloutit aussitôt. Il revint dix minutes plus tard.

– Il se trouve à une trentaine de mètres, parallèle à notre trajet, je crois. À combien sommes-nous ?

– Neuf cents mètres, lut Sam sur son GPS.

– Soit trois fois plus à l'échelle de Madagascar, ajouta Remi avec un courageux sourire.

– Ce sera plus facile quand nous arriverons au torrent. Attention quand même aux crocos.

– Vous plaisantez, dit timidement Remi.

– Absolument pas. Vous avez bien entendu parler des crocodiles troglodytes ?

– On pensait qu'il s'agissait de contes de vieilles femmes.

– Pas du tout. Madagascar est le seul endroit au monde où on en rencontre. Ils comptent sur l'environnement pour régler leur température corporelle – le soleil pour l'augmenter, l'eau et l'ombre pour la diminuer – bien qu'ils n'en aient pas besoin. Il y a quelques années, une équipe du *National Geographic* est venue les étudier, mais cela reste un mystère. Quoi qu'il en soit, le matin, ils utilisent parfois des cours d'eau souterrains pour chasser avant que le soleil devienne trop chaud.

– Comment les repère-t-on exactement ? interrogea Remi.

– Observez les souches qui flottent sur l'eau. Si la souche a des yeux, ce n'est pas du bois. Vous n'aurez qu'à faire beaucoup de bruit et ils s'en iront.

Le lit sablonneux et la profondeur – environ un mètre – du cours d'eau leur permirent de progresser rapidement jusqu'à ce que le GPS n'indique plus que cent vingt mètres. Le torrent s'incurvait d'abord au sud, puis repartait vers le nord et ensuite vers l'ouest avant de déboucher sur un lagon bordé de rochers. Sur le côté ouest, une cascade large d'une douzaine de mètres tombait sur un banc rocheux, dans un nuage d'écume.

– Soixante mètres, indiqua Sam après avoir consulté le GPS.

– Vous la voyez ? demanda Remi, rompant le silence.

– Quoi donc ? répliqua Sam.

Elle montra le point où l'eau dévalait du banc rocheux :

– La tête de lion. Les deux saillies forment les yeux, en dessous, la gueule. Et l'eau... Si vous regardez assez longtemps, certains des filets d'eau ressemblent à des crocs.

– Bon sang, elle a raison, Sam ! s'exclama le Kid en hochant la tête.

– C'est généralement le cas, fit-il en riant.

– Après tout, votre Blaylock n'était peut-être pas si fou.

– Nous verrons.

Sam déposa son sac, se mit torse nu et fixa à son front une torche électrique étanche. Il l'alluma, vérifia le faisceau sur le creux de sa paume et l'éteignit.

– Juste une brève exploration, hein ? s'inquiéta Remi.

– Entendu. Cinq minutes, pas plus.

– Attendez une seconde, dit le Kid en fouillant dans son sac. Les crocos ont horreur de ça, déclara-t-il en tendant à Sam une fusée marine, et encore plus de ça, affirma-t-il en ajoutant un revolver identique à son propre Webley.

Sam soupesa l'arme et l'examina attentivement.

– Je ne le reconnais pas. C'est un autre Webley ?

– Le Webley-Fosbery automatique. Un des premiers et seuls semi-automatiques à barillet. Il ne vaut rien à plus de cinquante mètres, mais il ne laisse pas grand-chose de ce qu'il touche.

– Merci, dit Sam. De combien de Webley disposez-vous exactement ?

– Dix-huit, au dernier inventaire. Une sorte de manie.

– Revolvers de collection, truffes rares… Quel personnage intéressant, apprécia Remi.

Sam fourra la fusée dans une des grandes poches de son short, puis s'aventura sur le bord du lagon, sautant d'un rocher à l'autre et faisant de son mieux pour éviter les parois humides, ce qui se révéla de plus en plus difficile au fur et à mesure qu'il approchait de la cascade. Parvenu à une trentaine de centimètres, il se retourna, fit un petit salut à ses compagnons puis, courbant les épaules sous le déluge, il disparut.

Quatre minutes plus tard, il réapparut ; il grimpa sur un rocher voisin, s'ébroua et revint vers la plage.

– Il y a une petite grotte derrière la cascade, annonça-t-il. Environ six mètres de profondeur, cinq en largeur. Encombrée de déchets : branchages, bois pourri, mottes d'herbe, qui forment une sorte de barrage, mais, derrière tout cela, j'ai découvert une ouverture. Une sorte de brèche horizontale, en fait, un peu comme une porte de garage mal fermée.

– Ça recommence, commenta Remi en souriant.

– Comment ça ? s'étonna le Kid.

– Jusqu'à maintenant, expliqua Sam, dans cette aventure, nous n'avons pas eu à aller sous terre, ce qui est rare étant donné notre activité. Avant qu'il n'existe des portes blindées et des chambres fortes, si on voulait garder quelque chose en sûreté ou préserver un secret, on n'avait le choix qu'entre deux solutions : l'enterrer ou le cacher dans une caverne.

– Ça se fait encore beaucoup aujourd'hui. C'est peut-être en rapport avec la mémoire génétique. Dans le doute, creuse.

– Vous devez donc toujours, à un moment ou un autre, creuser pour chercher.

Sam acquiesça et Remi ajouta :

– Voilà pourquoi nous continuons à pratiquer alpinisme et spéléologie.

– Les cavernes ne figurent pas parmi mes lieux d'excursion préférés, déclara alors le Kid, donc je vais, si vous n'y voyez pas d'inconvénient, vous laisser vous amuser tout seuls. Je me contenterai de garder le camp.

Dix minutes plus tard, armés de tout le matériel nécessaire, Sam et Remi retournèrent à la cascade et passèrent derrière pour accéder à la grotte. La lumière du soleil étant tamisée par le rideau d'eau, ils allumèrent leur lampe frontale.

– Reste de ce côté, Remi, lui conseilla Sam en se rapprochant pour dominer le fracas de la cascade, pendant que je vérifie que nous n'avons pas de compagnie. Tiens-toi prête avec la fusée.

Remi se posta contre l'autre paroi de la grotte tandis que Sam, extirpant une longue branche du barrage végétal, la prenait bien en main. Il se mit à sonder systématiquement les débris. Pas de réaction, rien ne bougea. Il s'attarda deux minutes supplémentaires sur les plus grosses souches, sans plus de résultat.

– Je crois que ça va, cria Sam.

Ils se mirent au travail, déblayant lentement la pile, et finirent par dégager un passage jusqu'à la paroi du fond. Ils s'agenouillèrent devant la brèche. Un petit ruisseau coulait entre leurs bottes et traversait la grotte avant de rejoindre l'eau de la cascade.

Sam enfonça sa branche dans l'ouverture ; tirant le Webley de sa poche, il se pencha en avant pour coller son visage contre la roche et balayer l'intérieur de la cavité avec le faisceau de sa lampe. Il finit par se redresser et fit signe à Remi que la voie était libre.

– À la brèche encore, cher ami, comme disait Henry V, cria-t-elle.

– Rien de tel qu'un peu de Shakespeare pour vous remonter le moral, approuva-t-il.

Chapitre 31

Madagascar, océan Indien

FORT HEUREUSEMENT, L'ACCÈS SE RÉVÉLA FACILE : ils parcoururent un mètre cinquante pliés en deux puis, la voûte rocheuse s'élevant brusquement jusqu'à une dizaine de mètres de hauteur, ils purent se redresser. Ils se retrouvèrent alors dans une caverne allongée, large d'une trentaine de mètres, sous un plafond hérissé de stalactites. Leurs lampes frontales ne portaient pas au-delà d'une dizaine de mètres mais, comme des colonnes minérales divisaient l'espace en « salles », le faisceau lumineux fit apparaître des parois gris perlé et jaune sur lesquelles scintillaient des veines de quartz. Un ruisseau étroit traversait le sol, un mélange de roche acérée et de boue séchée qui crissait sous leurs bottes.

– Nous pourrions le suivre, il me semble, proposa Sam, ce à quoi Remi acquiesça.

Se guidant sur les méandres du ruisseau, ils s'avancèrent alors dans la caverne.

– Un peu décevant, constata Remi au bout de quelques minutes.

– Je sais, mais ce n'est qu'un début.

Leur dernière aventure spéléologique leur avait permis non seulement de résoudre le mystère de la cave perdue de Napoléon, mais aussi d'aboutir à une découverte qui permettait de réécrire des pans entiers de l'histoire de la Grèce antique.

Ils avaient progressé sur trente puis soixante mètres quand la lampe frontale de Sam éclaira une paroi qui faisait saillie sur la base où coulait le ruisseau. De chaque côté, un tunnel s'enfonçait dans les ténèbres.

– À toi de choisir, dit Sam. Le droit ou le gauche ?

– Le droit.

Ils sautèrent au-dessus du torrent et s'engagèrent dans le tunnel de droite. Six mètres plus loin, le sol s'inclinant, ils eurent de l'eau jusqu'aux mollets. Sam braqua le faisceau de sa lampe sur la surface : on distinguait un courant légèrement tourbillonnant. Ils reprirent leur marche.

Soudain Remi s'arrêta tout en posant un doigt sur ses lèvres. Elle éteignit sa lampe et Sam en fit autant. Un silence d'une dizaine de secondes, puis un bruit : quelque chose se déplaçait dans les ténèbres devant eux, avec un bruit de cuir frottant la roche. De nouveau le silence, puis un nouveau bruit : celui d'un tissu mouillé glissant sur la pierre.

Sam et Remi se regardèrent et, en chœur, murmurèrent : *crocodile.* En fait le cuir, c'étaient les écailles frottant la roche et le tissu mouillé, une queue puissante frappant la paroi.

– Fusée, demanda Sam.

Remi n'hésita pas et le tunnel fut aussitôt envahi d'une lueur rouge qui clignotait. Remi abaissa la fusée à hauteur de genou et l'agita devant le crocodile qui s'arrêta, ouvrit sa gueule et émit un sifflement étouffé.

– Le Kid avait raison, constata-t-elle. Ils n'aiment pas ça.

– Pour l'instant. Recule. Lentement. Ne lui tourne pas le dos.

À petits pas, Remi ne quittant pas des yeux le crocodile qui approchait, ils battirent en retraite. Sam jeta un coup d'œil par-dessus son épaule.

– Encore dix pas et nous arrivons à la rampe, puis au passage étroit.

– OK.

– Quand nous y serons, plante le manche de la fusée dans le sable. Nous verrons si ça leur plaît.

Lorsqu'ils arrivèrent à l'endroit fixé, Sam donna une tape sur l'épaule de Remi. Elle s'agenouilla, ficha la fusée dans le limon puis se releva et continua à reculer, la main de Sam toujours posée sur son épaule. Parvenu au milieu de la rampe, le crocodile stoppa à moins de deux mètres de la fusée qui continuait à siffler. Il tâtonna d'abord vers la gauche, puis vers la droite, et s'arrêta de nouveau. Il poussa encore un sifflement, puis redescendit la rampe et plongea dans l'eau. Quelques secondes plus tard, il avait disparu.

– Combien de temps la fusée brûle-t-elle ? interrogea Remi.

– De ce type ? Dix à quinze minutes. Avec de la chance, assez longtemps pour nous permettre d'atteindre l'autre tunnel.

– Et sinon ?

– Alors, on verra comment je me débrouille avec le Webley.

S'arrêtant à peu près tous les dix pas pour écouter, ils s'enfoncèrent dans le tunnel de gauche. Une douzaine de mètres plus loin, le tunnel s'élargit soudain en une chambre à peu près circulaire. Le faisceau de la lampe de Remi balaya sur le sol un objet sombre de forme allongée. Ils reculèrent précipitamment, leurs pieds glissant sur le sable.

– C'était... ? chuchota Remi.

– Je ne crois pas. (Il prit une profonde inspiration et poussa un grand soupir.) Mais il n'en faut pas plus pour me donner des palpitations. Allons-y.

Ils se rapprochèrent suffisamment pour que le faisceau de leur lampe retrouvât l'objet.

– On dirait un vieux poteau télégraphique, fit Sam.

Il avait raison. Puis, presque aussitôt, il remarqua trois traverses fixées en croix au poteau ainsi que des fixations pratiquement tombées en poussière mais qui avaient conservé à peu près leur forme d'origine.

– Un balancier, murmura Remi.

Sam acquiesça et continua à promener le faisceau de sa lampe le long des traverses jusqu'à leur jonction avec une forme allongée en bois partiellement pourri, celle-là nettement plus longue que le « poteau télégraphique » et d'un diamètre quatre à cinq fois plus important.

– Sam, c'est un canoë !

– Un gros. Au moins dix mètres de long, approuva-t-il en hochant la tête.

Contournant ensemble l'embarcation, ils découvrirent de l'autre côté un ensemble de traverses qui formaient également une embarcation. Le canoë mesurait un mètre cinquante en largeur et un mètre vingt de la quille au plat-bord ; il avait une proue effilée, un beaupré qui dépassait et une poupe carrée. Au milieu du bateau, pointant à deux mètres cinquante au-dessus de la coque, ils virent quelque chose qui ressemblait à un mât brisé ; la partie supérieure, d'environ trois mètres, gisait sur le sol, son extrémité reposant sur le plat-bord. En avant du mât, se dressait un toit incliné.

– Sam, recule, fit tout bas Remi.

Il obéit et elle lui montra le sol derrière l'embarcation. Ce qu'ils avaient pris pour un point surélevé du pont était en fait une plate-forme d'une soixantaine de centimètres composée de pierres disposées avec soin.

– Un autel, dit-il.

Après avoir jeté un coup d'œil à leur fusée anticroco qui s'était consumée jusqu'à la moitié, ils examinèrent avec soin le canoë, Remi prenant des photos sur place pour enregistrer l'échelle et le dessin avant d'approcher pour des gros plans. Utilisant son couteau suisse, Sam préleva des échantillons de bois.

– Tout est recouvert d'une sorte de résine, annonça-t-il à Remi après en avoir reniflé un morceau. Une couche épaisse : plus de deux centimètres.

– Ce qui expliquerait le remarquable état de conservation, observa-t-elle.

Sam enjamba le côté tribord du canoë, s'approcha du plat-bord et inspecta l'intérieur de l'embarcation. Au pied du mât se trouvait un monceau qu'il ne pouvait qualifier autrement que de toile décomposée. Parsemé de taches brunes et grises, le tissu s'était partiellement figé en une masse gélatineuse.

– Remi, il faut que tu voies ça.

Elle le rejoignit.

– Une grande voile, dit-elle en se mettant à prendre des photos.

Sam décrocha sa machette et, Remi cramponnée à sa ceinture pour l'empêcher de tomber, il se pencha et plongea la lame dans cet amas.

– C'est comme de la pelure d'oignon, murmura-t-il.

Il dégagea un lambeau de tissu. Remi attendait avec un sac de cellophane vide ; quand elle y glissa l'échantillon, le tissu se brisa en trois fragments. Remi scella le sachet et le rangea avec les autres prélèvements.

Sam repartit vers l'arrière. Dépassant de la traverse, il découvrit un objet en bois de forme arrondie, une sorte de ballon de football prêt à être frappé. Comme pour tout ce qui entourait le canoë, Sam mit plusieurs secondes à comprendre ce qu'il regardait. Remi arriva derrière lui.

– Notre oiseau mystère, déclara-t-elle.

Sam hocha la tête.

– Celui du codex d'Orizaga et du journal de Blaylock.

– Comment l'appelait-il ? Le « grand oiseau vert orné de pierreries » ? Mais je ne pense pas que c'était de cela qu'il parlait, remarqua Remi d'un ton songeur.

Elle prit une douzaine de photos de la sculpture avec son appareil numérique.

– Inspectons le beaupré, suggéra Sam. Quand il s'agit de bateaux, ces choses-là vont souvent par deux.

Ils allèrent jusqu'à l'avant et, ainsi que Sam l'avait pressenti, le beaupré portait aussi une sculpture, en meilleur état que l'autre. En fait, le beaupré lui-même n'était qu'une sculpture : un serpent, la gueule béante, avec un empennage partant de sa tête vers l'arrière.

– Sam, demanda Remi, sais-tu à quoi ça ressemble ?

– Non, je devrais ?

– Probablement pas, je suppose. Moins travaillé et moins stylisé, c'est le portrait tout craché de Quetzalcoatl, le Grand Serpent à plumes, le dieu des Aztèques.

– Rusé comme un renard, murmura Sam au bout de quelques secondes.

– Pardon ?

– Blaylock. Rusé comme un renard : de toute évidence, il avait une bonne raison quand il a caché ensemble dans sa canne la carte de Moreau et le codex. Il était obsédé par quelque chose, c'est vrai, mais davantage que par le *Shenandoah* ou l'*El Majidi.*

– Et cela a peut-être commencé par là, reconnut Remi, mais, en chemin, il a dû découvrir ou apprendre quelque chose qui l'a fait changer de point de vue. La question est : comment celui qui a amené ce canoë ici est-il parvenu jusqu'à la caverne ?

– À moins qu'il n'y ait une autre entrée au-delà de la cité des crocos, ils ont dû le démonter, lui faire passer la cascade et le remonter.

– C'est beaucoup de boulot. Nous sommes à trois kilomètres de la plage et le bateau doit peser près d'une tonne.

– Les marins ont tendance à s'attacher à leur bateau, surtout s'ils l'ont entraîné sur des mers agitées et dans de longues traversées. Nous pourrions en savoir davantage une fois ces échantillons analysés mais, si nous admettons l'odyssée de Blaylock, ce pourrait être un bateau aztèque. Ce qui lui donnerait quoi ? Au moins six cents ans ?

– Nous sommes en train de réécrire l'Histoire, Sam. Aucun récit ne montre les Aztèques voyageant au-delà des régions côtières du Mexique, et encore moins traversant le Pacifique et doublant le cap de Bonne-Espérance.

– Nous ne parlons pas de la même chose, ma chère.

– Comment cela ?

– Tu penses à un voyage d'ouest en est et au XVIe siècle. Moi, je pense d'est en ouest et bien plus tôt.

– Tu ne parles pas sérieusement.

– Remi, tu nous l'as fait remarquer toi-même : les historiens n'ont aucune certitude concernant la provenance des Aztèques. Et si nous nous trouvions devant un bateau d'une migration proto-aztèque ?

Chapitre 32

Madagascar, océan Indien

REMI ALLAIT OUVRIR LA BOUCHE pour répondre quand le claquement d'un coup de feu retentit dans la caverne. Sur leur gauche, quelque chose frappa une stalagmite. Ils éteignirent leur lampe frontale et se plaquèrent contre le sol. Parfaitement immobiles, retenant leur souffle, ils attendirent de nouvelles détonations. Rien ne vint. Vers l'entrée du tunnel de droite, la fusée, presque entièrement consumée, crachotait encore et une lueur rouge se reflétait sur la paroi.

– Tu vois quelque chose ? chuchota Remi.

– Je crois que ça venait de l'extérieur. Attends ici. Je reviens tout de suite.

Sam se leva. Courbé en deux, il fonça vers une colonne minérale, s'arrêta pour regarder et écouter, zigzaguant d'un abri à un autre jusqu'à se coller à la paroi près de l'entrée. Il prit le Webley et plongea dans l'entrée du tunnel.

Crack !

Une balle frappa le sol près de lui et ricocha dans la caverne. Il se précipita, s'engouffra dans la grotte et fila vers la gauche jusqu'à l'endroit par où ils étaient entrés. Il s'allongea à plat ventre et se coula entre deux rochers pour glisser la tête au-dessous de la cascade. Plissant les yeux sous le déferlement de l'eau, il regarda devant lui jusqu'à ce qu'il distinguât le lagon.

Six hommes, tous armés de fusils d'assaut, vêtus d'un jean déchiré, d'un T-shirt crasseux et chaussés de bottes de combat, se tenaient sur la plage. Tous portaient un foulard blanc avec des coins teints en rouge noué autour du bras. Deux d'entre eux étaient agenouillés près des sacs de Sam et de Remi, occupés à en trier le contenu. Sam scruta la zone du lagon et les arbres alentour mais ne vit pas trace du Kid.

Un des hommes – le chef, supposa Sam à ses façons autoritaires et au pistolet semi-automatique qu'il portait à la ceinture – aboya quelque chose aux autre, puis désigna la cascade. Les cinq subordonnés se répandirent autour du lagon.

Sam recula avec précaution, remit le Webley dans son étui et se hâta de rejoindre Remi.

– Six hommes, annonça-t-il, tous armés... les rebelles dont parlait le Kid.

– Tu l'as vu ?

– Je pense qu'il a filé.

– Bon.

– Ils viennent inspecter les lieux. Nous avons une minute, peut-être deux.

– Ils sont combien ?

– Cinq plus leur chef.

– Mauvais compte pour une fusillade. Je suggérerais que nous prenions l'autre tunnel pour chercher une sortie, mais je ne me sens pas d'humeur à être dévorée.

– Je suis sûr, fit Sam en souriant, que nos visiteurs sont du même avis. Toi, cherche une meilleure cachette et moi, je vais aller mettre un peu d'animation là-bas. Je reviens dare-dare.

Sam fonça dans la caverne, franchit le ruisseau et s'engagea dans le tunnel de droite. Après avoir ramassé la fusée plantée dans le sable, il dévala la rampe jusqu'au bord de l'eau, s'arrêta et alluma sa lampe frontale. À six mètres de lui, il aperçut un enchevêtrement de queues couvertes d'écailles, de pattes griffues et de gueules béantes sur d'énormes crocs. Il compta au moins trois crocodiles qui se trémoussèrent en sifflant quand le faisceau de la lampe passa sur eux.

– Navré de vous déranger, murmura Sam.

Il prit son élan et lança plus loin dans le tunnel la fusée qui crépitait encore un peu. Il avait bien visé : elle atterrit sur le dos du crocodile le plus proche puis rebondit au milieu des autres. Les sifflements et la bousculade devinrent frénétiques. En masse, les crocodiles s'enfuirent pour se diriger vers la rampe.

Sam éteignit sa lampe, tourna les talons et partit en courant. Comme il atteignait la crique, il vit la lampe de Remi s'allumer et s'éteindre aussitôt près de la paroi du fond. Il se précipita dans cette direction et la trouva blottie dans un croissant de rochers. Alors qu'il effectuait une glissade pour s'arrêter et se laissait tomber à genoux, il entendit des bruits de voix à l'entrée de la caverne.

– Les indigènes sont énervés ? chuchota Remi à l'oreille de Sam.

– Enragés, même. Si cette fusée reste allumée, nos visiteurs devraient tomber juste dessus.

– Et avoir une belle surprise.

– Espérons seulement que la surprise ne sera pas pour nous.

Il fallut moins d'une minute à leurs visiteurs pour faire sentir leur présence. Habitués maintenant au grondement étouffé mais régulier de la cascade, Sam et Remi entendirent son rythme changer quand des corps la traversèrent. Puis ce fut le bruit des bottes dans la grotte, des voix qui chuchotaient à l'entrée puis dans la caverne principale. Les voix se turent et on n'entendit plus que le crissement à peine perceptible de pas raclant la roche.

– Un homme seul, murmura Sam. Un éclaireur.

Un moment décisif pour leur plan : si l'éclaireur décidait d'aller tout seul voir ce que faisait là cette fusée, les crocodiles lui réserveraient sans doute une réception qui le ferait fuir à toutes jambes ainsi que ses compagnons. Si, au contraire, ils arrivaient en masse, l'accueil des crocodiles et le pandémonium qui s'ensuivrait pourraient aisément engloutir également Sam et Remi.

Ceux-là restaient immobiles, l'oreille tendue. Les bruits de pas cessèrent. Une voix isolée cria quelque chose. Nouveau silence. Puis d'autres bruits de pas se bousculant à l'entrée du tunnel, et le crissement de semelles foulant la caillasse et les sédiments. Le groupe s'enfonçait dans la caverne. Leurs yeux déjà bien habitués à la pénombre, Sam et Remi distinguaient nettement la faible lueur rougeoyante de la fusée vers le tunnel de droite. Dans combien de temps ce groupe la verrait-il, c'était là la question.

Sam et Remi tournaient la tête d'un côté à l'autre, en tentant de repérer les arrivants. Une voix cria quelque chose – en malagasy, supposa Sam – et, si les mots ne signifiaient rien pour lui, il perçut néanmoins la surprise dans l'annonce que Sam traduisit par : Oh, une fusée !

En tout cas, la phrase eut l'effet désiré. Le groupe continua d'avancer, mais plus précautionneusement. Sam et Remi virent la première silhouette s'approcher de la lumière hésitante de la fusée. Puis une seconde. Et ainsi de suite, jusqu'au moment où cinq hommes furent en vue. Un par un, ils descendirent la rampe, on entendait le clapotis des bottes dans l'eau.

– Attention… murmura Sam.

Un cri guttural retentit dans la caverne.

– Maintenant ! cria Sam.

Le premier hurlement fut suivi d'un second, puis d'une grande clameur. Remi parvint à comprendre un des mots, un juron.

– Quelqu'un a du mal à contrôler sa vessie, chuchota-t-elle.

Sam sortit son Webley et cala le canon sur le rocher devant lui.

À travers la caverne, on entendait des bruits d'éclaboussure, puis de bottes martelant la roche de la rampe. Ce furent ensuite les premiers coups de feu, d'abord hésitants, puis crépitant en une fusillade continue résonnant entre les parois de la caverne. L'orifice du tunnel de droite s'embrasa de courtes flammes orange qui jaillissaient du canon des fusils ; dans ces éclairs fugaces, on apercevait des hommes qui trébuchaient, reculaient, se relevaient.

– J'en compte cinq, murmura Sam.

– Moi aussi.

Une fois revenus en terrain plat, les rebelles se retournèrent et déguerpirent, la plupart vers l'entrée. L'un d'eux, pourtant, dans son affolement, fonça à travers la caverne vers la cachette où s'étaient blottis Sam et Remi. Il trébucha dans le torrent, tomba puis se traîna vers l'autre côté. Il se remit debout, fit quelques pas vers eux, puis s'arrêta et regarda autour de lui.

Sa silhouette se découpait à la lueur des coups de feu. Sam braqua son arme sur l'homme.

– Va-t'en, bon Dieu ! (Même si Sam et Remi avaient déjà abattu des hommes, ni l'un ni l'autre n'aimaient s'y résoudre.) Fous le camp… murmura Sam.

De l'entrée principale, une voix cria : « *Rakotomalala !* »

L'homme pivota sur lui-même, s'immobilisa un instant puis se jeta en courant vers l'entrée. Sam abaissa le canon du Webley et poussa un grand soupir.

Remi et lui attendirent d'entendre le grondement de la cascade s'interrompre une nouvelle fois, puis Sam se releva et se dirigea vers l'entrée et traversa la grotte. Il rampa entre les rochers et passa la tête sous la cascade pour apercevoir le lagon. Le groupe avait été saisi d'une telle panique qu'aucun des hommes n'avait pensé aux rochers et tous avaient choisi de revenir à la nage. Ils atteignaient maintenant la plage. Gesticulant et criant, ils racontaient l'histoire des crocodiles à leur chef qui les foudroya du regard puis lança un ordre. Ils ramassèrent les sacs de Sam et de Remi puis tout le monde repartit en file indienne en suivant le cours de la rivière.

Sam attendit qu'ils disparaissent derrière le tournant de la côte puis attendit encore cinq minutes par précaution et vint retrouver Remi.

– Ils sont partis.

– Comment pouvons-nous en être sûrs ?

– On ne peut pas mais, ou bien nous bougeons ou bien nous attendons la tombée de la nuit et cela ne me dit rien de rester ici. Nous avons poussé notre chance assez loin avec nos hôtes reptiliens.

Remi jeta un coup d'œil vers le tunnel de droite. Les crocodiles s'étaient un peu apaisés, mais les sifflements et le bruit des queues qui frappaient l'eau démontraient que le calme n'était pas tout à fait revenu.

– On pourrait peut-être filer maintenant, concéda Remi.

Quelque chose bougea sur la rampe et lentement un museau allongé émergea de l'obscurité. La gueule s'ouvrit un peu, puis se referma et la bête recula dans les ténèbres.

– Je crois qu'on devrait vraiment filer maintenant, dit Remi.

Chapitre 33

Madagascar, océan Indien

Ils prirent leur temps pour sortir, s'arrêtèrent d'abord dans la grotte, puis, comme l'avait fait Sam, inspectèrent les lieux à travers la cascade avant de se glisser entre les rochers jusqu'au lagon. Ils nagèrent jusqu'à la plage et prirent pied sur le sable. Pendant que Remi tordait ses cheveux trempés, Sam ôtait ses bottes et en vidait l'eau qui s'y était engouffrée.

– Quelqu'un nous fait signe, Sam, murmura Remi, la tête penchée et tournée vers lui.

– Où ?

Remi lui montra un tas de broussailles d'où émergeaient une main et un avant-bras. La main brandissait un Webley modèle Mark VI et s'agitait frénétiquement comme pour leur faire signe de s'écarter.

Sam posa sa main sur la crosse de son Webley accroché à sa ceinture.

Crac !

Une balle s'enfonça dans le sable, entre ses jambes.

Il s'immobilisa, tout comme Remi qui continuait de se sécher les cheveux. Le bras du Kid se mit lentement à couvert dans les broussailles.

– On dirait qu'ils sont revenus sur leurs pas, observa Remi.

– Ça en a tout l'air. Aurais-tu lu, par hasard, la section « étiquette et bonnes manières » du guide de Madagascar ?

– Je croyais que tu l'avais fait.
– Je l'ai juste parcouru.
Lentement, Sam leva les mains au-dessus de sa tête en se retournant, imitée par Remi. Comme ils s'y attendaient, perchés sur la tête de lion au-dessus de la cascade, se tenaient les six rebelles. Du bord de la corniche, les poings sur les hanches, le chef cria :
– Pas bouger ! Compris : pas bouger !
– Pas bouger, répondit Sam en acquiesçant de la tête.

Sous le regard attentif du tireur isolé juché sur la tête de lion, les cinq autres rebelles descendirent par un sentier dissimulé derrière les rochers pour venir se planter en demi-cercle autour de Sam et de Remi. Le chef s'avança, regarda Sam droit dans les yeux puis, se tournant vers Remi, la scruta de la tête aux pieds. S'approchant encore, il prit le Webley attaché à la ceinture de Sam puis l'examina.
– Bonne arme, déclara-t-il dans son anglais approximatif.
– Bonne arme, confirma Sam.
– Tu es qui ?
– Sam.
– Tolotra. Qui est femme ?
Se souvenant d'un point de l'étiquette malgache, Sam abaissa avec précaution son bras gauche et désigna Remi en prenant soin de garder son index tourné vers sa poitrine.
– Ma femme, Remi.
Tolotra nota le geste de Sam. Son regard se posa sur Remi, puis revint à Sam, et hocha la tête d'un air entendu. De la déclaration suivante de Tolotra Sam déduisit toutefois que sa connaissance des coutumes malgaches ne lui donnerait pas un permis de libre circulation.
– Sam… Remi, otages maintenant.

*

Un des rebelles prenait dans sa ceinture deux longueurs de corde pour, manifestement, ligoter Sam et Remi, quand un geste de Tolotra l'arrêta.

– Sam, toi t'enfuir, nous tirer, expliqua-t-il. Pas t'enfuir. Toi promettre ?

De toute évidence, l'index fléchi de Sam avait fait bon effet.

En réponse, Sam leva la main droite, sans omettre la flexion protocolaire de l'index, puis inclina solennellement la tête.

– Sur ta vie, fit-il.

Remi leva les yeux au ciel.

– Sur ta vie, répéta Tolotra en souriant après avoir considéré un moment le geste de Sam.

Il se tourna vers ses hommes et refit le même geste.

– Sur ta vie, lança-t-il.

– Sur ta vie, firent les hommes avec entrain.

– Si jamais l'un d'eux dispose d'un manuel de vocabulaire anglais, nous sommes morts, maugréa Remi. Tu le sais, n'est-ce pas ?

On les plaça au milieu d'un groupe stratégiquement disposé en file indienne et le cortège s'éloigna du lagon, passant à moins de deux mètres de la cachette du Kid, puis bifurqua sur un sentier qui longeait le torrent. Les bandits surveillaient avec la plus grande attention leurs otages qui se trouvaient toujours à portée de fusil d'au moins deux des hommes, lesquels maintenaient entre eux un intervalle d'au moins trois mètres. De plus, le groupe semblait connaître le terrain aussi bien que le Kid ; Sam et Remi eurent bientôt perdu les rares repères qu'ils avaient enregistrés.

Après une quarantaine de minutes de marche, la jungle s'éclaircit et le sentier déboucha au soleil : ils se retrouvaient dans la savane, mais à quelle distance de la partie traversée précédemment avec le Kid, Sam aurait été bien en peine de le dire. L'océan était sur leur gauche, l'escarpement boisé sur leur droite, ils se dirigeaient donc vers le sud.

Vingt minutes plus tard, ce fut de nouveau la jungle ; ils suivaient cette fois un chemin pratiquement rectiligne, ce qui permit à Sam de s'orienter plus facilement.

– Il me semble que nous ne sommes pas loin de la route, murmura-t-il à Remi.

– C'est probablement comme cela qu'ils nous ont trouvés : ils ont vu la Range Rover. As-tu vu qui tu sais ?

– Non, mais il est dans les parages.

Tolotra qui marchait en tête se retourna.

– Pas parler ! aboya-t-il.

Il brandit ses doigts croisés comme pour bien insister et Sam en fit autant.

– Charmant, chuchota Remi. Tu t'es vraiment fait un ami.

– J'espère ne pas avoir à l'abattre.

– Avec quoi ? Un pistolet à eau invisible ?

– Non, avec mon Webley, grommela Sam, les yeux fixés sur Tolotra. Après le lui avoir repris.

– Pas parler.

Sam s'était correctement repéré car, quelques minutes plus tard, Tolotra tourna à droite au carrefour de deux sentiers. La pente s'accentua et ils ne tardèrent pas à devoir se hisser pour avancer en utilisant les racines qui dépassaient et les branches basses. Tout cela n'affectait en rien la discipline des bandits ; chaque fois que Sam et Remi regardaient autour d'eux, ils apercevaient les canons d'au moins deux fusils braqués sur eux.

Le chemin s'aplanit et ils atteignirent un sentier qui sinuait naturellement entre les arbres. Ils finirent par atteindre le sommet et se trouvèrent sur une route de gravier. À quatre cents mètres vers le sud, une camionnette Chevrolet blanche, toute rouillée, était garée sur le bas-côté et, devant, la Range Rover de Sam et Remi. Dominant la scène, les trois rois mages.

– Où va-t-on maintenant ? demanda Sam à Tolotra.

Remi et lui ne se faisaient pas d'illusions. Ne pas être ligoté représentait certes un avantage, mais ce n'était tout de même pas du cinéma. Faute d'un incident majeur qui détournerait leur attention, toute tentative pour s'attaquer à l'un des rebelles se solderait non seulement par un échec mais probablement aussi par leur mort. Leurs chances se réduiraient encore dès qu'on les aurait fait monter dans un véhicule.

– Endroit secret, répondit Tolotra.

– Toi veux rançon, oui ?

– Oui.

– Comment tu sais que nous valons quelque chose ?

Tolotra réfléchit un moment comme s'il faisait appel au peu de vocabulaire anglais dont il disposait.

– Sacs, vêtements, appareil photo... Tout ça, cher. Voiture chère.

– On l'a louée, rétorqua Remi.

– Hein ?

– Rien.

Sam, se fiant à son instinct qui lui disait que le Kid ne les avait pas abandonnés, ne cessait d'observer les alentours. Effectivement, du coin de l'œil, il perçut soudain un mouvement sur une petite hauteur dominant la route et entrevit entre deux rochers l'éclair d'une touffe de cheveux blancs.

– Nous avons de l'or, annonça Sam.

Voilà qui eut l'effet désiré. Les hommes du groupe qui n'avaient pas suivi la conversation se tournèrent vers Sam. Tolotra s'approcha.

– De l'or ? Où ? Combien ?

Le Kid, passant la tête derrière un rocher, croisa le regard de Sam, lui fit un clin d'œil et désigna les deux véhicules un peu plus loin sur la route avant de disparaître de nouveau.

Sam regarda Remi. Il comprit qu'elle avait vu le Kid.

– À ton avis, Remi, combien ? demanda Sam.

– Je ne sais pas... deux douzaines de pièces avec un aigle.

Cela suffit à Tolotra. L'œil brillant, il hocha gravement la tête.

– Où ?

– À notre hôtel, à Antananarivo.

– Tu donnes pièces, toi libre.

Sans doute un mensonge, se dit Sam, mais quand même un pas dans la bonne direction. Même si le pire arrivait et que le Kid fût incapable d'intervenir ici, Remi et lui seraient dans une meilleure position en se rapprochant de la civilisation plutôt qu'en s'en éloignant ; « l'endroit » de Tolotra était certainement suffisamment « secret » pour être ignoré des forces gouvernementales. Si, toutefois, le bon sens de Tolotra l'emportait en chemin sur sa cupidité, Sam et Remi se retrouveraient à la case départ.

– Nous partir maintenant, annonça Tolotra.

Une nouvelle fois, le groupe se reforma autour de Sam et Remi qui, du coin de l'œil, continuaient à guetter le Kid. En vain. Quel que fût le plan du vieux chasseur de truffes, ils devraient être prêts à réagir et à improviser.

Arrivés à la hauteur de la camionnette Chevrolet, tous s'arrêtèrent, et on jeta sur le plateau les sacs de Sam et de Remi.

– Tiens-toi prête, souffla Sam.

Tolotra et quatre de ses hommes se postèrent près du hayon et se mirent à discuter ; quant au sixième, il s'assit à trois mètres derrière Sam et Remi, son fusil braqué sur leurs reins. D'après les gestes de Tolotra, Sam supposa qu'ils cherchaient la meilleure route à suivre pour gagner Antananarivo, la capitale ennemie.

Remi fut la première à comprendre le plan du Kid. Du regard, elle indiqua à Sam le toit de la camionnette et, plus haut, celui des rois mages qui occupait la position centrale. D'abord, il ne vit rien, puis il remarqua un rocher gros comme une barrique qui s'inclinait de façon presque imperceptible.

– Quand je bougerai, murmura Sam, fonce vers la Range Rover.

Tolotra se tourna et lança un coup d'œil sévère à Sam qui, haussant les épaules, eut un sourire d'excuse.

– D'accord, chuchota Remi.

Au-dessus du roi mage, le rocher s'immobilisa alors qu'il frôlait le bord. Sam et Remi prirent une profonde inspiration. Le rocher avança imperceptiblement, s'arrêta un instant, puis bascula et commença à tomber. La face du pilier était légèrement inclinée vers l'arrière et pratiquement lisse à l'exception de quelques bosses à sa base. La pente, combinée à la force de gravité et à la friction du rocher, faisait qu'il adhérait à la paroi et, en bon ingénieur, Sam savait que cela cesserait dès que le rocher heurterait la première bosse, se transformant alors en un véritable boulet de canon.

Ne parlant pas malagasy, Sam agit de manière à provoquer, espérait-il, une immense panique : il poussa un hurlement strident, montra du doigt le rocher et cria :

– Attention !

Dans un ensemble parfait, Tolotra et ses compagnons levèrent les yeux. N'ayant pas l'avantage, comme Sam et Remi, de l'avoir prévue, ils restèrent tous pétrifiés devant la menace que représentait le rocher dévalant vers eux. Sam qui, pendant presque toute la chute, n'avait pas quitté Tolotra des yeux et qui avait mentalement répété les gestes qu'il allait faire, sauta en avant, décocha sur l'arrière du genou de Tolotra un violent coup de talon et, celui-là s'écroulant, lui arracha le Webley qu'il portait à sa ceinture.

Derrière lui, l'homme qui gardait Remi hurla quelque chose – « Stop ! », traduisit d'instinct Sam – avant de tirer sur sa prisonnière. Sam ne lui en laissa pas le temps. Armé maintenant du Webley, Sam saisit de sa main gauche le col de Tolotra et le frappa de toutes ses forces à la tempe avec le revolver. Tolotra poussa un gémissement et s'effondra.

Sam pivota alors sur place et se jeta à genoux, poussant Tolotra entre lui et les quatre autres hommes, dont deux traversaient déjà la route en courant et les deux autres se précipitaient vers le côté opposé de la camionnette. Dans son mouvement, Sam se trouva tout naturellement braquant son arme dans la direction du garde de Remi. Ainsi que Sam le redoutait, l'homme épaulait son fusil vers Remi, laquelle courait vers la Range Rover.

Sam tira, touchant l'homme au sternum. Telle une marionnette dont on aurait coupé les fils, l'homme s'écroula, mort. Sam passa alors son bras gauche autour de la gorge de Tolotra, puis mit en joue les deux fuyards. Tous deux braquaient leur arme sur Sam mais, visiblement, hésitaient à prendre le risque de faire feu. Sam les visait tour à tour. De l'autre côté de la camionnette, il entendait les deux autres s'enfoncer dans les hautes herbes le long de l'escarpement.

Boum ! Le sol trembla dans un fracas de branches brisées. Une autre secousse ébranla le sol, comme sous la course d'un géant.

– Sam, le rocher rebondit ! l'alerta Remi.

– De quel côté ?

– Vers toi !

Boum ! Plus proche cette fois.

De l'autre côté de la camionnette, les deux rebelles poussaient des cris.

– Ils partent ! lança Remi tandis que, les imitant, les deux derniers détalaient sur la route.

Boum !

– Accroche-toi, Sam ! Il est presque sur toi ! Trois... deux... un...

Sam se roula en boule. Au-dessus de sa tête, retentit un fracas d'acier broyé. Un bruit de verre brisé. Il sentit la camionnette basculer sur le flanc, les envoyant, Tolotra et lui, rouler sur le gravier. Une ombre passa au-dessus d'eux. *Boum !* Le rocher heurta l'autre côté de la route, rebondit encore, puis disparut par-dessus l'épaulement de la colline, renversant les arbres comme un bulldozer. Dix secondes s'écoulèrent puis le bruit s'arrêta. Sam leva la tête et regarda autour de lui.

Plus bas sur la route, les quatre fuyards s'étaient arrêtés et, après une brève concertation, revenaient vers Sam et Remi. Sam, qui avait vu Tolotra fourrer dans sa poche les clefs de la Range Rover, les récupéra.

– Remi, il vaudrait mieux mettre la Rover en route, cria-t-il.

Il lui lança les clefs puis braqua le Webley sur les quatre rebelles qui approchaient.

L'un d'eux trébucha, se prit la cuisse à deux mains et s'écroula sur le gravier en même temps qu'éclatait un bruit sourd. Bien que Sam n'en eût jamais entendu, il supposa qu'un son pareil provenait de la détonation d'un projectile de 455 tiré d'un revolver Webley modèle Mark VI de 1915.

Les trois autres rebelles avaient stoppé net et s'étaient retournés vers les rois mages.

Une seconde balle fut tirée, cette fois entre les jambes de l'homme qui se trouvait au centre. Il recula, suivi du deuxième. Le troisième, doté de réflexes plus lents, s'était à demi accroupi pour épauler posément. Cela lui valut d'écoper d'une balle dans le genou ; il se mit à hurler et tomba à la renverse.

Une voix désincarnée, qui venait des rois mages, cria quelque chose. Les deux rebelles encore armés laissèrent tomber leur fusil. Nouveau cri, les hommes valides aidèrent alors leurs camarades à se relever et le petit groupe s'éloigna en boitillant sur la route.

Sam se débarrassa de Tolotra et se releva. Remi s'avança. Ils contemplèrent tous deux ce qui restait de la camionnette. À l'exception des quatre poutrelles tordues qui encadraient la cabine, elle avait été décapitée.

Une voix lança :

– À bien regarder, on pourrait se dire que c'est exactement ce que j'avais prévu.

Une silhouette émergea des arbres au pied des rois mages et se dirigea vers eux.

– Ce n'est pas le cas ? demanda Sam au Kid.

– Je ne vous le dirai jamais.

– En tout cas, conclut Remi, vous avez certainement l'art de créer une diversion.

– Tout ça, ma chère, déclara le Kid en s'arrêtant devant eux, est l'œuvre de Mère Nature. Et, bien sûr, de rebonds chanceux.

– Merci de ne pas nous avoir abandonnés, insista Sam.

– Je vous en prie.

Sam soupesa le Webley, le contempla un moment, puis le tendit au Kid qui secoua la tête.

– Je vous demande pardon ?

– Jusqu'à aujourd'hui, il n'avait encore jamais servi. Une tradition… chinoise, si je me souviens bien…

– Vous pensez, je crois, poursuivit Remi en souriant, à celle qui énonce : « Sauvez une vie et vous en devenez responsable. »

– En tout cas, monsieur Fargo, fit le Kid en haussant les épaules, maintenant il est à vous.

– Merci, j'en prendrai soin. Que faut-il faire de ces deux-là ? s'enquit Sam en désignant Tolotra et le cadavre sur la route.

– Laissez-les là. Plus tôt vous arriverez à Antananarivo, mieux ce sera.

Le Kid vit l'air sombre de Sam et de Remi.

– N'y pensez plus : ils vous auraient tués.

– Comment en êtes-vous sûr ?

– Au cours des cinq dernières années, il y a eu par ici soixante-trois enlèvements. Rançon versée ou pas, personne n'est revenu vivant. Croyez-moi, c'était vous ou eux.

Sam et Remi réfléchirent et hochèrent la tête. Sam serra la main du Kid puis reprit leurs sacs sur le plateau de la camionnette tandis que Remi embrassait leur sauveur sur les deux joues. Et ils se dirigèrent vers la camionnette.

– Encore une chose, leur cria le Kid.

Sam et Remi se retournèrent. Le Kid fouilla dans son paquetage et en tira un petit sac de toile qu'il leur tendit.

– Des truffes, pour vous remettre.

Puis il tourna les talons et disparut dans la savane.

Sam retourna le sac. Inscrit à l'encre rouge, il y avait un logo : la lettre *C* et, à côté, en petits caractères, *ussler – Truffes*.

– C'est gentil de sa part, observa Remi. Mais qu'est-ce que ça veut dire « ussler » ?

Chapitre 34

Madagascar, océan Indien

ILS ÉTAIENT PRESQUE À MI-CHEMIN d'Antananarivo et approchaient d'un village du nom de Moramanga, à la jonction des routes 2 et 44, quand leur téléphone satellite se mit à sonner. Remi répondit.

– C'est Rube, annonça-t-elle un instant plus tard en branchant le haut-parleur.

– Salut, Rube, fit Sam.

– Où es-tu ?

– À Madagascar.

– Bon sang, c'est ce que je craignais.

– Quelque chose me dit, fit Remi, que ce n'est pas seulement ton antipathie pour Madagascar qui justifie ton appel.

– Une alerte rouge a été lancée sur vos passeports à l'aéroport d'Antananarivo.

– Quand ?

– L'avant-veille de votre arrivée.

– Et ça signifie quoi au juste ? questionna Sam. On ne nous a pas interpellés quand nous avons passé l'immigration.

– C'est bien ce qui m'a inquiété. Sur demande gouvernementale, on vous aurait arrêtés. En termes de police, l'alerte s'appelle « noter et signaler ». Quelqu'un voulait savoir quand vous arriviez.

– Est-ce que ce ne doit pas être forcément quelqu'un du gouvernement ? s'étonna Sam.

– Dans les pays du tiers-monde, où le revenu annuel moyen s'élève à quelques centaines de dollars, tu peux acheter un « noter et signaler » pour le prix d'une tasse de café. Et, comme Rivera a déjà montré qu'il avait des contacts en Afrique…

– Compris, répondit Sam. Tes recommandations ?

– Suppose que quelqu'un te recherche activement ; suppose qu'il te retrouve. Ne retourne pas à Antananarivo. Demande à Selma de te trouver un terrain d'atterrissage privé, un pilote que ça ne gêne pas d'être payé en liquide et qui n'est pas curieux côté passeports.

Cela constituait l'inconvénient de leurs activités : loin d'être célèbres, ils jouissaient pourtant d'une certaine notoriété dans le milieu des chercheurs de trésor un peu aventuriers et si, naturellement, ils avaient quelques détracteurs, ils bénéficiaient aussi d'une solide réputation. Se faire prendre en entrant illégalement dans un pays ou en le quittant dans les mêmes conditions risquait de leur causer plus d'ennuis que cela n'en valait la peine : prison, expulsion, gros titres dans la presse et, peut-être le plus important, la perte de contacts précieux dans les milieux universitaires.

– Nous connaissons la situation politique. Est-ce que cela complique les choses ?

– Grandement. Ne vous éloignez pas de la civilisation et sachez toujours où se trouve le poste de police le plus proche.

– Oui, mais voilà, nous sommes pour l'instant un peu en dehors des sentiers battus.

– Pourquoi est-ce que ça ne m'étonne pas ? Bon, donne-moi une seconde. (La ligne resta silencieuse deux minutes, puis Rube la reprit.) D'après nos estimations, les rebelles ne seront pas prêts avant une semaine à lancer une attaque d'envergure, mais ça n'élimine pas des escarmouches. Ça devrait aller pour la plupart des villes dans un rayon de quatre-vingts kilomètres autour d'Antananarivo. Plus elles sont importantes, mieux ça vaut. Si possible, allez vers le sud. Les rebelles sont regroupés dans le nord. Plus bas, c'est…

– Rivera et ses gorilles vont faire le même raisonnement et chercher par là, conclut Sam.

– Rube, tu es le meilleur. Tu peux en être certain. Nous t'appellerons dès que nous serons en sûreté.

Le prochain appel fut pour Selma. Elle écouta, posa quelques questions, répondit qu'elle s'occupait d'eux, puis raccrocha.

Remi étudia la carte tandis que Sam conduisait.

– Nous avons deux options, résuma-t-elle au bout de quelques minutes. La première, prendre une route parmi la douzaine qui va vers le sud ou à peu près en passant à trois ou quatre kilomètres d'Antananarivo. Une route goudronnée à deux voies contourne la ville à l'est pour rejoindre la route 7 en direction du sud.

– Et les routes sans numéro ? De quoi ont-elles l'air ?

– Au mieux de la terre et du gravier.

– Ce large choix rend notre piste plus difficile à repérer, observa Sam.

– Et la 7 nous rallongerait de cinq ou six heures et nous ferait arriver largement après la tombée de la nuit.

– Je pencherais pour la route goudronnée, dit Sam.

– Moi aussi.

– Autre sujet… Le fait que Rivera ait lancé une alerte sur nos passeports justement ici n'est pas anodin.

– Pas difficile de deviner pourquoi, répondit Remi. Parce qu'ils savent que c'est ici qu'il y a quelque chose à découvrir. Mais s'agit-il de notre canoë ou bien d'autre chose ?

– Nous l'apprendrons quand nous saurons, pour commencer, ce qui les a attirés à Madagascar. À mon avis, ils sont déjà venus et n'ont pas trouvé ce qu'ils cherchaient.

– D'où la question : où ont-ils cherché, ailleurs qu'à Madagascar ?

L'après-midi s'écoula. Après Moramanga, roulant toujours vers l'ouest en remontant, après des kilomètres de rizières, ils traversèrent une succession de villages portant des noms bizarres que Remi décrivit comme « en partie malagasy, en partie français avec un soupçon d'italien : Andranokobaka, Ambodigavo, Ambatonifody...».

À une quinzaine de kilomètres après Anosibe Ifody, le paysage changea encore une fois, cédant la place à une forêt tropicale parsemée de petites collines brunes qui leur rappelèrent la Toscane. Peu après trois heures, ils s'arrêtèrent à une station-service dans la banlieue de Manjakandriana. Remi entra dans le bâtiment tandis que Sam faisait le plein.

Une Volkswagen blanche de la police déboucha d'une rue adjacente et se dirigea vers le poste d'essence. Roulant tranquillement à quelque trente à l'heure, la Passat ralentit en arrivant à la hauteur de la Range Rover. Quelques secondes plus tard, la Passat accéléra jusqu'au bout du bloc pour se garer sur le côté. Par la lunette arrière, Sam vit le conducteur retirer quelque chose du tableau de bord et le porter à sa bouche.

Remi sortit de la station-service avec quatre bouteilles d'eau et quelques paquets de bretzels, et Sam se remit au volant.

– Tu as l'air soucieux, nota Remi.

– La fatigue peut-être, ou la paranoïa, ou une combinaison des deux, pourtant je crois que cette voiture de police s'intéresse à nous.

– Où ça ?

– Un peu plus loin, sous l'auvent avec l'enseigne Coca-Cola.

Remi regarda dans le rétroviseur.

– Je la vois.

– Il a ralenti à notre hauteur, puis est allé se garer et a ouvert sa radio.

Sam tourna la clé de contact et ils restèrent quelques minutes sans parler.

– Que fait-on exactement ?

– On lui donne une chance.

Remi comprit tout de suite.

– S'il est en mission, il nous arrêtera ici. Sinon… ce sera « noter et signaler ».

– Voilà, dit Sam en embrayant. Remi, c'est le moment de jouer encore une fois la navigatrice. Nous faisons machine arrière.

– Jusqu'où ?

– Pas loin, j'espère. S'il ne nous suit pas, nous ferons demi-tour.

– Et sinon ?

– Alors, on se taille, et il nous faudra une de ces routes sans nom dont tu as parlé.

– On se taille, annonça Remi quelques minutes plus tard. (Retournée, elle regardait par la lunette arrière depuis qu'ils avaient quitté Manjakandriana.)

– Il est à quinze cents mètres derrière.

– Une série de descentes et de virages nous attendent, alors préviens-moi chaque fois que nous le perdons de vue.

– Pourquoi ?

– Si nous accélérons pendant qu'il nous surveille, il saura que nous fuyons ; de cette façon, nous arriverons peut-être à prendre un peu de distance avant qu'il s'en rende compte.

– Futé, Fargo.

– Seulement si ça marche.

– Et s'il essaie de nous arrêter ?

– Je ne veux même pas y penser.

Pendant les quinze minutes suivantes, Sam suivit les indications de Remi, appuyant à fond sur l'accélérateur en comptant jusqu'à dix quand Remi disait « Go ! » avant de retomber au-dessous de la vitesse limite. Peu à peu mais régulièrement, ils augmentèrent de près d'un kilomètre l'écart qui les séparait de la Volkswagen.

– Une de ces routes serait-elle recouverte autrement que de gravier ou de terre ? interrogea Sam.

– Difficile à dire, répondit Remi après avoir étudié la carte, mais la prochaine semble un peu plus stable que les autres. Ça veut généralement dire qu'il y a une sorte de revêtement. Pourquoi me le demandes-tu ?

– Pas de chemin de terre.

– Après un virage assez sec, signala Remi.

– Préviens-moi juste avant, précisa Sam.

Pendant les minutes suivantes, Remi compara les diverses routes qu'ils croisaient avec les indications que donnait la carte.

– Au prochain virage. (Elle mesura la distance avec son ongle.) Dans trois ou quatre cents mètres, juste après la côte.

– Où en est notre copain ?

– Difficile à apprécier, mais il semble avoir un peu accéléré.

Ils arrivèrent en haut de la côte et attaquèrent la descente. Devant lui, Sam aperçut le virage indiqué par Remi. Il écrasa la pédale d'accélérateur et la Range Rover fonça. Légèrement crispée, Remi s'appuya contre le tableau de bord. À cent mètres du tournant, Sam freina aussi fort qu'il le pouvait sans déraper, passant de cent kilomètres à l'heure à soixante.

– Cramponne-toi, dit Sam en donnant un violent coup de volant à droite.

Malgré le centre de gravité très haut de la Rover, les pneus adhéraient au bitume. Sam réalisa qu'il allait pourtant sortir de la route dans le virage. Il tourna à gauche, freina et vira de nouveau à droite. L'arrière de la voiture dérapa, le pneu arrière gauche déborda du bas-côté et ils sentirent la Rover prête à basculer. Sam résista à l'envie de corriger la trajectoire et se laissa entraîner, sortant le pneu avant gauche de l'accotement. Maintenant sur la même ligne, les deux pneus mordirent le sol ensemble. Sam accéléra, donna un coup de volant à droite et la Rover retomba sur la route.

– À droite toute ! cria Remi en montrant une brèche dans le feuillage sur le bas-côté.

Sam réagit instantanément, freinant à mort. La Rover s'arrêta en frémissant. Sam passa en marche arrière, recula de trois mètres, repassa en marche avant et tourna vers la brèche. L'ombre les engloutit, le feuillage fouetta les flancs de la voiture. Il avança d'un ou deux mètres jusqu'au moment où le pare-chocs heurta une barrière de pâturage.

Remi escalada le dossier pour passer à l'arrière et leva la tête pour voir dehors.

– Est-on sorti de la route ? demanda Sam.

– À peine. Il ne devrait pas tarder. (Trente secondes plus tard.) Le voilà. (Elle se retourna, se cala contre le dossier et poussa un grand soupir.) Est-ce qu'on peut rester ici pour...

De la route parvint un grincement de freins, puis le silence. Au loin, un moteur s'emballa et des pneus crissèrent.

– Il se fout de moi. Attache ta ceinture, Remi.

La route était goudronnée, mais elle était étroite et sinueuse ; aucune ligne blanche n'en signalait le milieu et ses accotements s'effondraient. La Range Rover poussée à fond leur permit de gagner près d'un kilomètre avant d'entendre la Passat crisser dans le virage derrière eux. En abordant le tournant suivant, Sam aperçut fugitivement un panneau de signalisation.

– Pont étroit à trois cents mètres, signala Remi qui l'avait vu.

Sam emballa le moteur, dévorant la ligne droite avant le pont. De chaque côté, la jungle semblait de plus en plus proche d'eux. Les feuilles des branches fouettaient les vitres. Le pont apparut dans l'encadrement du pare-brise.

– Ils appellent ça un pont ? rouspéta Remi.

Enjambant une gorge étroite, le pont était ancré à chaque berge par une paire de câbles d'acier mais il n'y avait ni étançons centraux ni pylônes de soutien. Quelques poteaux et des garde-fous en corde de chaque côté. La chaussée se composait de planches de trente centimètres à peine parallèles et, entre elles, rien que le vide ou, de temps en temps, une traverse.

À cent mètres de l'ouvrage, Sam freina brutalement. Remi et lui jetèrent un coup d'œil par les vitres latérales : rien, pas de brèche dans le feuillage, pas de percée. Nulle part où se cacher. À droite, un panneau annonçait en français : « PASSAGE POUR UN SEUL VÉHICULE. VITESSE LIMITE 6 KM ». Autrement dit : traverser au pas.

Sam regarda Remi qui affichait un pauvre petit sourire. Il aligna les roues de la Rover sur les planches du pont, puis appuya sur l'accélérateur. La voiture avança.

Derrière eux, nouveau crissement de pneus. Remi se retourna et vit la Passat déraper dans le virage, faire une légère queue de poisson puis redresser sa trajectoire.

– Je parie à dix contre un qu'il comptait sur ce pont.

– Je ne parie pas, rétorqua Sam, les doigts crispés sur le volant.

Les pneus avant de la Rover heurtèrent la première traverse du pont et s'engagèrent sur les planches. Le bois gémit et craqua. Les pneus arrière s'engagèrent à leur tour.

– Nous voici au point de non-retour, déclara Sam. Est-ce qu'il ralentit ?

– Non… Maintenant oui, mais il ne s'arrête pas.

Sam accéléra et l'aiguille du compteur de vitesse dépassa les douze kilomètres à l'heure.

Remi abaissa sa vitre, passa la tête dehors et regarda en bas.

– Je ne sais pas si j'ai vraiment envie de savoir, cria Sam.

– Je vois une chute d'une quinzaine de mètres vers une rivière.

– Une rivière calme, hein ?

– Blanche d'écume. Classe 4 au moins.

– Bon, ma beauté, arrête tes descriptions.

Remi rentra la tête à l'intérieur et regarda cette fois par la lunette arrière.

– Il est presque sur le pont. De toute évidence, ce n'est pas le panneau de signalisation qui l'inquiète.

– Espérons qu'il connaît mieux la route que nous.

Ils franchirent le milieu du pont.

Quelques instants plus tard, ils sentirent la Range Rover s'incliner légèrement. Réagissant à la double charge, le pont s'était mis à onduler – comme une corde à sauter qu'on commence à faire tourner – avec un déplacement d'à peine quelques centimètres ; puis, rapidement, les différences de poids et de position des véhicules commencèrent à s'ajouter.

– Interférence d'amplitude, murmura Sam.

– Tu disais ?

– C'est de la physique : quand deux ondes d'amplitudes différentes se combinent…

– Ça fait du vilain, termina Remi. Je comprends.

La Range Rover s'élevait et redescendait de façon irrégulière, d'une quinzaine de centimètres dans chaque sens, estima Sam. Remi se sentait au bord de la nausée.

– Aurions-nous par hasard des comprimés contre le mal de mer ?

– Désolé, ma chère. Nous sommes presque arrivés.

L'extrémité du pont apparaissait devant le pare-brise. Encore six mètres… trois. Sam serra les dents, attendit que la Rover amorçât le plongeon suivant, puis donna un grand coup d'accélérateur. L'aiguille du compteur bondit à quarante à l'heure : la voiture franchit brutalement la dernière traverse et retomba sur la terre ferme.

Remi regarda par la lunette arrière et fut horrifiée par ce qu'elle vit.

– Sam…

Il se retourna. Ne bénéficiant plus du poids compensateur de la Rover, la Passat de la police encaissait tous les chocs. Le pont se souleva puis retomba soudain, laissant une seconde la voiture suspendue au-dessus du vide. Elle évita de justesse la chute. La Passat retomba mais légèrement de travers, et le pneu avant gauche s'encastra dans la brèche centrale. Un horrible craquement : la traverse la plus proche avait cédé.

La Passat pencha sur le côté gauche, glissa davantage dans la brèche. Le tiers de l'avant, incluant le bloc moteur, pendait maintenant dans le vide.

– Oh, mon Dieu, murmura Remi. (Spontanément, Sam ouvrit sa portière et mit pied à terre.) Sam, qu'est-ce que tu fais ?

– Pour autant que nous sachions, il s'agit seulement d'un flic qui fait ce qu'on lui a ordonné.

– Ou qui se fera un plaisir de te tirer dessus quand tu approcheras de sa voiture.

Sam haussa les épaules et ouvrit le hayon de la Rover. Il fouilla dans son sac et y trouva ce qu'il cherchait : un rouleau de quinze mètres de corde d'alpinisme. Prenant soin de rester sur le côté « surélevé » de la Passat, il s'approcha de la portière droite. Au-dessous de lui, la rivière bouillonnait dans des gerbes d'écume. Il s'agenouilla et inspecta le châssis : la situation était plus précaire qu'il ne l'avait prévu. Si la voiture n'était pas tombée, c'était grâce au pneu arrière gauche qui s'était coincé entre une planche et une traverse.

– Vous parlez anglais ? cria Sam.

Le policier hésita quelques instants.

– Un peu, répondit-il enfin avec un accent franco-malagasy.

– Je vais vous sortir…

– Oui, merci beaucoup…

– Ne me tirez pas dessus.

– D'accord.

– Répétez ce que je viens de dire.

– Vous allez m'aider. Je ne vais pas tirer sur vous avec mon revolver. Tenez… je le jette.

Sam se dirigea vers l'arrière de la Passat et regarda par-dessus le pare-chocs de façon à voir la portière gauche. Une main tenant un revolver apparut par la vitre ouverte, l'arme tomba et dégringola dans la brume. Sam revint jusqu'à la portière droite.

– Okay, tenez bon.

Il déroula la corde puis fit des nœuds distants d'un mètre. Ensuite, après avoir vérifié la solidité de la balustrade, il lança une extrémité de la corde à travers la fenêtre droite.

– Quand je dirai : « go », je tirerai sur la corde et vous grimperez. Compris ?

– Je comprends. Je grimperai.

Sam enroula le filin autour d'un des poteaux, l'empoigna à deux mains, cria : « Go ! » et commença à tirer. La voiture se mit à trembler en grinçant. Du bois vola en éclats.

– Continuez à grimper ! ordonna Sam.

– Je comprends. Je vais grimper.

Deux mains noires apparurent par la fenêtre droite, suivies d'une tête et d'un visage.

La Passat glissa de quelques centimètres vers le bas. Du verre se brisa.

– Plus vite ! hurla Sam. Grimpez ! Encore !

Il tira une dernière fois sur la corde et le flic, dégringolant par la fenêtre, s'affala de tout son long sur la planche, les jambes pendant dans le vide. Sam se pencha, l'empoigna par le col de sa veste et le tira à lui. Dans une série de sursauts, de craquements et de claquements, la traverse céda, la Passat glissa par la brèche et disparut. Un instant plus tard, Sam entendit un grand plouf.

Hors d'haleine, l'homme roula sur le dos et leva les yeux vers Sam.

– Merci, souffla-t-il.

– Je vous en prie, fit Sam en se mettant à enrouler la corde. Vous me pardonnerez si je ne vous propose pas de vous raccompagner. (Le policier hocha la tête.) Pourquoi nous suiviez-vous ?

– Je ne sais pas. Le chef de district nous a donné l'alerte. C'est tout ce que je sais.

– L'alerte a été donnée jusqu'où ?

– Antananarivo et les communes voisines.

– Quand avez-vous envoyé votre dernier rapport ?

– Quand je me suis aperçu que vous aviez tourné sur cette route.

– Qu'est-ce qu'ils ont dit ?

– Rien, fit le flic.

– Y a-t-il de grandes routes plus loin venant du nord ?

L'homme réfléchit.

– Des routes goudronnées ? Oui… trois avant la grande route à l'ouest vers Tsiafahy.

– Vous avez un téléphone portable ?

– Il était dans la voiture. (Sam, sans rien dire, dévisagea le policier.) Je dis la vérité. Parti.

Sam palpa les poches de son pantalon, les retourna et fit de même avec celles de son blouson puis hocha la tête. Il finit d'enrouler la corde, puis se tourna et se dirigea vers la Range Rover.

– Merci, cria encore le flic.

– Pas de quoi, lança Sam par-dessus son épaule. Vraiment. Ne leur dites pas que je vous ai aidé. Les gens qui ont payé votre chef de district vous tueront.

Chapitre 35

Madagascar, océan Indien

– TU CROIS VRAIMENT QU'ILS LE FERONT ? demanda Remi quand Sam, une fois remonté dans la voiture, lui eut rapporté la conversation.

– Je ne sais pas mais, s'il le croit, il aura d'autant plus de raisons de la boucler. Je l'espère.

– En tout cas, tu as bien agi, Fargo, le félicita Remi en se penchant pour poser un baiser sur la joue de son mari.

– Quelqu'un lui a sans doute proposé un mois de salaire rien que pour suivre un couple de touristes. On ne peut pas lui en vouloir. Si une voiture nous intercepte, elle viendra probablement d'une des trois routes goudronnées dont il a parlé.

– Je suis d'accord. (Remi déplia la carte et l'étudia un moment.) Tsiafahy est au sud d'Antananarivo sur la route 7. Si nous pouvons y arriver…

– Combien jusqu'à l'embranchement vers Tsiafahy ?

– Soixante kilomètres. Et encore trente à l'ouest jusqu'à Tsiafahy.

Sam hocha la tête et regarda sa montre.

– On pourrait y arriver avant la nuit.

*

Ils comprirent presque aussitôt que leur optimisme était sans doute injustifié. Après le pont, la route décrivait dans la jungle des lacets ininterrompus qui ralentissaient considérablement leur vitesse. Ils passèrent sans incident le carrefour avec la première route goudronnée et se trouvèrent bientôt roulant le long d'une rivière semée de rochers – celle, supposèrent-ils, qu'ils avaient traversée trente minutes auparavant.

– Bientôt l'intersection suivante, annonça Remi. Dans trois kilomètres.

Cinq minutes plus tard, Sam aperçut l'embranchement. Remi montra du doigt quelque chose à travers le pare-brise.

– J'ai vu... comme un reflet métallique.

– Un pare-chocs, maugréa Sam entre ses dents. Zut, si nous n'étions pas deux dans cette voiture, peut-être...

Remi se blottit sur son siège. En arrivant au croisement, Sam se colla au dossier pour jeter un coup d'œil par la fenêtre de Remi. La voiture, un gros 4 × 4 Nissan bleu marine, était garée sur le bas-côté, à quelques mètres du carrefour.

– Qu'est-ce qui se passe ? s'informa Remi.

Sam regarda dans le rétroviseur.

– Il démarre... Il est derrière nous.

Remi se redressa et prit les jumelles posées par terre entre ses pieds et les braqua vers l'arrière.

– Un conducteur et un passager. Deux silhouettes masculines, me semble-t-il. Je distingue sur le pare-brise une étiquette de location de voitures européennes.

– Autant de mauvais signes. Ils accélèrent ?

– Non, ils roulent à notre vitesse. Tu connais le proverbe, Sam : avec chaque rat que tu vois, il y en a cinquante autres...

Il acquiesça de la tête car si la Nissan les poursuivait, il y avait de bonnes chances pour qu'il y ait une seconde voiture, peut-être même une troisième devant.

– À quelle distance la prochaine route goudronnée ?

– Six kilomètres, répondit Remi après avoir consulté la carte.

*

Ils parcoururent cette distance en près de dix minutes. Cent mètres derrière, la Nissan roulait à la même allure qu'eux. Remi ne cessait d'étudier la carte ou de surveiller à la jumelle leurs poursuivants potentiels.

– Qu'espères-tu d'eux ? demanda Sam avec un sourire.

– Ou bien qu'ils s'en aillent ou bien qu'ils hissent le drapeau noir.

– Bientôt le carrefour, probablement à la sortie du prochain virage.

Remi se retourna vers l'avant.

Sam leva le pied, aborda en douceur le tournant puis accéléra de nouveau.

– Sam !

Cinquante mètres plus loin, garé en travers de la chaussée, un 4 × 4 Nissan rouge attendait.

– Le voilà, ton drapeau noir ! cria Sam en donnant un léger coup de volant à gauche.

Il déboîta légèrement sur la gauche, roulant au milieu de la route et pointant le capot directement sur la portière droite de la Nissan. Il appuya sur la pédale d'accélérateur et le moteur de la Rover se mit à rugir.

– Ils ne bougeront pas, jugea Remi, les mains crispées sur le tableau de bord.

– On verra.

– Le type de derrière s'est rapproché, ajouta-t-elle après avoir jeté un coup d'œil par-dessus son épaule.

– Plus précisément ?

– Il est à une trentaine de mètres et arrive vite.

– Accroche-toi, Remi.

Le pouce pressant le bouton, Sam déclencha la poignée du frein de secours – qui ne déclenche pas les feux de stop. En deux secondes, la vitesse de la Rover diminua de moitié et le conducteur de la Nissan, n'étant pas alerté, réagit trop tard. La Nissan apparut, énorme, dans le rétroviseur de Sam, qui donna alors un brutal coup de volant à droite. La Nissan vira à gauche pour éviter la collision et Sam la vit dans son rétroviseur extérieur qui approchait à côté de lui. Il vira sèchement à gauche et eut la satisfaction d'entendre un grincement de métal froissé. La Nissan rouge occupait tout le pare-brise de la Rover. Sam donna un violent coup de volant à droite, frôla le pare-chocs de la Nissan en montant sur le bas-côté puis revint sur la route.

– Tu as doublé un peu sec, Fargo, observa Remi.

– Toutes mes excuses. Tu vois la bleue ?

Remi vérifia.

– Elle est toujours là, à environ deux cents mètres derrière, et la rouge est en train de repartir.

Deux minutes plus tard, les Nissan avaient repris leur chasse et tentaient de réduire l'écart qui les séparait de la Rover. Le moteur de la Rover était plus puissant, mais le centre de gravité, plus bas, des Nissan avantageait ces dernières dans les virages. Aussi, se rapprochaient-elles, lentement mais régulièrement.

– Tu as une idée ? demanda Remi.

– Je suis ouvert à toutes les suggestions.

Remi déplia la carte et suivit du doigt leur trajet en marmonnant. Elle tira un guide de la boîte à gants, le feuilleta et continua à marmonner.

Soudain, elle releva la tête.

– Il n'y a pas un virage à gauche qui vient ?

– Nous sommes en plein dedans.

– Prends-le.

Sam obéit : il freina violemment, et un tête-à-queue très sec lança la Rover sur le chemin de terre qui croisait leur route. Ils passèrent en trombe devant un panneau annonçant : « LAC DE MANTASOA ».

– Lac de Mantasoa ? On va pêcher ? demanda Sam.

– Il y a des ferries, répondit Remi. Elle consulta sa montre. Le prochain part dans quatre minutes.

Sam vit dans le rétroviseur les deux Nissan prendre le virage en dérapant.

– J'ai comme l'impression que nous n'aurons pas le temps d'acheter des billets.

– Je verrai ce que je peux faire.

La route devenait une succession de lacets bordés de talus assez raides. Le feuillage de la jungle se referma autour d'eux, masquant la lumière du soleil. Ils passèrent devant un panneau peint en brun avec un *P* jaune, le dessin d'une voiture et « 50 M ».

– On y est presque, dit Remi. Espérons qu'il y aura du monde.

Sam aborda le dernier virage et la route s'élargit en un petit parking sillonné de diagonales blanches. Sur leur droite, un quai en planches ; à gauche, derrière une pelouse soigneusement tondue, la rivière, désormais très calme. Huit voitures occupaient le parking. Tout au bout, planté devant un rideau d'arbres, un petit kiosque où on vendait les billets. Sur la droite ce qui semblait être une route de service barrée par une chaîne tendue entre deux poteaux.

– Je ne vois pas le ferry, s'inquiéta Sam, fonçant sur le parking.

– Il vient de partir.

À gauche du kiosque, Sam aperçut un sillage d'écume à la surface de la rivière ; il ouvrit sa vitre et ils entendirent alors le battement régulier des roues à aubes.

– Ils sont encore là, rectifia Remi.

Sam jeta un regard au rétroviseur : la Nissan bleue accélérait dans le dernier lacet, suivie de près par la rouge.

– Il me vient une idée plutôt marrante, annonça Sam. Ou vraiment dingue.

– Dans les deux cas, ça vaut mieux que de rester ici.

Sam écrasa la pédale d'accélérateur, pivota au milieu du parking comme un pilote de stock-car et fonça vers le kiosque. Les pneus dérapaient sur l'herbe humide, l'arrière oscillait. Sam corrigea la trajectoire et braqua le capot vers l'entrée de la route de service.

– Prie le ciel que ces poteaux ne soient pas enfoncés profondément, dit-il. On y va !

Remi se recroquevilla sur son siège, les pieds bloqués contre le tableau de bord.

Le pare-chocs de la Rover fonça sur la chaîne. Sam et Remi furent projetés contre leur ceinture de sécurité ; le front de Sam heurta le volant. Il leva les yeux, s'attendant à être immobilisé, mais il vit les branches gifler le pare-brise. Remi regarda le rétroviseur extérieur : les deux poteaux d'entrée avaient été déracinés comme des souches pourries.

– Ils nous suivent ?

– Pas encore. Les deux voitures sont arrêtées sur le parking.

– Bon. Laissons-les discuter.

La route de service n'en était pas une en fait : Sam s'était engagé sur un chemin creusé d'ornières à peine plus large que la Rover. Comme le parking, le côté droit était bordé d'un talus ; sur la gauche, à travers un rideau d'arbres, on apercevait la berge de la rivière. Il serra plus fort le volant pour empêcher la voiture de faire une embardée et de sortir de la piste.

– Tu as une bosse sur le front, constata Remi en la palpant. Quel est notre plan maintenant ?

– Devancer le ferry et foncer jusqu'au prochain point d'embarquement. C'est là où toi et ton guide interviendrez.

– Il n'est malheureusement pas très détaillé, déplora-t-elle en le feuilletant.

– Une liste des arrêts ?

Remi secoua la tête puis consulta la carte.

– Et il n'indique aucune route.

– Intéressant. Nous sommes sur une route qui n'existe pas et nous nous dirigeons donc vers nulle part. Quant à nos camarades, ils n'existent pas davantage ?

Remi pencha la tête pour voir derrière elle entre les arbres.

– Désolée, ils arrivent.

– Le ferry ?

– Non, je ne… Attends ! (Son visage s'éclaira.) Le voilà ! À environ deux cents mètres derrière nous. Sam, un vieux bateau avec des roues à aubes ! Comme sur le Mississippi !

Le chemin montait légèrement et, le sol étant de plus en plus défoncé, la Rover heurta des racines découvertes. Puis, en haut de la côte, le terrain s'aplanit. Sam serra le frein. Quelques mètres plus loin se dressait un épais rideau d'arbres que longeait un sentier de randonnée.

– Le chemin, à droite ? interrogea Sam. Descends vers la rivière.

Sam mit la Rover sur la position parking et, appuyant sur un bouton, il débloqua le hayon qui s'ouvrit aussitôt :

– Prends toutes nos affaires.

Une fois fait, ils coururent jusqu'à l'arrière de la voiture et empoignèrent leurs sacs.

En bas, la Nissan bleue s'engagea dans un virage et commença à monter.

Sam tendit son paquetage à Remi.

– Tu peux tenir ça ?

– Bien sûr.

– Cours.

Remi partit à toutes jambes et Sam se remit au volant. Il enclencha la marche arrière puis il courut à côté de la Rover tout en tenant le volant d'une main jusqu'au moment où les pneus arrière touchèrent le début de la pente. Il claqua alors la portière et sauta de côté. Le conducteur de la Nissan, voyant la Rover dévaler sur lui, freina de toutes ses forces en même temps qu'il passait en marche arrière dans un bruyant cliquetis d'engrenage. Derrière lui, la Nissan rouge qui débouchait d'un virage s'arrêta en glissant.

– Trop tard, fit Sam.

Ses pneus arrière, en heurtant un enchevêtrement de racines, soulevèrent la Rover qui, en retombant, s'écrasa sur le capot de la Nissan. La portière gauche s'ouvrit. Sam saisit le Webley, s'accroupit et tira une rafale : la portière se referma. Sam visa soigneusement, tira une balle sur le capot de la Nissan rouge par acquit de conscience puis tourna les talons et détala.

Sam rejoignit Remi une minute plus tard. Ils s'étaient trompés : le chemin ne descendait pas vers la rivière, il l'enjambait. Remi s'arrêta à l'entrée de la passerelle et tendit son sac à Sam qui arrivait. Derrière eux, au milieu des arbres, des voix s'interpellaient en espagnol.

– Il m'a l'air plus solide que le pont précédent, nota Remi.

Il était construit exactement de la même façon : des planches, des traverses, des cordes et deux câbles de suspension. Sur leur gauche, ils apercevaient l'avant du ferry franchissant le coude de la rivière, sa cheminée crachant une fumée noire. On n'y distinguait qu'une douzaine de personnes appuyées au bastingage.

– Viens, dit Sam, et il partit en courant, Remi sur ses talons.

Ils s'arrêtèrent au milieu de la passerelle. Le ferry était à trente mètres. Sam regarda en bas : quelque chose bougeait au milieu des arbres, des bras s'agitaient, on essayait d'escalader la pente.

– Trop haut pour sauter, déclara Remi penchée sur la balustrade.

– L'avant, oui, reconnut Sam. Mais regarde le pont supérieur, devant l'abri de navigation. Il est à cinq mètres, peut-être moins.

– Pourquoi pas le toit de l'abri ? Il n'est qu'à…

– Agite les bras, Remi, fais-toi remarquer.

– Pourquoi ?

– Rivera hésitera à nous tirer dessus s'il a un public.

– Toujours optimiste.

Ils se mirent à faire de grands signes en souriant et en poussant des cris. Des gens à l'avant du ferry les virent et leur répondirent. L'étrave du ferry glissa sous la passerelle.

– Dix secondes, dit Sam à Remi. Cramponne-toi à ton sac. Fléchis les genoux dès que tu touches le pont, puis roule en avant. Maintenant, en route ! fit Sam en l'aidant à enjamber la balustrade. Prête ?

– Tu viens, hein ? se fit préciser Remi en lui serrant fort la main.

– Absolument. Une fois en bas, mets-toi à l'abri, au cas où ils tireraient.

Le toit de l'abri disparut sous leurs pieds, bientôt suivi de la cheminée. Des tourbillons de fumée noire les enveloppèrent. Sam, jetant un coup d'œil sur la gauche, distingua vaguement Itzli Rivera qui s'immobilisait au bout de la passerelle. Leur regards se croisèrent un instant, puis Sam se détourna, étreignit la main de Remi et dit :

– Saute !

Remi plongea dans la fumée. Sam sentit le frêle tablier trembler sous des pas : Rivera et ses hommes arrivaient. Sam enjamba la balustrade et regarda en bas. À travers des trouées dans la fumée, il aperçut Remi sur le pont ; elle se relevait.

Il sauta.

Il heurta brutalement le pont, rebondit sur son sac puis roula sur les planches. Remi se précipita et s'accrocha à son bras.

– Par ici.

Il la suivit, un peu à l'aveuglette, jusqu'au moment où il heurta, lui sembla-t-il, la cloison de l'abri. Ils s'accroupirent tous les deux, reprenant leur souffle.

La fumée de la cheminée se dissipait. À cinquante mètres de là, Rivera et trois de ses hommes, plantés sur la passerelle, les regardaient d'en haut. Un des hommes chercha quelque chose dans sa ceinture et exhiba un revolver. Sam à son tour porta la main à sa ceinture, y prit le Webley et le brandit au-dessus de sa tête.

Rivera aboya un ordre à l'homme qui rengaina son arme.

– Remi, fit Sam, dis bonjour aux gentils messieurs.

Chapitre 36

Goldfish Point,
La Jolla, Californie

– DES MYSTÈRES ONT ÉTÉ ÉCLAIRCIS et des énigmes résolues, annonça Selma en entrant dans la salle de travail, flanquée de Pete et de Wendy.

Fonctionnant encore à l'heure de Madagascar, Sam et Remi étaient assis derrière la grande table, chacun buvant à petites gorgées un double espresso. Bien qu'ayant dormi durant presque tout le vol transatlantique du retour, ils étaient encore épuisés.

Après avoir sauté de la passerelle sur le ferry, ils avaient décidé de jouer simplement les touristes et, après s'être lavés de leur mieux, ils se promenaient sur le pont au milieu des autres passagers en admirant le paysage. Non seulement personne ne leur demanda leur billet, mais des stewards en veste blanche leur servirent cocktail et dîner dans le grand salon. Après avoir toute la journée rampé dans des grottes, évité des crocodiles, combattu des rebelles, esquivé des rochers déboulant ici ou là et semé dans la campagne malgache leurs poursuivants, Sam et Remi savouraient le luxe de se laisser simplement dorloter.

Deux heures après leur embarquement improvisé, le bateau aborda le long d'une jetée à l'extrémité d'une péninsule boisée. Sam et Remi débarquèrent avec tout le monde puis suivirent une allée de gravier bien entretenue qui menait à un bâtiment tenant de la plantation sudiste et de la maison de campagne française. Une plaque fixée sur un poteau annonçait : « HÔTEL HERMITAGE ».

Surpris par l'existence d'un endroit pareil au beau milieu de la jungle malgache, ils laissèrent les autres passagers franchir la pergola qui précédait l'entrée et s'arrêtèrent un moment pour contempler les lieux.

– Bienvenue à l'hôtel Hermitage, lança derrière eux une voix féminine.

Sam et Remi se retournèrent et découvrirent une Noire souriante vêtue d'une jupe bleue et d'un chemisier blanc impeccable.

– *Parlez-vous anglais ?* demanda Remi.

– Bien sûr, madame. En quoi puis-je vous être utile ?

– Il semble, expliqua Sam, que nous ayons été séparés de notre groupe. Pourriez-vous nous trouver un moyen de transport pour nous ramener à Tsiafahy ?

– Bien entendu, acquiesça la femme en souriant.

Une heure plus tard, ils arrivaient à Tsiafahy. Selma, alertée par un coup de fil, leur avait trouvé une chambre d'hôtel pour la nuit et, le lendemain matin, ils embarquaient sur un vol charter à destination de Maputo, au Mozambique.

Selma vint s'installer sur un tabouret à côté d'eux.

– Vous me semblez fatigués.

– Peut-être ne vous a-t-on pas régalée des détails de notre aventure malgache.

Selma hocha la tête en levant la main.

– Les crocodiles, les rebelles, les rochers... Si, je me souviens. Pendant ce temps, nous avons travaillé dur pour déchiffrer l'indéchiffrable.

– Selma, vous avez toute l'attention dont nous sommes encore capables.

– Bien. Commençons par le commencement. Nous avons envoyé vos échantillons du balancier au labo de Point Loma ;

résultats d'ici à deux jours. Remi, comme vous l'avez demandé, j'ai adressé un e-mail au professeur Dydell en y joignant vos photos ainsi qu'un tirage scanner du codex Orizaga ; premières conclusions demain dans la journée.

– Stan Dydell, expliqua Remi relevant l'interrogation muette de Sam. Mon professeur d'anthropologie au collège de Boston. Selma, avez-vous…

– Je ne lui ai donné aucun détail. J'ai simplement dit que vous vouliez un examen sommaire. Pour ce qui est du mystérieux monsieur Blaylock, poursuivit Selma, Pete, Wendy et moi…

– Surtout nous, corrigea Wendy.

– … avons lu la plupart des lettres de Blaylock adressées à Constance, la sœur d'Ophélie. Mademoiselle Cynthia s'est trompée : nous pensons qu'il y avait des sentiments amoureux entre Blaylock et Constance – surtout de sa part à elle, d'ailleurs.

– Pourquoi dis-tu cela ?

– Les deux ou trois premières lettres que Blaylock a envoyées d'Afrique constituaient essentiellement un journal de voyage. Blaylock se montre affectueux, mais avec une certaine retenue. Il écrit qu'il aimerait pouvoir répondre aux sentiments de Constance mais que…

Selma consulta le bloc-notes posé devant elle :

– « Malheureusement, la douleur que me laisse encore la disparition de ma chère Ophélie m'inspirerait vite des remords déchirants. » Il parle longuement de ses premiers jours à Bagamoyo et fait même quelques allusions à « ma mission » mais sans entrer dans les détails.

– En tout cas, c'est ce qu'il nous a semblé, ajouta Pete.

– En effet. Après ces premières lettres, nous avons remarqué que chacune des suivantes contenait, çà et là, des points entre les caractères du texte.

Sam hochait la tête.

– Un code : avec les caractères ainsi marqués, il cachait un message.

– Oui, mais Blaylock, chez qui le mathématicien réapparaissait toujours, a un peu compliqué les choses. Je vous épargnerai les détails ; en tout cas, il a utilisé les dates et les numéros de pages pour créer un filtre par soustraction. Par exemple, si le filtre est un trois, vous prenez la lettre *G*, vous soustrayez trois caractères et vous obtenez la lettre *D*.

– Une de nos premières découvertes nous a appris, poursuivit Wendy, que Constance Ashworth travaillait pour le Secret Service auquel elle servait d'intermédiaire avec les princes qui nous gouvernent.

– Je ne m'attendais pas à cela, admit Sam en riant. Comment l'avez-vous découvert ?

– Le message caché dans la troisième lettre de Blaylock disait : « Informez Camden navire à Bombay pour réparations ; équipage et hommes de Maximilien tous cantonnés à Stone Town. »

– Les hommes de Maximilien ? interrogea Remi.

Ce fut Sam qui répondit :

– Une fois la guerre de Sécession terminée, Maximilien Ier, empereur du Mexique, ouvrit grandes ses portes aux soldats confédérés qui voulaient continuer à se battre – à l'époque, les États-Unis soutenaient les partisans qui tentaient de renverser Maximilien – et proposa un accord aux confédérés : combattez d'abord pour moi, ensuite nous nous attaquerons au gouvernement américain. On ne sait pas exactement combien de confédérés se rendirent au Mexique, mais ils furent assez nombreux pour inquiéter Washington. Quand on fait le rapprochement entre le rapport de Dudley mentionnant la présence de Blancs dans l'équipage de l'*El Majidi* et l'allusion de Blaylock à Maximilien… cela vous sent une opération des services secrets confédérés. On a envoyé quelqu'un au Mexique pour recruter des matelots et les envoyer à Zanzibar où attendait l'*El Majidi*.

– Dans quel but ?

– Poursuivre la campagne abandonnée par le *Shenandoah*, j'imagine. Ce navire a causé des dégâts considérables quand il était en activité et il existait de puissantes factions dans la Confédération qui juraient de continuer à se battre malgré la capitulation.

– Ce qui me déconcerte, intervint Wendy, c'est comment ces gens ont-ils eu accès à l'*El Majidi* ?

– Difficile à dire. Ce que nous savons, c'est que le second sultan de Zanzibar – le frère du premier acheteur du *Shenandoah* – n'aimait ni son frère, ni ce navire, et pourtant, quand il a eu l'occasion de le saborder après l'ouragan de 1872, il y a renoncé et l'a même fait remorquer jusqu'à Bombay pour qu'il y soit réparé, probablement à grands frais.

– Cette faction secrète de confédérés l'avait peut-être déjà acheté et le sultan n'eut pas le choix, suggéra Pete.

Sam, les sourcils froncés, se leva et se dirigea vers une des stations informatiques où il se mit à pianoter sur le clavier d'un ordinateur. Deux minutes plus tard, il se retourna.

– Avant de mourir, le premier sultan de Zanzibar avait secrètement commencé à démanteler le trafic des esclaves dans son pays. Quand son frère prit le pouvoir, cette politique cessa.

Selma acquiesça.

– Ainsi, le sultan disposait d'un marché tout prêt pour son commerce d'esclaves au cas où la Confédération, contre toute attente, se relèverait.

– Hypothèses, bien sûr, mais envisageables.

– Bon, revenons au premier message codé de Blaylock, intervint Remi. Il fait mention de « Camden ». Qui est Camden ?

– Camden, dans le New Jersey, la ville natale de Thomas Haines Dudley, expliqua Selma. À notre avis, c'était le surnom de Blaylock plutôt qu'un nom de code officiel. En fait, Dudley avait donné un sobriquet à Blaylock : Jotun.

– Qui, dans la mythologie nordique, précisa Wendy, était un géant doué d'une force surhumaine.

– Bien sûr, s'esclaffa Sam, où avais-je la tête ?

– Inutile de faire le mariole, lança Remi en lui donnant une petite tape sur le bras. Ne fais pas attention, Wendy. Continue, Selma.

– Dans une autre lettre envoyée à Dudley par l'intermédiaire de Constance et datée de juillet 1872, Blaylock signalait que l'*El Majidi* – désormais rebaptisé *Shenandoah*, supposons-nous – avait regagné son port d'attache avec son équipage déjà à bord. Blaylock soupçonne que les réparations effectuées sur le bateau étaient terminées depuis au moins un mois et que l'équipage était déjà en mer.

– Y a-t-il eu des attaques inexpliquées ou des naufrages dans la région durant cette période ? demanda Sam.

– Des douzaines. L'océan Indien était depuis longtemps un havre pour les pirates, plus important que les Caraïbes. Mais impossible d'établir un lien entre le *Shenandoah II* et ces disparitions. Et là, l'histoire se corse. Blaylock conclut son rapport sur cette phrase : « Ai acquis navire fiable et reçu envoi de Sharps. »

– Comme les carabines Sharp ? interrogea Sam. (Selma acquiesça.) Dudley a dû s'arranger pour qu'on les fasse parvenir à Blaylock.

– Un équipage nilo-hamitique apprend vite et ne craint pas l'eau ; on peut donc s'attendre à ce qu'il prenne en chasse un navire en à peine un mois.

– Nilo-hamitique ? répéta Sam. Jamais entendu parler.

– Moi, si, répliqua Remi. Il s'agit d'un terme démodé désignant les tribus massaïs. Notre mystérieux monsieur Blaylock aurait donc recruté un groupe de guérilleros massaïs pour traquer le *Shenandoah II*.

– Il faut lui rendre cette justice, dit Sam, l'homme avait le sens de la mise en scène. D'après la biographie que Morton lui a consacrée, Blaylock aurait vécu un certain temps chez les Massaïs.

– En effet, confirma Selma. On relève dans sa correspondance qu'il a exploré les alentours de Bagamoyo et noué des liens amicaux avec des Massaïs. C'est ainsi qu'il a commencé à en recruter.

– Bon. Nous sommes donc en juillet 1872. Le *Shenandoah II* a un nouvel équipage et se prépare à la bataille. Et après ?

« L'essentiel de ce qui s'est passé après, nous le savons – et nous avons pu en vérifier une partie – grâce aux rapports codés de Blaylock retrouvés dans son journal.

« Deux semaines plus tard, Blaylock et son équipage prirent la mer à bord d'un boum – une sorte de gros dhow à deux mâts – et se lancèrent à la poursuite du *Shenandoah II* qui était parvenu à quitter furtivement le port quelques jours avant eux. Ce petit jeu se poursuit un mois. Puis Blaylock apprend qu'un navire correspondant à la description du *Shenandoah II* a coulé deux bateaux de commerce dans les parages du golfe d'Aden. Or nos banques de données signalent que deux bateaux ont été coulés dans cette région à peu près aux dates que mentionne Blaylock – naufrages qui furent attribués à des pirates.

– On n'en est pas bien loin, remarqua Sam.

– Bien que Blaylock ne soit pas un homme de mer, il se comporte en capitaine compétent, et les Massaïs s'avèrent un équipage capable. Connaissant ses limites, Blaylock n'attaque pas directement le *Shenandoah II* ; il se contente de le suivre à la trace pendant les mois de juillet et d'août. Il recueille des renseignements et prend son temps jusqu'au soir du seize septembre.

« Il surprend le *Shenandoah II* à l'ancre au large de l'île Sainte-Anne, dans les Seychelles, à quelque treize cent milles à l'est de Zanzibar. Blaylock jette l'ancre dans une crique voisine puis ses hommes et lui descendent à terre, traversent subrepticement le petit promontoire et, en vrais pirates, nagent jusqu'au *Shenandoah II* et s'en emparent à l'abordage – sans un seul coup de feu. Mais les Massaïs, en redoutables guerriers qu'ils sont, ne font pas de quartier, sur les soixante-dix-huit hommes que compte l'équipage, il ne reste que six survivants : le capitaine, un autre officier et quatre matelots.

« Le rapport officiel de l'opération arrive en novembre aux États-Unis ; il apprend à Dudley que les survivants ont été débarqués sur l'île Sainte-Anne.

– Sait-on ce qu'il est advenu d'eux ? demanda Remi.

– Je n'ai malheureusement rien trouvé. Blaylock répartit alors son équipage entre le boum et le *Shenandoah II* et amorce le voyage de retour vers Zanzibar. À trois cents milles à l'est des Seychelles, ils rencontrent une tempête et le *Shenandoah II* coule.

À ces mots, Sam et Remi se penchèrent tous deux en avant.

– Coule ? répéta Remi. Comment diable...

– Dans son rapport pour Dudley, Blaylock inclut un message codé pour Constance. (Selma feuilleta son bloc et posa un doigt sur une ligne.) « Après nous être emparés du *Shenandoah,* nous avons aussitôt fait l'inventaire de ce qu'il transportait. À ma grande surprise, dans la cabine du capitaine, je découvris un objet remarquable : la statuette d'un grand oiseau de couleur verte ornée de joyaux, taillée dans un minerai qui m'était inconnu et représentant une espèce que je n'avais jamais rencontrée. Je dois reconnaître, ma chère Constance, que je restai bouche bée. »

Sam et Remi écoutèrent en silence. Sam dit enfin :

– Voilà qui explique ce passage de son journal : le grand oiseau vert constellé de joyaux.

– Et tous ces dessins d'oiseau, ajouta Remi. Et aussi peut-être ce que nous avons trouvé au musée de Morton à Bagamoyo. Tu te souviens, Sam, de tous les oiseaux empaillés pendus au plafond ? Il était obsédé. Que disait-il d'autre dans la lettre, Selma ?

– Je paraphrase, mais en voici l'essentiel : il a accompli son devoir envers sa patrie, non pas une mais deux fois, et cela lui a valu de perdre sa femme. Il avoue avoir menti à Dudley sur les circonstances dans lesquelles le *Shenandoah II* a coulé. Il implore le pardon de Constance et lui dit qu'il compte trouver l'endroit où l'équipage du *Shenandoah II* a découvert l'oiseau et récupérer le reste du trésor.

– Quel trésor ? demanda Sam. A-t-il alors un indice quelconque lui permettant de croire qu'il y a autre chose à découvrir ?

– Si oui, il n'en a pas soufflé mot. En tout cas, pas en langage clair. Étant donné la nature de son journal, c'est peut-être caché là quelque part.

– Et le journal de bord du capitaine du *Shenandoah* ? suggéra Remi. Si Blaylock supposait que l'équipage précédent avait trouvé l'oiseau au cours de ses voyages, il aura sûrement estimé que le livre de bord était le meilleur endroit pour commencer les recherches.

– Il ne parle jamais de journal de bord, mais je suis d'accord avec toi.

– À mon avis, intervint Sam, il a transcrit dans son propre journal tout ce qui lui a paru s'y rapporter.

– Quoi qu'il en soit, Blaylock a continué d'écrire à Constance après la capture du *Shenandoah II*, mais des lettres de plus en plus décousues. Tu peux les lire toi-même, mais tu constateras comme nous que, de toute évidence, Blaylock sombrait dans la démence.

– Et cela ne concerne que les portions en clair, ajouta Pete. Nous avons encore quatorze lettres à décoder.

– Donc, dit Sam, Winston Blaylock aurait passé le reste de sa vie à voguer sur l'océan à bord du *Shenandoah II* où il griffonnait dans son journal, contemplait son oiseau vert et gravait des inscriptions à l'intérieur de la cloche, sans oublier la recherche d'un très hypothétique trésor.

– Peut-être même est-ce plus extraordinaire. Si le codex Orizaga, ajouta Remi, est authentique, et si le canoë est ce que nous croyons, Blaylock aurait pu, quelque part en chemin, tomber sur un secret enterré avec Cortés et les conquistadors : la véritable origine des Aztèques.

Chapitre 37

Goldfish Point,
La Jolla, Californie

– IL Y A ENCORE BIEN DES POINTS À ÉCLAIRCIR, fit observer Sam. (Il prit un bloc, un stylo et commença à écrire.)

* Comment et quand Morton s'est-il procuré le journal, la canne de Blaylock et le codex Orizaga ?
* Comment et quand la cloche du *Shenandoah* s'est-elle retrouvée enfouie près de la côte de l'île de Chumbe ? Comment le battant s'est-il détaché ?

Sam s'arrêta.

– Quoi d'autre ? demanda-t-il.

Remi fit signe de lui passer le bloc et elle écrivit :

* Que savent Rivera et son employeur de Blaylock ? Comment sont-ils intervenus ? Que recherchent-ils ?
* Comment Rivera savait-il pour Madagascar ?

Elle rendit le bloc à Sam qui déclara :

– J'ai une idée sur un point... Que recherchent-ils ? Nous soupçonnons Rivera de travailler pour le gouvernement mexicain, exact ?

– Ça paraît vraisemblable.

– Nous savons aussi que l'administration actuelle, le Mexica Tenochca, est arrivée au pouvoir portée par une vague d'ultranationalisme : fierté pour l'authentique héritage précolonial du Mexique, etc. Nous savons aussi que Rivera et ses gorilles portent tous des noms nahuatl-aztèques, comme la plupart des dirigeants de Mexico Tenochca et des membres du cabinet. La « lame de fond aztèque », comme l'a appelée la presse, leur a fait remporter les élections.

Sam regarda autour de lui et ne vit que des hochements de tête approbateurs.

– Et si le personnage pour qui travaille Rivera connaissait la vérité à propos des Aztèques ? Et depuis bien longtemps avant les élections ?

– Nous avons découvert, poursuivit Remi, ce que dissimulent sans doute les meurtres de neuf touristes en sept ans à Zanzibar. Si notre hypothèse à ce sujet est correcte, la façon d'étouffer ces affaires remonte au moins jusque-là.

Sam acquiesça.

– Si Blaylock a vraiment découvert ce à quoi nous pensons, toute l'histoire méso-américaine en serait chamboulée.

– Assez pour tuer ? demanda Wendy.

– Absolument, répondit Remi. Si les membres du gouvernement actuel ont remporté les élections sur un mensonge et si la vérité éclate, en combien de temps se feront-ils éjecter ? Ou même arrêter ? Imaginez que, après sa prise de fonction en tant que premier président des États-Unis, George Washington se soit avéré un traître.

– Si je comprends bien, nous évoquons la possibilité que le président Garza soit directement impliqué dans cette histoire, résuma Pete.

– Il dispose certainement du genre de pouvoir capable de soutenir Rivera depuis le début. Pour l'instant, nous n'avons que le journal et les lettres de Blaylock, mais quelque chose me dit que les réponses y sont cachées.

– Par où suggères-tu de commencer ? demanda Selma.

– Par son poème. Tu l'as ?

Selma feuilleta quelques pages puis récita :

Sur l'amour de mon cœur je dessine la preuve de mon attachement
Je confie mes pieds à la gyre d'Engai
Là-haut, la terre tourne
De mes mains en prière ma journée se réduit en quartiers, et la gyre tourne une fois, deux fois
Paroles des Anciens, paroles du Père Algarismo

– Les deux premières lignes, nous les avons déjà comprises : il parle de la cloche et de la suite de Fibonacci. Reste maintenant à déchiffrer les quatre derniers vers.

Ils se répartirent le travail : Selma, Pete et Wendy se penchèrent sur les lettres de Blaylock à Constance Ashworth, cherchant des indices qui auraient pu leur échapper, tandis que Sam et Remi s'installèrent dans le solarium pour consulter le journal de Blaylock, chargé par Selma sur leur iPad.

Ils étaient allongés côte à côte sur des chaises longues, protégés par le feuillage des palmiers en pot. Au bout d'une heure, Sam marmonna :

– Leonardo le Menteur.

– Pardon ?

– Ce passage du journal de Blaylock : « Leonardo le Menteur ». Manifestement, Blaylock faisait allusion à Leonardo Fibonacci.

– Célèbre pour ses suites.

– Exact. Mais pourquoi a-t-il ajouté « le menteur » ?

– C'est ce que je voulais te demander.

– La suite de Fibonacci n'a pas été découverte par Leonardo : il a simplement contribué à la répandre à travers l'Europe.

– Il a donc menti en prétendant l'avoir découverte ?

– Non, il n'a jamais prétendu l'avoir découverte. Et Blaylock, qui était mathématicien, l'aurait su. Je commence à me demander si ce passage n'était pas un pense-bête pour lui-même.

– Continue.

– D'après mes recherches, on attribue le plus souvent cette découverte à un mathématicien indien du XIIe siècle, un certain Hemachandra qui – surprise, surprise – était également l'auteur d'un poème épique intitulé *Vies de soixante-trois grands hommes*.

– Encore un passage du journal de Blaylock.

– Placé juste en face de la formule de Leonardo le Menteur.

– Il l'a sûrement fait exprès, déclara Remi. Mais où cela nous mène-t-il ?

– Je ne suis pas sûr, il faut que je revoie cette page.

Sam retourna dans la salle de travail et dit à Wendy :

– J'ai juste besoin de voir la zone autour de la ligne des « soixante-trois grands hommes ».

– Pas de problème. Un instant.

Elle ouvrit l'image sur Photoshop, procéda à quelques réglages.

– Voilà, dit-elle. Vous devriez l'avoir maintenant sur votre écran.

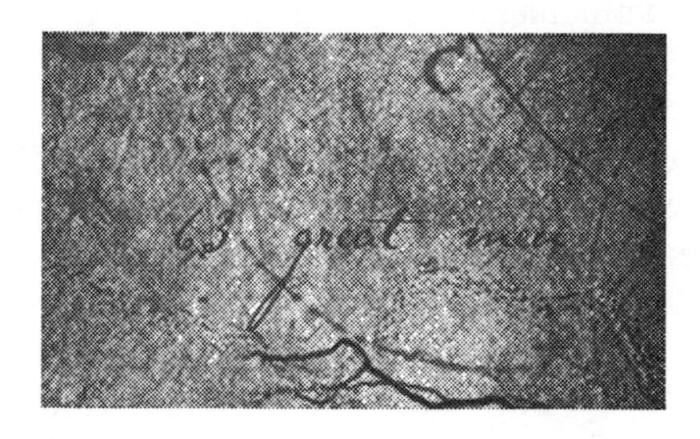

Sam l'examina.

– Pouvez-vous isoler et agrandir la zone autour des Soixante-trois ? (Trente secondes plus tard, la nouvelle image apparut. Sam l'inspecta un moment.) Trop floue. Ce qui m'intéresse surtout, ce sont les petites marques au-dessus et au-dessous des Soixante-trois.

Wendy se remit au travail.

– Essayez avec celle-ci, fit-elle quelques minutes plus tard.
La nouvelle image se dessina sur l'écran.

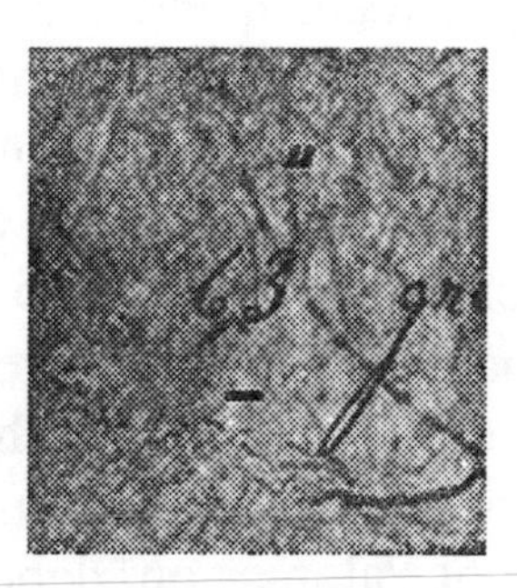

– J'ai dû remettre un peu de couleur, mais je suis pratiquement sûre que les marques sont bien…
– C'est parfait, murmura Sam, les yeux fixés sur l'écran.
– Tu veux bien montrer ça à tes petits camarades ? bougonna Remi.
– Nous avons supposé que Blaylock utilisait la suite de Fibonacci pour encoder les inscriptions sur l'intérieur de la cloche. Mais se pose le problème de l'échelle : quelle était la taille de la grille de départ ? Nous tenons désormais cet élément qui nous manquait.
– Explique, dit Selma.
– La formule de Blaylock à propos de Leonardo devait renvoyer au passage sur les « Soixante-trois grands hommes ». Regarde au-dessus et juste à droite du chiffre trois.
– C'est un guillemet, déclara Wendy.
– Ou le symbole pour les pouces, suggéra Pete.
– Bingo. Maintenant, cherche le tiret juste en dessous du 63. C'est un signe moins. Si tu déplaces le symbole des pouces vers le bas et le signe moins vers le haut, tu obtiens ceci… (Sam prit un bloc pour y griffonner quelque chose et le retourna pour le montrer aux autres :

6" – 3" = 3"

– Blaylock nous indique ainsi que le carré de départ de la suite est de trois pouces.

Ils comprirent rapidement que les connaissances mathématiques nécessaires pour recréer la suite dépassaient leurs compétences. Blaylock avait conçu sa combinaison de la suite gravée sur la cloche en s'appuyant sur ses connaissances en topologie. Pour la comprendre, les Fargo avaient besoin d'un expert : Sam prit donc une page du livre de Remi et appela un de ses anciens professeurs de Caltech. George Milhaupt, maintenant à la retraite, habitait justement à une centaine de kilomètres, au mont Palomar où, depuis qu'il avait quitté l'Institut, il jouait les astronomes amateurs à l'observatoire.

La brève explication de Sam intrigua tellement Milhaupt qu'il sauta aussitôt dans sa voiture : deux heures plus tard, il arrivait à La Jolla.

De petite taille, âgé d'environ soixante-dix ans, sa chevelure blanche agrémentée d'une frange de moine, Milhaupt, une vieille serviette en cuir à la main, rejoignit Sam et le suivit dans la salle de travail. Il jeta un coup d'œil autour de lui, apprécia d'un mot – « Splendide » – et serra la main de tout le monde.

– Où est-ce texte ? demanda-t-il aussitôt. Où est ce mystère ?

Ne voulant pas embrouiller les données, Sam borna ses explications au *Shenandoah*, à la cloche et aux passages concernés du journal de Blaylock. Quand il eut terminé, Milhaupt resta trente secondes silencieux, se mordant les lèvres et hochant la tête.

– Je suis d'accord avec vos conclusions, Sam, déclara-t-il enfin. Vous avez bien fait de m'appeler. Vous étiez bon en maths, mais la topologie n'était pas votre fort. S'il vous plaît, apportez-moi la cloche, vos calculs de Fibonacci et un grand cahier, puis laissez-moi seul ; je m'attaque à monsieur Blaylock et nous verrons ce que je trouverai.

Une heure et demie plus tard, la voix un peu éraillée de Milhaupt se fit entendre dans l'intercom de la maison.

– Allô… ? J'ai terminé.

Ils le rejoignirent tous dans la salle de travail. Sur la table, parmi compas, crayons, règles graduées, et à côté d'un bloc-notes couvert de griffonnages, était posé un croquis :

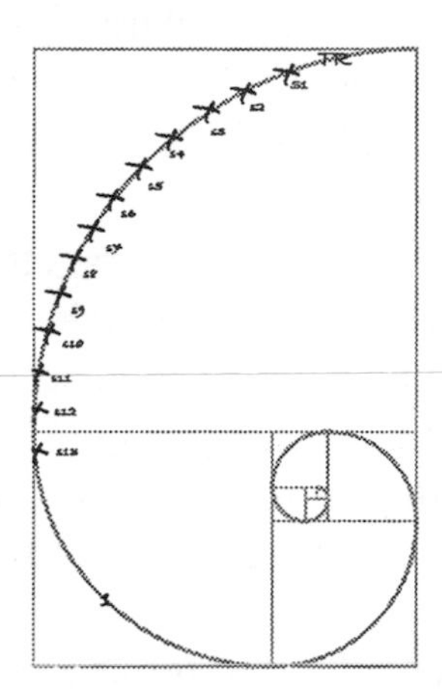

Se livrant alors à un jeu silencieux de chaises musicales, ils se succédèrent autour de la table, les yeux fixés sur le dessin, penchant la tête d'un côté puis de l'autre, jusqu'à ce que Sam s'exclamât :

– Vous nous laissez babas !

– Les chiffres près du bord, en bas à gauche ?

– Oui, dit Sam.

– C'est mon écriture, évidemment, mais ils étaient également gravés à l'intérieur de la cloche. Je pense que cela veut dire « en haut à droite ».

Sam et Remi le regardèrent d'un air surpris.

– Ça nous a échappé, reconnut Remi.

– Ne vous en veuillez pas : ils étaient minuscules. Sans ma loupe, je ne les aurais pas remarqués non plus. Les « *tr* » étaient tout au bord de la cloche.

– Vous avez dit « *les tr* », répéta Remi. Au pluriel ?

– Il y en a deux. J'ai un second croquis mais, à part l'ordre des symboles, ils sont identiques. Quand j'ai vu les deux « *tr* », j'ai supposé qu'ils étaient à la fois des points d'orientation et des points finaux pour une paire de spirales. Maintenant, pourquoi y a-t-il deux spirales… Je pense que la réponse est dissimulée dans le reste de son poème. Comme vous pouvez le voir, chaque X désigne un terme précis, chacun représente un glyphe différent. J'ai légendé tout cela.

– Stupéfiant, dit Sam. Imaginez la patience qu'il a fallu.

Milhaupt sourit et se frotta les mains.

– Et maintenant, déclara-t-il, je serais très heureux de m'attaquer au poème de monsieur Blaylock. Sam le lui lut.

– Je suis d'accord avec votre interprétation des deux premiers vers, approuva Milhaupt. Quant aux autres… j'ai peut-être quelques idées. Tout d'abord, ce type a une pensée très abstraite… ce qui est tout à fait étrange pour un mathématicien.

– Un personnage en effet, reconnut Sam. Peut-être aussi un peu timbré, selon nous.

– Ah, je vois. Cela remet un peu les choses dans leur véritable perspective. Voyez-vous, le troisième vers « Là-haut, la terre tourne » me suggère une paire de spirales qu'il faut voir d'en haut. Les inscriptions que j'ai relevées à l'intérieur de la cloche semblent le confirmer. D'accord ? L'interprétation du suivant – « De mes mains en prière ma journée se réduit en quartiers, et la gyre tourne une fois, deux fois » – est un peu plus délicate, mais, comme nous sommes à peu près certains qu'il s'agit d'une vue d'en haut, « les mains en prière » pourraient représenter les deux aiguilles d'une horloge pointant sur minuit. Je soupçonne que « ma journée se divise en quatre quartiers » signifie que monsieur Blaylock a divisé son « horloge » en quatre sections : minuit, trois heures, six heures et neuf heures. Et enfin, pour suivre cette logique, le vers « la gyre tourne une fois, deux fois » veut sans doute dire que nous devons faire pivoter la première spirale sur la position trois heures et la seconde, sur la position six heures.

Milhaupt en fit la démonstration, faisant tourner ses dessins, le premier avec la partie ouverte de la spirale dirigée vers la droite ; la seconde, en dessous, avec la partie ouverte pointant vers le bas. Il regarda tour à tour les membres du groupe.

– Des idées ? (Personne ne souffla mot.) Moi non plus, admit-il. Et pour le dernier vers ?

– *Paroles des Anciens, paroles du Père Algarismo*, récita Remi. Pour la première partie – « Paroles des Anciens » –, commença-t-elle, nous nous doutons de ce que Blaylock veut dire.

– Vous faites allusion à ces glyphes aztèques à l'intérieur de la cloche ? demanda Milhaupt avec un grand sourire. Je n'ai aucune idée de ce que cela signifie, évidemment. Mais je présume que vous avez une idée.

– Cela vient, acquiesça Sam, du calendrier aztèque – treize mois, avec treize symboles correspondants.

– De toute évidence, monsieur Blaylock était obsédé par les Aztèques, non ?

– « Obsédé » n'est pas le terme que nous avons utilisé, rectifia Remi.

– Nous avons séché sur la seconde partie du vers, reprit Sam, « Paroles du Père Algarismo ».

– J'ai la réponse et j'en suis ravi car, enfin, ma passion pour l'histoire obscure des mathématiques trouve là sa justification. Voyez-vous, le Père Algarismo n'existe pas. Encore un des tours de monsieur Blaylock. Algarismo, en portugais, désigne un « algorithme », soit tout simplement un « chiffre ».

– Donc, déclara Remi, le dernier vers une fois traduit signifie : « Paroles des Aztèques combinées avec des nombres ». Sam, le maître de la cryptographie, ça ne te dit rien ?

Sam hocha la tête.

– Peut-être. Je crois me rappeler une page dans son journal qui ne comportait que des points. Je l'ai rêvée ?

– Non, répondit Wendy, je vais la retrouver, et elle disparut dans la chambre forte.

– Je vois des rouages tourner dans ta tête, fit Remi. Que se passe-t-il ?

– Je ne crois pas que nous devions combiner des mots aztèques avec des nombres. Je crois que nous sommes censés les traduire. Prends, par exemple, le symbole de « silex » et remplace les lettres par les nombres correspondants.

Remi se mit à griffonner sur son bloc :

6, 12, 9, 14, 20

– Un simple code de substitution, observa Milhaupt.

– Exact, confirma Sam. Je pense que les spirales de Blaylock ne sont qu'un camouflage. Regardez ces deux dessins que vous avez fait pivoter. Si vous redressez les extrémités des spirales, vous obtenez une ligne horizontale de glyphes et une autre ligne verticale.

– Une grille en fait, ponctua Remi.

La voix de Wendy se fit entendre sur l'interphone.

– Sam, j'ai trouvé la page dont vous parliez : regardez-la sur l'écran.

Sam saisit la télécommande et alluma la télé. Sam n'avait pas rêvé, la page comportait bien des groupes de points apparemment disposés au hasard, rangées après rangées, colonnes après colonnes.

– Combien de groupes ? demanda Sam.

Remi comptait déjà.

– Cent soixante-neuf. Treize de haut en bas et treize en travers. (Elle sourit.) Le même nombre que ton idée de spirale, Sam, et le même nombre de mois que dans le calendrier aztèque.

– Nous avons un gagnant, dit Milhaupt. Vous n'avez plus maintenant qu'à insérer vos points dans la grille et découvrir ce que tout cela veut dire.

Après tant de mois penché sur les énigmes de Blaylock, Sam avait maintenant la certitude de toucher au but : il s'attaqua au « mystère des points de la grille de Blaylock » avec une ardeur qui ne le lâcha pas de toute la soirée et de toute la nuit, jusqu'aux premières heures du lendemain.

Traduire les glyphes aztèques-nahuatl d'abord dans leur version anglicisée, puis en chiffres, était relativement simple mais prenait du temps. Quand il en eut terminé, il se mit à placer les groupes de points dans leurs rangées et colonnes correspondantes jusqu'à ce qu'il obtînt une sorte de grille de Sudoku conçue sous l'influence du LSD. Il entreprit ensuite d'expérimenter diverses méthodes cryptographiques en espérant tomber sur une solution valable. Peu avant minuit, il en trouva une : un système de type binaire où la position des points déterminait quels chiffres étaient utilisés dans la grille.

Après avoir entendu la théorie de Sam, Remi demanda :

– Tu as essayé ?

– Absolument. À part les groupes « vides », ce sont tous des coordonnées de latitude et de longitude. C'est une carte.

Chapitre 38

Goldfish Point,
La Jolla, Californie

UNE TASSE DE CAFÉ À LA MAIN, Sam et Remi entrèrent à huit heures du matin dans la salle de travail ; ils y trouvèrent Selma, Pete et Wendy plantés devant une grande carte de l'océan Indien collée sur le mur avec du ruban adhésif bleu.

Six heures plus tôt, sur l'insistance de Pete et de Wendy, ils étaient allés se coucher, les laissant repérer les coordonnées sur une carte.

– Sur les cent soixante-neuf emplacements figurant sur la grille de Blaylock, quatre-vingt-deux ne donnaient rien, expliqua Pete. Sur les quatre-vingts restants, cinquante-trois étaient situés au milieu de l'océan, ce qui laissait trente-quatre points de latitude et de longitude sur des terres, ceux que vous trouvez marqués ici.

Les coordonnées étaient indiquées par des punaises rouges reliées par des cordons blancs. En gros, les punaises formaient un grand V inversé qui commençait près de Madagascar, pointait à 2 800 milles au nord-est, au Sri Lanka, pour finir au large de la côte centrale de Sumatra, à 1 400 milles au sud-est.

– Où sont les autres punaises ? demanda Sam.

– Nous en avons retiré certaines, répondit Selma, la plupart à l'intérieur des terres. Nous voulions te montrer d'abord cette disposition particulière.

Sam et Remi reconnurent la lueur qui brillait dans les yeux de Selma. Pendant la nuit, elle, Pete et Wendy avaient fait une découverte importante.

– Continue, insista Remi.

– Après votre retour de Madagascar et ton exposé de la théorie d'une migration est-ouest des Aztèques, j'ai fait quelques recherches. Ces dernières années, un certain nombre d'archéologues et d'anthropologues ont recueilli de plus en plus d'indices prouvant que le peuple malagasy de Madagascar est arrivé là au Iᵉʳ ou au IIᵉ siècle, après avoir traversé l'océan depuis l'Indonésie – plus précisément, de l'île des Célèbes. Je suis tombée sur une carte de la route que sont censés avoir empruntée les Malagasys.

Selma prit la télécommande et alluma le téléviseur devant eux.

La route, représentée par une ligne rouge sur une carte de l'océan Indien, partait de l'archipel indonésien pour rejoindre la côte est de l'Afrique ; elle était presque identique à celle de la carte fixée au mur.

– Incroyable, lâcha Sam en bégayant presque.

– Blaylock a donc devancé de quelque cent vingt ans les experts qui défendent aujourd'hui cette théorie, résuma Remi. C'est impressionnant, mais je ne...

– Ce n'est pas tout, poursuivit Selma.

Pete et Wendy montèrent sur des tabourets pour retirer les punaises, décoller le ruban adhésif et enlever la carte pour la remplacer par une autre, celle-là recouvrant la zone entre la côte est de l'Afrique et l'Amérique du Sud, et également hérissée de punaises rouges reliées par un cordon blanc.

– Tout cela vient de Blaylock ? interrogea Sam.

– Oui.

Le trajet schématisé par les punaises commençait près de la ville côtière de Lumbo, au Mozambique ; il traversait ensuite le désert africain jusqu'à l'Angola et suivait la côte ouest d'île en île ; puis, filant à l'ouest, il rejoignait la protubérance la plus orientale du Brésil ; là, il s'orientait au nord, longeait la côte de l'Amérique du Sud, passait par Trinidad et Tobago, et atteignait la mer des Caraïbes.

– Blaylock aurait-il visité tous ces endroits ? demanda Remi.

– En 1872, répondit Sam, il a capturé le *Shenandoah*, puis s'est lancé dans une chasse au trésor pour trouver son oiseau aux joyaux. Qui sait combien de temps il a passé en mer ? Des décennies, c'est fort possible.

– Cela me rappelle quelque chose, intervint alors Remi. Pete, Wendy, pourriez-vous poser la première carte à côté de celle-là ?

Ils firent ce qu'elle demandait.

Remi regarda pendant une bonne minute, puis eut un petit sourire.

– Vous voyez ? demanda-t-elle.

– Quoi donc ? s'enquit Sam.

Pour toute réponse, Remi s'approcha d'une des stations de travail.

– Wendy m'a appris les rudiments de Photoshop. Voyons si je suis bonne élève. Asseyez-vous tous : ça pourrait me prendre quelques minutes.

Elle se positionna de manière à masquer l'écran de contrôle, personne ne pouvait en effet voir ce qu'elle faisait. Sam se pencha sournoisement pour essayer de regarder.

– Reste tranquille, Fargo, maugréa Remi.

– Pardon.

Vingt minutes plus tard, Remi se retourna et s'adressa au groupe.

– Bon. Vous vous souvenez tous du codex d'Orizaga ? Ils acquiescèrent.

– Vous vous rappelez le symbole qui couvrait la moitié supérieure ? Nouveaux signes affirmatifs.

– Allume la télé, Selma.

– Ça alors ! s'exclama Sam. Nous l'avions tout le temps sous les yeux. Ça ne remporterait pas un prix de cartographie, mais tout y est. Rappelle-moi quand les Malagasys sont arrivés à Madagascar.

– Au Ier ou au IIe siècle.

– Et quand les Aztèques sont-ils apparus pour la première fois au Mexique ?

– Au VIe siècle.

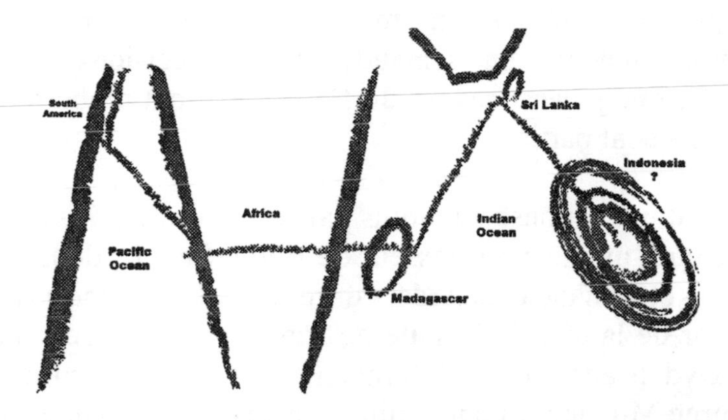

Les Malagasys ont ouvert les premiers la voie depuis les Célèbes, puis, quelques siècles plus tard, une plus grosse armada – une centaine de bateaux à en croire le codex d'Orizaga – arrive à Madagascar, mais ne s'y arrête pas. Ils continuent vers l'ouest jusqu'au Mexique.

– Le voyage a dû prendre des années, observa Pete. La traversée de l'Afrique, à elle seule, aurait duré six mois ou plus. Si on estime l'équipage d'un canoë à huit personnes, on parle d'au moins huit cents individus.

– C'est ce que disait Sam : un véritable exode, renchérit Remi.

– Comment savons-nous qu'ils n'ont pas fait le tour de l'Afrique ? demanda Wendy.

– Pour deux raisons, répondit Remi. D'abord, vous remarquerez que cette région ne figure pas sur leur carte ; ensuite, ils ont peut-être essayé, mais je n'imagine personne franchissant le cap de Bonne-Espérance en canoë.

– Les eaux les plus redoutables du monde, précisa Sam. Mais voici la question à un million de dollars : sur votre carte, où situez-vous le grand point d'interrogation ?

– Bonne question. L'Indonésie, c'est grand. Pour Blaylock, c'était probablement là où il croyait découvrir son trésor. Pour les Aztèques, c'était Chicomoztoc. Quand le roi Cuauhtemotzin a dicté le codex à Orizaga, il essayait de montrer d'où venaient ses ancêtres mais, après des siècles durant lesquels le récit s'est transmis d'une génération royale à la suivante, il ne faut pas demander trop de précisions.

– Ce que je veux savoir, dit Pete, c'est tout d'abord pourquoi ils sont partis.

Il eut une réponse au moins partielle lorsque, deux heures plus tard, un vieux professeur de Remi, Stan Dydell, appela Selma et demanda une vidéoconférence. Le groupe se réunit autour de la télé de la salle de travail et le visage souriant de Dydell apparut sur l'écran. Il était tout le contraire de George Milhaupt : grand, mince, avec une abondante chevelure poivre et sel.

– Bonjour, Remi, ravi de vous revoir.

– Moi aussi, professeur.

– Et je présume que l'homme installé à côté de vous est Sam.

– Très heureux de vous rencontrer, professeur. (Sam présenta Pete et Wendy.)

Dydell les salua de la tête.

– Ma secrétaire va m'aider dans cette histoire. Cela ne vous ennuie pas ? Je crois que je suis un peu dépassé par la technologie.

– Pas du tout, fit Remi.

– J'imagine que vous avez hâte de parler de votre découverte, alors j'irai droit au but. Pour commencer, parlons un peu des photos que vous m'avez envoyées. L'embarcation en elle-même n'a rien d'unique : la forme d'un canoë, avec deux balanciers et un seul mât. Les dimensions toutefois sont impressionnantes. Ensuite : je ne vous apprendrai sans doute rien que vous n'ayez déjà découvert, mais les sculptures sur le beaupré présentent une remarquable ressemblance avec Quetzalcoatl, le Grand Serpent à plumes, le dieu des Aztèques.

– Nous y avions pensé aussi.

– Nous avons parlé de Quetzalcoatl, dit Sam, mais quelle signification cela a-t-il ?

– Comme dans la plupart des systèmes de mythes aztèques, Quetzalcoatl joue une foule de rôles qui dépendent de la période et des circonstances. Dans certains cas, Quetzalcoatl avait un rapport avec le vent, la planète Vénus, les arts et le savoir. Il était également le dieu patron du clergé. On le croyait aussi responsable de la séparation de la terre et du ciel et on lui attribuait un rôle essentiel dans la création de l'humanité.

– Que de casquettes ! observa Sam. Et que pensez-vous de l'autre sculpture, celle qui se trouve à l'arrière…

– Il s'agit manifestement d'une espèce d'oiseau, mais que je ne connais pas… Quant au parchemin… C'est une copie du codex d'Orizaga, mais je présume que vous le saviez déjà.

– Oui, confirma Remi.

– Savez-vous aussi que vous avez peut-être entre les mains la seule copie connue au monde ?

– Non, nous l'ignorions.

– En fait, on croyait jusqu'à maintenant qu'il n'existait même pas de copie. Rien que l'original. Voici, en bref, l'histoire : Javier Orizaga, de la Compagnie de Jésus, était, dit-on, arrivé au Mexique avec les forces de Cortés. Il était escorté d'une troupe de moines et de religieux de toute sorte – sans doute pour aider à convertir les sauvages.

« Quelques mois après qu'Orizaga eut rédigé son codex, il fut rappelé par les autorités ecclésiastiques. À son retour en Espagne, l'Église confisqua son codex. Orizaga fut jeté en prison et interrogé durant deux ans, puis relâché, mais il se retrouva au ban de l'Église et de l'État. Il quitta l'Espagne et voyagea jusqu'à l'actuelle Indonésie où il resta jusqu'à sa mort en 1556.

– Encore l'Indonésie, murmura Sam. Professeur, savez-vous où exactement en Indonésie ?

– Je n'en suis pas sûr, mais je peux le vérifier pour vous. Et ce codex, Remi… Où l'avez-vous trouvé ?

– En Afrique.

– Intéressant. S'il est authentique, c'est une découverte incroyable. L'avez-vous fait examiner ?

– Pas encore.

– Il faudra le faire éventuellement. Pour l'instant, supposons qu'il est authentique. Il y a autour de ce texte des choses qui ne sont pas simplement remarquables, mais révolutionnaires.

– Devons-nous comprendre, demanda Sam, qu'il aurait été dicté à Orizaga par le dernier roi des Aztèques ?

– Cela et plus encore. Je dois reconnaître que le début du codex m'a stupéfait. Quant à la suite… Voici ce qui me frappe. La scène vers le milieu du texte dépeint le voyage en mer d'un grand nombre de vaisseaux. Sur la partie inférieure gauche du parchemin on trouve ce qui, à mon avis, est une description de l'arrivée des Aztèques à l'endroit qui allait devenir leur capitale, Tenochtitlán.

Leur expression abasourdie fit rire Dydell, qui poursuivit :

– Laissez-moi rafraîchir vos souvenirs de l'imagerie aztèque. Selon la légende, les Aztèques surent qu'ils avaient trouvé leur patrie lorsqu'ils tombèrent sur un aigle perché sur un cactus en train de dévorer un serpent. L'image de votre codex dépeint essentiellement la même scène. L'oiseau est différent, la flore est différente, et il n'y a pas de serpent, mais le thème est bien là.

– Pourquoi ne serait-il pas identique ?

– Il s'agit, à mon avis, d'un cas de ce que j'appelle « iconographie liée au déplacement migratoire ». C'est une théorie autour de laquelle je tourne depuis quelque temps. Elle consiste essentiellement en ceci : Comme les peuples anciens migraient, ils avaient tendance à modifier leurs mythes et leur imagerie pour les adapter à leurs nouvelles conditions géographiques. C'est en fait un phénomène assez courant.

« Si ces Aztèques de l'Ancien Monde – faute d'un terme plus précis – arrivèrent au Mexique neuf siècles avant le développement de l'empire aztèque, il est tout à fait raisonnable de penser que leur iconographie originale a connu des changements radicaux – pour ne rien dire de leur apparence même à mesure qu'ils se croisaient avec la population locale.

Sam et Remi se regardèrent et Sam dit :

– Pourquoi pas, en effet ?

– Bon, cela facilite les choses, fit Dydell. Continuons donc. L'image dans le coin inférieur droit, celle qui représente certainement Chicomoztoc, cela, c'est la sensation. L'avez-vous examinée attentivement, Remi ?

– Pas vraiment, avoua-t-elle.

– Eh bien, il existe un certain nombre de différences entre la représentation traditionnelle de Chicomoztoc et celle que vous avez ici. Tout d'abord, il n'y a pas de grand prêtre à l'entrée, et les visages qu'on trouve d'ordinaire massés dans chacune des sept cavernes n'y sont pas.

– Je ne peux pas croire que cela m'ait échappé.

– Ne vous en veuillez pas trop. Dans mon cours, nous avons à peine évoqué Chicomoztoc. Cela dit, ce qui me fascine, c'est ce qui se trouve au centre de la caverne. J'ai pris la liberté d'agrandir le scan que vous m'avez envoyé. Gloria, lança-t-il, voudriez-vous... Bon, merci. Cette image est grossie quatre cents fois. Elle devrait apparaître maintenant sur votre écran, me prévient Gloria. Vous l'avez ?

– Nous l'avons, confirma Sam.

– Vous remarquerez probablement d'abord la créature entre les deux personnages masculins au milieu de la caverne. La position suggère une manifestation de respect. La partie inférieure de la créature semble être Quetzalcoatl mais la partie supérieure reste difficile à définir. Peut-être la queue mais aussi quelque chose de tout à fait différent.

– Un des personnages, nota Sam, est debout, l'autre agenouillé. Cela revêt certainement une signification.

– En effet, cela suggère la supplication. Et puis, avez-vous remarqué que le personnage à droite tient quelque chose ?

– C'est le symbole nahuatl du silex, développa Remi.

– Exactement. Normalement, je parlerais d'une cérémonie de sacrifice, mais n'oubliez pas que les Aztèques utilisent beaucoup la métaphore dans leur langage « écrit ». Le silex peut aussi représenter la séparation, la rupture avec d'anciens liens.

« Seulement, il y a un hic. Dans les représentations dessinées de Chicomoztoc, vous trouverez deux jeux d'empreintes de pas, les unes se dirigeant vers la caverne, les autres en sortant. Sur votre dessin, il n'y a qu'une seule trace.

– Et tournée vers l'extérieur, précisa Sam.

– Si vous combinez tout cela – le suppliant, Quetzalcoatl, le silex et les empreintes de pas –, vous avez ce que je crois être une cérémonie d'exil. Le personnage sur la gauche, avec toute sa suite, a été banni. En se fondant sur le reste du codex, ils ont quitté Chicomoztoc pour embarquer sur leur armada, mettre le cap à l'ouest et aboutir au Mexique pour devenir ce que l'Histoire considère comme le peuple aztèque.

– Professeur, demanda Remi, savons-nous ce qu'il est advenu du codex original d'Orizaga ? A-t-il été détruit par l'Église ou bien est-il enfoui quelque part dans des archives ?

– Ni l'un ni l'autre, mais je suis convaincu qu'on voulait qu'il ne réapparaisse jamais. En 1992, l'Église a organisé une vente aux enchères d'objets anciens mais sans intérêt : lettres, illustrations, etc. Quelqu'un sans doute a fait une erreur et le codex d'Orizaga s'est trouvé faire partie du lot. Je crois qu'il a été acheté par un milliardaire mexicain. Un magnat du café.

– Comment s'appelait-il ? demanda Sam.

Dydell hésita, cherchant le nom.

– Garza. Alfonso ou Armando Garza.

Ils discutèrent encore quelques minutes avec Dydell, puis la conversation se termina. Comme souvent, Sam et Remi étaient sur la même longueur d'onde. Presque à l'unisson, ils demandèrent à Wendy :

– Croyez-vous pouvoir trouver un moyen de nettoyer l'...

– Je sais... l'image de Quetzalcoatl. Je suis en train de le faire.

Sam et Remi se tournèrent alors vers Selma, mais elle les avait devancés et pianotait déjà sur le clavier de son ordinateur.

– Voilà. Alfonso Garza, père de Cristian Garza. Connu sous le nom de Quauhtli Garza, président du Mexique et chef du parti Mexica Tenochca.

Sam et Remi échangèrent un sourire.

– C'est là que tout a commencé, dit-il. Tout comme Blaylock, Garza a mis la main sur le codex et a attrapé le virus.

– Et ça l'a entraîné plus loin qu'il ne s'y attendait.

Une demi-heure plus tard, Wendy avait terminé.

– J'ai dû procéder à quelques retouches, mais je crois que j'ai obtenu une représentation assez fidèle de ce à quoi l'image ressemblait à l'origine.

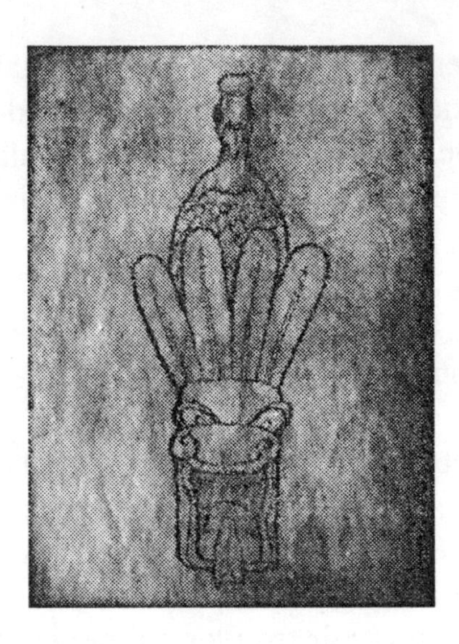

– J'ai déjà vu ça, déclara Sam.
Remi hocha la tête.
– L'oiseau de Blaylock.

La journée s'acheva sur un coup de téléphone que Sam et Remi avaient complètement oublié à cause de leur grande fatigue. Ce fut Selma qui répondit, elle écouta quelques instants puis raccrocha et regagna sa station de travail. Une minute plus tard, l'imprimante se mit à bourdonner. Elle revint bientôt avec une brassée de papiers.

– Le rapport du labo sur les échantillons que vous avez prélevés sur le canoë.

– À toi l'honneur, dit Sam.

Selma jeta un coup d'œil aux feuilles puis annonça :

– Le bois provient d'un durian, un arbre qu'on trouve à Bornéo, en Indonésie et en Malaisie.

– Encore un point pour l'Indonésie, nota Sam. On dirait qu'une tendance se dessine.

– La résine que vous avez grattée sur la coque provenait de la sève d'une variété de caoutchoutier qui pousse également en Indonésie… Ils ont trouvé aussi des traces de feuille de pandan, de rotin et de palme de gebang.

– Laisse-moi deviner, dit Remi. Autant de matériaux utilisés dans la confection de toile à voile ?

Selma acquiesça de la tête.

– Et tous originaires d'Indonésie, ajouta Sam.

– Vous avez mis dans le mille, reprit Selma. Je prends vos billets d'avion maintenant, ou on attend demain matin ?

Chapitre 39

Palembang, Sumatra, Indonésie

SAM FIT CRISSER LES PNEUS et, quittant la route, s'arrêta à l'ombre d'un grand fromager tandis que voitures et scooters en flot ininterrompu frôlaient la portière du conducteur, comme au départ d'une course.

– D'accord, dit Sam à Remi, mais avant de risquer ma vie en me lançant là-dedans, laisse-moi examiner la carte encore une fois.

À l'instar de la plupart des hommes, Sam se targuait de posséder un sens inné de l'orientation – ainsi il ne se perdait jamais ; il avait cependant appris aussi à reconnaître les rares défaillances de cette boussole surnaturelle, ce qui était maintenant le cas.

S'efforçant de dissimuler son sourire, Remi lui tendit la carte et attendit calmement que Sam l'eût consultée.

– C'est probablement quelque part par ici.

– J'en suis sûre.

Sam et Remi avaient fait de nombreuses découvertes depuis qu'ils avaient dégagé la cloche du *Shenandoah* enfouie dans le sable de Zanzibar ; à chaque fois, Winston Blaylock était passé par là. En l'occurrence, les latitudes et les longitudes qu'ils avaient déchiffrées sur la grille donnaient bien l'endroit où Javier Orizaga, de la Compagnie de Jésus, avait passé les dernières années de sa vie. Ce n'était pas une coïncidence, ils le savaient. Cependant, de nombreuses questions attendaient encore une réponse de leur part.

Après des années consacrées à la recherche de l'origine de son « grand oiseau constellé de joyaux » – et après avoir découvert au passage la véritable histoire de l'empire aztèque –, Blaylock, avait entendu parler du codex d'Orizaga et serait venu ici en chercher un exemplaire. Ou peut-être, l'ayant découvert ailleurs, en avait-il déduit sa cachette, tout comme Sam et Remi ? Et puis, qu'est-ce qui avait amené Orizaga jusqu'ici : une chasse au trésor ou l'histoire d'un peuple à la destruction duquel il avait assisté ?

Le professeur Dydell avait rappelé une heure après la fin de leur vidéoconférence : Orizaga, leur avait-il alors annoncé, avait choisi le village de Palembang, à Sumatra, pour y terminer sa vie.

Palembang, considéré au XVIe siècle comme un hameau, était aujourd'hui non seulement la plus ancienne ville d'Indonésie – sa fondation remontant au septième siècle –, mais aussi la plus importante de Sumatra, avec un million et demi d'habitants.

Ni Sam ni Remi ne se faisaient trop d'illusions quant à ce qu'ils pourraient découvrir de satisfaisant – si tant est qu'ils trouvent quelque chose – en fouinant dans la nouvelle patrie élue par Orizaga. Toutefois les épreuves successives qu'ils avaient franchies depuis Zanzibar semblaient les entraîner dans une direction bien précise. La longue quête de Blaylock, son journal, les cartes, le codex, Orizaga lui-même et maintenant le rapport du labo : tout apparemment convergeait vers ce coin inconnu d'Indonésie.

– Cela nous aurait tellement simplifié la vie si Orizaga avait laissé une adresse, soupira Sam. C'est vraiment un peu cavalier de sa part de ne pas s'en être soucié.

– Je suis sûre que, s'il avait su que nous venions, il l'aurait fait, répondit Remi. La dernière femme qui nous a renseignés parlait d'une maison rouge ou verte ?

– Verte.

Depuis leur arrivée à Palembang la veille, ils avaient visité six musées réputés spécialisés dans la période précoloniale hollandaise de l'histoire de la ville. Jusqu'à maintenant aucun des conservateurs n'avait entendu parler d'Orizaga et tous avaient conseillé à Sam et Remi de consulter aux archives municipales les dossiers des journaux locaux pour y trouver trace de leur ami.

Sam examina une nouvelle fois le plan, en baissant de temps en temps la tête pour lire le nom des rues à travers le pare-brise, puis il replia la carte et la rendit à Remi avec un sourire plein d'assurance.

– Je sais où je me suis trompé.

– En général ou pour la direction ?

– Très drôle.

Sam embraya puis, une brèche dans la circulation se présentant, s'y engouffra et accéléra.

Après avoir zigzagué vingt minutes dans un dédale de petites rues, ils arrivèrent dans une zone industrielle pleine d'entrepôts, derrière lesquels ils eurent la surprise de découvrir un cul-de-sac résidentiel bordé d'arbres. Les maisons, petites et vieilles, étaient malgré tout bien entretenues. Au fond de l'impasse, Sam s'arrêta devant une villa – de style ranch, aurait-on dit aux États-Unis – verte avec des volets bruns et une barrière de piquets blancs à demi dissimulée derrière des vignes aux feuilles rouges.

Ils montèrent l'allée, gravirent les marches de la véranda et frappèrent à la porte. Des pas sur un plancher. Puis la porte s'ouvrit sur un homme blanc d'une cinquantaine d'années vêtu d'un pantalon kaki au pli impeccable et d'une chemise blanche soigneusement boutonnée.

– Oui, bonjour, dit-il avec l'accent d'Oxford.

– Nous cherchons la maison Sukasari, expliqua Remi.

– Vous l'avez trouvée, madame. En quoi puis-je vous aider ?

– Nous cherchons quelqu'un – un moine – qui, peut-être, aurait vécu ici au XVIe siècle.

– C'est tout ? Je croyais que vous cherchiez à me vendre un aspirateur ou une batterie de cuisine, répondit l'homme avec un sourire narquois. Entrez, je vous en prie. (Il s'effaça pour les laisser entrer dans le vestibule.) Je m'appelle Robert Marcott.

– Sam et Remi Fargo.

– Suivez-moi. Je vais faire du thé et vous dirai ensuite tout ce que je sais de l'Indonésie au XVe siècle.

– Pardonnez-moi de vous dire cela, fit Remi, mais vous ne semblez pas surpris par notre question.

– Pas du tout, en effet. Tenez, venez vous asseoir. Je vais vous expliquer. (Il les fit entrer dans un bureau aux murs tapissés du plancher au plafond de rayonnages pleins de livres. Sam et Remi s'assirent sur le canapé.) J'en ai pour une minute, ajouta-t-il avant de disparaître par une porte latérale.

De la porcelaine tinta, une bouilloire siffla, et Marcott revint avec un service à thé, emplit leurs tasses et s'assit en face d'eux.

– Qui vous a donné mon adresse ? s'enquit Marcott.

– Une certaine Ratsami…

– Une femme adorable… qui ne connaît rien à l'histoire de Sumatra antérieure au XXe siècle.

– Elle pense qu'il y a ici un musée.

– Simple erreur de vocabulaire, je le crains : une confusion entre historien et musée. L'indonésien est la langue officielle, mais les dialectes abondent. J'ai depuis longtemps renoncé à corriger les gens. Il y a dix ans, j'ai écrit un livre sur le christianisme en Indonésie – ce qui a fait de moi un musée.

Marcott se leva, se dirigea vers un rayonnage, y prit un livre et le tendit à Remi.

– *Dieu à Java*, lut-elle.

– Cela pourrait être pire. Et cela a bien failli l'être : mon éditeur voulait l'appeler *Jésus à Java*.

– Vous avez fait le bon choix, approuva Sam en riant.

– J'aurais été assailli de gens voulant connaître la signification religieuse du café. Ç'aurait été un cauchemar. En tout cas, je suis venu ici faire des recherches pour le livre, je suis tombé amoureux du pays et je suis resté. C'était il y a quinze ans. Vous recherchez la trace d'un moine, disiez-vous ?

– Oui, Javier Orizaga, un jésuite. Il serait probablement arrivé à la fin des années 1520.

– Ah, Orizaga ! 1528, dit Marcott. En fait, il vivait à trois kilomètres à l'est d'ici. Bien sûr, sa cabane n'existe plus. Je crois que c'est maintenant un McDo.

– Que pouvez-vous nous dire de lui ? demanda Remi.

– Que voulez-vous savoir ?

– De combien de temps disposez-vous ? répliqua Sam.

– J'ai tout mon temps.

– Alors, dites-nous tout.

– Vous allez être déçus. C'était un homme intéressant, qui a beaucoup travaillé pour aider les indigènes, mais il n'était que l'un des milliers de missionnaires à venir ici au cours des cinq derniers siècles. Il a ouvert une école biblique, il a prêté son concours aux hôpitaux locaux et passé beaucoup de temps dans les villages à essayer de sauver des âmes.

– Avez-vous entendu parler du codex d'Orizaga ?

– Non, reconnut Marcott en haussant les sourcils. Pourtant, ajouta-t-il, étant donné le nom, j'aurais dû, me semble-t-il. Dois-je être terriblement gêné ?

– Je ne vois pas pourquoi, dit Remi.

Elle donna à Marcott une version résumée de l'histoire du codex, en laissant de côté les détails de son contenu et de son origine.

– Fascinant, dit Marcott en souriant. Ce codex l'a-t-il fait bien voir de l'Église, ou bien le contraire ?

– Le contraire.

– Il devait donc être favorable aux Aztèques. Je regrette de ne pas avoir connu tout cela à son propos. J'aurais pu lui consacrer tout un chapitre. Il y avait bien une histoire intéressante, mais qui n'avait pas sa place dans le livre, alors je l'ai laissée de côté. Il est mort en 1556, vingt-huit ans après son arrivée ici – ou, du moins, c'est à cette date qu'on l'a vu pour la dernière fois.

– Je ne comprends pas, fit Remi.

– On raconte qu'en novembre de cette année-là, Orizaga a annoncé à ses disciples et à ses collègues qu'il croyait avoir découvert un lieu sacré dans la jungle – il n'a pas précisé où exactement – et qu'il allait découvrir les… Qu'était-ce donc ? hésita Marcott en se tapotant la lèvre avec son index. Oh, oui. Il appelait cela les sept cavernes ou le lieu des sept cavernes. Quelque chose comme ça. Il s'est enfoncé dans la jungle et n'est jamais revenu. Si je comprends bien, on considérait Orizaga un peu comme un dingue.

– On dit pas mal de choses à son propos, renchérit Sam. Donc, il s'est enfoncé dans la jungle et il a tout bonnement disparu ?

– On ne l'a jamais revu, répéta Marcott en hochant la tête. Je me rends compte que ça fait très dramatique, mais même aujourd'hui de telles disparitions ne sont pas rares. Il y a cinq cents ans, c'était probablement un incident banal. La jungle par ici ne pardonne pas, même pour un voyageur aussi expérimenté qu'Orizaga (Marcott se tut et eut un sourire désabusé). En parlant de cet homme, je regrette vraiment de ne pas avoir consacré au moins quelques pages de mon livre à cette histoire. Enfin…

– Je suppose que vous ne disposez plus de vos sources le concernant, n'est-ce pas ? demanda Remi.

– Malheureusement, non. Mais je peux faire mieux que cela. Je peux vous emmener jusqu'à ma source… à condition, bien sûr, qu'elle soit encore en vie.

Ils suivirent Marcott au volant de sa vieille BMW jusqu'à un autre quartier résidentiel, dans le district de Plaju.

Là, les routes n'étaient plus goudronnées, et les maisons, plus petites, entourées d'un petit potager et d'un enclos abritant de la volaille ou des chèvres, avaient des toits en tôle ondulée et des fenêtres en moustiquaires.

Marcott s'arrêta devant l'une d'elles. Sam et Remi firent de même et mirent pied à terre.

– Il ne parle pas anglais, annonça Marcott, et il a dans les quatre-vingt-dix ans, alors soyez préparés.

– Qui allons-nous rencontrer ?

– Toutes mes excuses : Dumadi Orizaga. Avant de mourir, Javier a eu dix enfants d'une femme du pays. Dumadi est un descendant direct d'Orizaga.

– N'était-il pas jésuite ? s'étonna Remi.

– Si mais, à un certain moment, il a renoncé à ses vœux – dont, manifestement, celui de célibat.

– À cause de sa querelle avec l'Église, peut-être, suggéra Sam.

Marcott les précéda dans une allée menant à une porte moustiquaire. Il frappa à quatre reprises avant que n'apparût un vieil homme en débardeur qui s'avançait d'un pas traînant. Il mesurait à peine plus d'un mètre cinquante et son visage avait des traits résolument indonésiens avec, cependant, quelques touches espagnoles.

Marcott lui dit quelques mots en indonésien ou dans un dialecte local. Le vieil homme sourit, hocha la tête et ouvrit grande la porte. Tous trois pénétrèrent à l'intérieur, lequel comprenait trois parties : une sorte de salon de six mètres sur six avec quatre chaises de jardin en plastique et une table basse en carton, et deux autres pièces, l'une faisant office de chambre-salle de bains, l'autre de cuisine. Dumadi leur fit signe de s'asseoir.

Marcott, jouant les interprètes, présenta Sam et Remi et expliqua ensuite qu'ils étaient venus à Palembang pour compléter le peu qu'ils savaient d'Orizaga. Dumadi dit alors quelque chose.

– Il veut savoir pourquoi vous vous intéressez à lui, expliqua Marcott. Ils sont très réservés ici à propos de leur famille, même au bout de cinq cents ans. Le respect des ancêtres est une tradition profondément enracinée chez les Indonésiens.

Sam et Remi se regardèrent. N'ayant jamais imaginé qu'ils retrouveraient des descendants d'Orizaga, ils n'avaient pas discuté de la façon dont ils expliqueraient leur mission.

– Disons-lui la vérité, proposa Sam. Si le codex appartient à quelqu'un, c'est bien à lui.

Remi acquiesça, fouilla dans son sac et en retira une grande enveloppe jaune. Elle feuilleta les photos et les documents qui s'y trouvaient, puis exhiba le tirage du codex et le montra à Dumadi.

– Expliquez-lui, demanda Sam à Marcott, que nous croyons que ce document appartenait à Orizaga et que nous pensons qu'il a une relation avec les raisons qui l'ont conduit ici.

Marcott traduisit. Contemplant le tirage qu'il tenait entre ses mains, Dumadi hocha la tête, mais Sam et Remi devinaient que le vieil homme entendait à peine Marcott. Le silence se prolongea. Marcott finit par s'adresser à Dumadi qui, posant le document sur la table basse, se releva et partit à petits pas vers la chambre. Il en ressortit un moment plus tard, portant un cadre. Il s'arrêta devant Remi et le lui tendit.

Tracé dans une calligraphie stylisée, avec des bords en filigrane et une abondance de courbes et de fioritures, l'original était fort éloigné de la photo, mais pour Sam et Remi, cela ne faisait pas de doute : ils avaient sous les yeux la carte venant du codex d'Orizaga.

Dumadi désigna la photo encadrée puis le tirage informatique et dit quelque chose à Marcott qui traduisit :

– Il ne reconnaît pas le bas de l'image, la partie supérieure a été transmise pendant des siècles de génération en génération dans sa famille.

– Pourquoi ? interrogea Sam.

Marcott posa la question, écouta la réponse de Dumadi puis dit :

– C'est le blason de la famille Orizaga.

– En connaît-il la signification ?

– Non.

– Personne ne lui a jamais parlé de ce qu'il pourrait signifier ?

– Non, répondit Marcott. Il dit que cela a toujours fait partie de la famille. Il suppose que c'était important pour Orizaga, et cela lui suffit.

Sam fouilla dans l'enveloppe jaune de Remi et en retira la version transcrite par Wendy sur l'oiseau de Quetzalcoatl de l'illustration de Chicomoztoc. Il la tendit à Dumadi.

– Est-ce que cela veut dire quelque chose pour lui ?

Marcott posa la question, écouta la réponse puis répondit en souriant :

– Quelle partie, le vilain serpent ou l'oiseau ?

– L'oiseau.

Dumadi se rassit en grognant puis répondit.

– Cela ne signifie rien de particulier pour lui, déclara Marcott. C'est juste un oiseau. Il en a vu de pareils au zoo.

– Ici ? demanda Remi.

– Il ne se rappelle pas où exactement. Il en a vu quand il était enfant. Son père l'appelait l'oiseau-casque, à cause du renflement sur la nuque.

Sam ouvrit la bouche pour parler, hésita, puis se lança :

– Comment l'appelle-t-on ?

– *Maleo*. Dumadi se souvient qu'ils étaient bien plus jolis que sur votre dessin. De taille moyenne, le dos noir, la poitrine blanche, la peau jaune autour des yeux et un bec orange. Comme une sorte de poulet coloré. (Dumadi intervint.) Il veut savoir, ajouta Marcott, si ce dessin a un rapport avec Orizaga.

– Tout à fait.

– Cela lui rappelle une histoire à propos d'Orizaga. Voudriez-vous la connaître ?

– Oui, volontiers.

– Comme dans la plupart des histoires de famille, les détails ont pu changer avec le temps, mais en voici l'essentiel : vers la fin de sa vie, Orizaga était connu de la plupart des gens de Palembang qui l'aimaient beaucoup. Ils étaient également convaincus qu'il était possédé par un esprit malin.

– Pourquoi ? interrogea Sam.

Marcott écouta puis traduisit :

– Cela ressemble à ce que je vous ai raconté chez moi. Il a beaucoup voyagé dans la jungle, en parlant de cavernes et de dieux, et en disant qu'il était venu ici pour découvrir le séjour des dieux... Vous voyez le style. Personne n'avait peur d'Orizaga ; les gens soupçonnaient cet esprit malin de se moquer de ce pauvre vieillard.

« Un jour, Orizaga a annoncé à tout le monde qu'il partait une nouvelle fois rechercher "les cavernes du dieu" et qu'il reconnaîtrait l'endroit quand il aurait découvert "une couveuse de grands oiseaux". » On ne l'a plus jamais revu.

Chapitre 40

Djakarta, Indonésie

– TU EN ES CERTAINE, SELMA ? s'assura Sam assis à côté de Remi sur le lit de leur suite au Four Seasons.

La veille, peu après avoir quitté la maison de Dumadi et pris congé de Robert Marcott, ils avaient embarqué sur un charter de Batavia Air à l'aéroport Sultan Mahmud Badaruddin II de Palembang pour effectuer le petit saut de quatre cents kilomètres au-dessus de la mer de Java jusqu'à Djakarta. Le Four Seasons semblait un endroit tout à fait convenable pour une base d'opérations.

– Je lui ai parlé carrément, dit Selma dans le haut-parleur du téléphone : il en est convenu.

– Le rusé salopard. Je me demande même s'il a à Londres des petits-enfants en âge d'aller au collège.

– Et s'il est vraiment mourant.

– Les deux sont exacts, j'ai vérifié. Ce qui ne l'empêche pas, à mes yeux, d'être un escroc.

Parmi les nombreuses questions sans réponse et dans la liste des faits étranges ponctuant l'aventure de Sam et Remi, ce qui harcelait en particulier Selma, c'était de savoir comment Rivera et son patron, le président Garza, avaient eu connaissance de la présence des Fargo à Madagascar, et pourquoi ces recherches sur place ? Selma ne voyait que deux possibilités : Cynthia Ashworth, qui détenait les lettres de Constance Ashworth, ou Morton, propriétaire du musée Blaylock et de la boutique de curiosités. Sam et Remi avaient trouvé, auprès de l'un comme de l'autre, les principales sources dans leurs recherches de documents. Rivera et Garza auraient-ils, eux aussi, puisé à ces mêmes sources ?

Jouant à fond son rôle de « méchant flic », Selma avait commencé par Morton : elle savait, prétendit-elle, qu'il avait vendu à d'autres des documents de Blaylock et, s'il ne l'avouait pas, ajouta-t-elle, elle le traînerait en justice. En deux minutes, Morton avait cédé.

– Il ne connaissait pas le nom de Rivera et ignorait comment celui-ci avait découvert l'existence du musée mais, voilà environ cinq ans, il avait débarqué accompagné de quelques-uns de ses gorilles pour poser des questions à propos de Blaylock et du *Shenandoah*. Rivera n'inspira pas confiance à Morton qui le soupçonna d'être capable de recourir à la violence s'il ne se montrait pas coopératif, aussi, cette nuit-là, avait-il déménagé toutes les pièces importantes de la réserve du musée pour les cacher chez lui. Et il avait bien fait : le lendemain matin, en arrivant au musée, il avait constaté que les locaux avaient été mis à sac.

« Rivera s'était présenté quelques heures plus tard, tout à fait charmant. Pendant la nuit, Morton avait mis de côté quelques papiers de Blaylock – des pages de son journal, le manuscrit de sa biographie, quelques dessins et cartes...

– La carte de Madagascar tracée par Moreau, suggéra Remi.

– Exactement. Il avait remarqué les mentions en petits caractères et avait déchiré le fragment, ne donnant à Rivera que le grand morceau. Cela avait paru satisfaire Rivera. Ils avaient alors conclu la transaction et Rivera était parti. Mais Morton, jugeant en homme prudent que Rivera n'en resterait pas là, avait donc une fois de plus emporté de chez lui les documents de Blaylock pour les dissimuler ailleurs.

– Et cette nuit-là, sa maison fut cambriolée, intervint Sam.

– Parfaitement. Morton avait pris la précaution de passer la nuit chez des amis. La ruse avait eu les résultats désirés. Rivera n'était jamais revenu.

– Et là-dessus, nous nous présentons cinq ans plus tard en posant les mêmes questions.

– Pourquoi ne nous a-t-il pas joué le même tour ?

– Il vous trouvait sympathiques, m'a-t-il dit. Et puis, il voulait prendre sa retraite pour s'occuper de ses petits-enfants. Quand vous lui avez offert soixante mille dollars au lieu de vingt, il a décidé de tout liquider et de ne rien garder.

– Nous ignorons donc ce que sait Rivera, n'est-ce pas ? demanda Remi.

– Non, rétorqua Sam, car, heureusement et à son insu, Morton lui en a vendu assez pour l'envoyer sur quelques pistes et progresser un peu, mais pas assez pour arriver au but. Maintenant que nous sommes de la partie, Rivera et Garza peuvent nous prendre en chasse. Il faut nous attendre à ce qu'ils débarquent à un moment ou à un autre – s'ils ne l'ont pas déjà fait.

– Ce qui m'amène au point suivant, poursuivit Selma. Nous avons terminé le décodage des lettres restantes de Blaylock à Constance. Ça t'intéresse de deviner la date de la dernière ?

– Non, rétorqua Sam.

– Pas même l'année ?

– Selma !

– 1883.

– Ce qui veut dire, conclut Remi, qu'il a passé onze années ici à chercher son trésor. Mon Dieu !

– Qu'as-tu trouvé dans les lettres de la période intermédiaire ? s'enquit alors Sam.

– Il n'y en a eu que quelques-unes après que Blaylock eut capturé le *Shenandoah II*. Comme d'habitude, l'essentiel consistait surtout en un journal de voyage… les impressions d'un aventurier. Dans ces lettres, il reprend presque toutes les histoires à dormir debout de la biographie de Morton. Ce n'était que du camouflage. Un de ses messages codés adressés à Constance suggère qu'il était convaincu que Dudley et les autres avaient découvert ses mensonges concernant le *Shenandoah II* et qu'ils étaient après lui.

– Tu y crois ?

– Je n'ai aucune certitude. Et s'ils étaient vraiment au courant, cela leur aurait probablement été égal. Le *Shenandoah II* avait disparu. Le bateau ne constituait plus une menace. Blaylock avait fait son travail.

– Revenons à sa dernière lettre, insista Sam.

– D'accord. Elle est datée du 3 août 1883 et a été postée de Bagamayo. Je vais vous citer directement la partie qui vous intéresse.

« Ai enfin découvert l'indice que je priais le Ciel de me donner. Avec l'aide de Dieu, je vais découvrir la cachette de mon grand oiseau orné de pierres précieuses et recueillir enfin la récompense que j'attends depuis si longtemps. Je lève l'ancre demain pour gagner le détroit de Sunda. Je compte sur 23 à 25 jours de voyage. Écrirai dès que possible. Bien à vous, W. »

– Tu as bien dit le détroit de Sunda, n'est-ce pas ?

– Oui.

Sam marqua un temps. Il ferma les yeux un moment, puis un demi-sourire éclaira son visage.

– Qu'y a-t-il ? demanda Remi.

– Blaylock a quitté Bagamayo le 3 août 1883. D'après ses estimations, il serait donc arrivé au détroit de Sunda le 27 août, à un ou deux jours près.

– Et alors…

– Le détroit de Sunda se trouve à proximité du Krakatoa. Or, le 27 août, le volcan a explosé.

Chapitre 41

PASSIONNÉS D'HISTOIRE, Sam et Remi connaissaient bien l'éruption du Krakatoa de 1883. L'archipel – environ vingt kilomètres carrés – se situe presque au milieu du détroit de Sunda, entre Java et Sumatra et, avant le cataclysme, comprenait trois îles : Lang, Verlaten et Rakata, la plus grande, abritant les trois cônes volcaniques connus collectivement sous le nom de Krakatoa. Ayant subi trois importantes éruptions dans le passé, le Krakatoa ne figurait donc pas parmi les volcans en sommeil.

Le 20 mai, trois mois avant l'explosion finale, une grande crevasse apparut sur le flanc du Perbuatan, le cône le plus septentrional, et de la vapeur commença à s'échapper accompagnée de colonnes de cendres qui s'élevaient à quelque six mille sept cents mètres d'altitude dans l'atmosphère. Les habitants des bourgs et des villages voisins, ayant déjà été témoins de ce genre d'activité, n'y prêtèrent guère d'attention et, vers la fin du mois, leur manque d'intérêt semblait en effet fondé. Le Krakatoa s'apaisa et resta assez calme durant le mois suivant.

Le 16 juin, les éruptions reprirent, recouvrant pendant près d'une semaine d'une fumée d'un noir de jais de vastes étendues de mer et de terre. Quand ce voile se dissipa, on put distinguer d'épaisses colonnes de cendres montant de deux des cratères du Krakatoa. De fortes marées commencèrent à envahir les détroits et il fallut renforcer les amarres des navires à l'ancre pour les empêcher de s'échouer.

Trois semaines s'écoulèrent. Aux deux cônes en activité du Krakatoa vint se joindre le troisième et la cendre ne tarda pas à s'amasser sur les îles voisines, en couches parfois épaisses de plus de soixante centimètres, anéantissant la flore et la faune et transformant des forêts jadis verdoyantes en paysages lunaires.

L'éruption se poursuivit jusqu'à la mi-août. Le 25, à une heure de l'après-midi, le Krakatoa atteignit sa phase paroxysmique : en une heure, un nuage de cendres noires s'était élevé dans le ciel à près de trente kilomètres d'altitude et l'éruption se prolongeait sans relâche. À quinze ou vingt milles de là, des navires étaient bombardés par des boules de pierre ponce grosses comme des balles de base-ball. En début de soirée, quand la nuit tombait sur le détroit, de petits tsunamis se mirent à déferler sur Java et Sumatra.

Le lendemain matin, juste avant le lever du soleil, le Krakatoa entra en agonie : une série de trois éruptions, chacune plus violente que la précédente, secoua la zone. Les explosions étaient si fortes qu'on les entendit jusqu'à Perth, en Australie, à plus de trois mille kilomètres au sud-est, et jusqu'à l'île Maurice, à près de cinq mille kilomètres à l'ouest.

Les tsunamis provoqués par chaque éruption rayonnèrent depuis le Krakatoa à des vitesses atteignant plus de deux cent cinquante kilomètres à l'heure, balayant les côtes de Java et de Sumatra et inondant les terres jusqu'à quatre-vingts kilomètres à l'intérieur.

À dix heures deux, le Krakatoa lança sa dernière salve, une explosion correspondant à celle de vingt mille bombes atomiques. L'île de Krakatoa vola en éclats. Les cônes du volcan, ayant éjecté tout leur magma, s'effondrèrent sur eux-mêmes, engloutissant avec eux trente-six kilomètres carrés de l'île et creusant un cratère de six kilomètres de large et profond de deux cent cinquante mètres. Le tsunami provoqué par ce phénomène engloutit des villages entiers, faisant en quelques minutes des milliers de victimes. Des arbres entiers furent déracinés et toute la végétation disparut.

Dans le sillage de cette vague monstrueuse, déferla une nuée ardente : de gigantesques avalanches de feu et de cendres qui dévalèrent les flancs du Krakatoa jusque dans le détroit de Sunda. Se déplaçant à quelque cent trente kilomètres à l'heure et atteignant des températures de près de sept cents degrés, ce nuage de feu porta à ébullition la surface de l'océan qu'il balayait, provoquant un coussin de vapeur qui s'étendit sur plus de cinquante kilomètres, carbonisant ou ensevelissant tout sur son passage.

Quelques heures après l'explosion finale, ce qui restait du Krakatoa sombra dans le silence. En quelque trente heures, entre 36 000 et 120 000 personnes avaient perdu la vie.

Chapitre 42

Détroit de Sunda,
Mer de Java, Indonésie

« LES PASSAGERS MUNIS D'UN BILLET sont invités à embarquer par la passerelle arrière. Le *Krakatau Explorer* lèvera l'ancre dans cinq minutes », annonça le haut-parleur de la terrasse du café. Le message fut répété en indonésien, en français, en allemand puis une nouvelle fois en anglais.

Sam et Remi, assis contre un treillage couvert de bougainvillées en fleur, terminèrent leur café puis se levèrent. Sam laissa deux billets de cinq mille roupies sur la table et ils se dirigèrent vers le quai.

– Tu ne les as toujours pas vus ? demanda Remi.

– Non. Et toi ?

– Non.

Dans la matinée, au moment où le car d'excursion du *Krakatau Explorer* quittait le Four Seasons, Sam avait en effet cru apercevoir Itzli Rivera ; puis, plus rien durant l'heure et demie de trajet séparant Djakarta des quais de Carita Beach Resort. Certes, partager un car avec d'autres touristes ne leur plaisait guère, mais Sam et Remi étaient tout à fait conscients que, si Rivera et ses hommes se trouvaient effectivement sur place, les rencontrer seuls sur une route déserte de la forêt javanaise pourrait tourner au désastre.

De plus, cette excursion en bateau autour du site du volcan ainsi qu'au musée récemment ouvert non loin de là constituait un premier pas sur les traces de Blaylock – si tant est qu'il y en restât une à suivre – et offrait aussi un bon moyen d'attirer Rivera qui, à n'en pas douter, ne voulait surtout pas perdre encore une fois sa proie. Pour Sam et Remi, cela équivalait à nager au milieu des requins mais autant les avoir à portée de vue et ne pas se demander à tout moment quand ils jailliraient des profondeurs pour les attaquer.

Ils gagnèrent la passerelle arrière où ils se mêlèrent à la file des retardataires puis choisirent de se poster près du bastingage tribord. Le *Krakatau Explorer*, un ferry à fond plat d'une quarantaine de mètres de long, disposait d'une timonerie oblongue perchée tout en haut du gaillard d'avant ainsi que d'une plage arrière, de vingt-cinq mètres sur douze, offrant des rangées de bancs recouverts de vinyle bleu.

Sam surveillait les quais tandis que Remi examinait les passagers, une soixantaine, estima-t-elle.

– Toujours rien, annonça-t-elle.

– Ici non plus.

Sur le quai, deux dockers détachaient la passerelle du ferry tandis qu'un homme d'équipage fermait le portillon et qu'on remontait les amarres. Trois autres matelots se placèrent près de la rambarde et, avec leurs perches, repoussèrent le bateau loin du quai. La sirène retentit fortement, les machines de *l'Explorer* se mirent en marche et le ferry s'éloigna en haletant, cap à l'ouest en direction du détroit.

Trois heures plus tard, une voix teintée d'un fort accent indonésien annonça dans les haut-parleurs : « Mesdames et messieurs, le capitaine va bientôt doubler le cap de l'île pour approcher du musée. »

Comme promis, quelques minutes plus tard, le ferry virant à bâbord mettait le cap sur la côte nord de l'île. Les passagers se pressèrent le long du bastingage pour contempler une falaise abrupte de six cents mètres : ce qui restait après que la plus grande partie de l'île se fut abîmée dans les flots.

Le ferry se rangea le long du quai, on arrima les amarres et on abaissa la passerelle. Sam et Remi débarquèrent et se dirigèrent vers le bâtiment principal. Bâti sur le bord ouest du cratère, le musée, occupant une surface de près de cinq cents mètres carrés, était une construction en verre trempé de trois centimètres d'épaisseur soutenue par des piliers d'acier peints en blanc. Selon la brochure que distribuait le Four Seasons, le musée abritait la plus vaste collection de souvenirs du Krakatoa existant au monde.

Le bâtiment était climatisé, la décoration minimaliste : planchers en bambou, murs de couleur taupe et plafonds voûtés. L'espace était divisé en sections par des cloisons à mi-hauteur tapissées de photographies de l'époque, de tableaux et d'illustrations tandis que, çà et là, des étagères permettaient d'exposer des objets ayant survécu au cataclysme. Chaque section comprenait également un kiosque multimédia avec des moniteurs de télévision munis de commandes tactiles.

Sam et Remi flânaient à leur gré lorsqu'un guide, une jeune Indonésienne en uniforme bleu-vert, les aborda.

– Bienvenue au Krakatau Museum. Aimeriez-vous que je réponde aux questions que vous pourriez vous poser ?

– Nous nous intéressons particulièrement aux navires qui auraient pu se trouver au mouillage dans le détroit au moment de l'explosion, précisa Remi.

– Une niche leur est spécialement consacrée. Si vous voulez bien me suivre.

Elle les mena dans un recoin portant la mention « OBJETS MARINS ». Sur deux des cloisons étaient affichés des agrandissements de daguerréotypes des détroits et des baies alentour ainsi que des divers ports. La troisième exposait des pages de journaux de bord, des articles de presse, des lettres et des illustrations. Sur l'étagère au centre de la salle, une collection d'objets récupérés sans doute sur les vaisseaux surpris par l'explosion.

– Combien de navires se trouvaient alors dans le secteur ? interrogea Remi.

– Officiellement, quatorze ; cependant, c'était par centaines que petits bateaux de pêche et cargos sillonnaient habituellement les parages. Bien sûr, il était plus facile de dénombrer les navires à cause des indemnités d'assurance. Et puis, nous avons pu effectuer des recoupements en nous fondant sur les livres de bord des capitaines afin d'identifier tous les navires présents.

Arrêté devant une plaque fixée au mur du fond, Sam demanda :

– Existe-t-il une liste des navires et de leur équipage ?

– Tout à fait.

– Je reconnais un de ces noms : le *Berouw.*

– Cela ne me surprend pas, fit le guide en hochant la tête. Le *Berouw* est assez connu. C'était un vapeur à roues à aubes mouillé dans la baie de Lampung, à cinquante milles du Krakatoa. Emporté par un des tsunamis, il a remonté la rivière Koeripan sur plusieurs milles ; on l'a retrouvé quasi intact, mais l'équipage dans sa totalité avait péri.

– Il n'y a que treize noms, intervint Remi.

– Je vous demande pardon ?

– Cette liste cite treize navires, or vous en avez mentionné quatorze.

– Vous êtes sûre ? (Le guide s'approcha de la plaque et compta les noms.) Vous avez raison. C'est bizarre. Oh, je suis certaine qu'il s'agit d'une erreur administrative.

– Merci de votre assistance, répondit Remi en souriant. Je pense que nous allons poursuivre encore un peu notre visite.

– Certainement. Si vous en avez envie, n'hésitez pas à vous arrêter au kiosque. Tous les documents de notre collection – même ceux qui ne sont pas exposés – peuvent être consultés en photos.

Remi s'approcha de la cloison devant laquelle Sam s'était arrêté et contempla les photographies.

– Je comptais un peu trouver le nom du *Shenandoah* dans la liste.

– Te contenterais-tu d'une photo ?
– Quoi ?
Il désigna le cliché tout en haut de la cloison, un agrandissement en 10 × 18, dont la légende disait :

VUE VERS LE NORD-EST DEPUIS LE PONT DU
CARGO BRITANNIQUE *SALISBURY*,
AU MOUILLAGE À ONZE MILLES DU KRAKATOA
LE 27 AOÛT 1883.
AU FOND, L'ÎLE DE PULAU
L'ÎLE DE LÉGUNDI ET L'ENTRÉE DE LA BAIE DE LAMPUNG

– Tu as vu ? demanda Sam.
– Mais oui. (Au premier plan de la photo, avec à l'arrière-plan les îles de Pulau et de Legundi, on distinguait un clipper trois-mâts gréé en carré avec une coque noire.) Ça ne veut rien dire, rétorqua Remi. Je suis sûre qu'à cette époque énormément de bateaux ressemblaient au *Shenandoah*.
– J'en conviens.
– Cherchons un peu. Le *Shenandoah* faisait soixante-dix mètres de long, jaugeait douze cents tonneaux et était gréé pour le combat. Je te garantis que, si un tel navire est entré dans le détroit de Sunda, n'importe quel capitaine ou officier de quart digne de ce nom l'aura remarqué.

Ils entrèrent dans le kiosque, jouèrent un moment avec les commandes tactiles, puis se lancèrent dans la consultation des archives du musée, classées avec des renvois par sujet, date et mot clé. Enfin, après une heure passée à essayer diverses combinaisons de mots, Sam dénicha, rédigé par le capitaine d'un navire marchand allemand, le *Minden*, un article dont il afficha la traduction sur l'écran :

26 août 1883, 14 h 15 : Avons croisé sur notre arrière clipper marchant à voile et à vapeur, identité inconnue. Avons observé sabords pour huit canons à tribord. Le navire a refusé de répondre à notre salut. Avons jeté l'ancre à droite de Pulau Legundi.

Sam passa rapidement sur d'autres textes puis s'arrêta une nouvelle fois.

27 août 1883, 6 h 30 : Éruptions s'aggravent. Avons failli être engloutis par une déferlante. Avons donné l'ordre à l'équipage de préparer évacuation d'urgence.

– Nous y voilà, murmura Sam.

Il tapota la commande tactile et un nouveau passage du livre de bord apparut sur l'écran.

27 août 1883, 8 h : Avançons vitesse maximum cap 041. Espérons nous mettre à l'abri derrière Pulau Sebesi. Clipper non identifié toujours ancré côté sud de Pulau Legundi. Refuse toujours répondre aux saluts.

Sam essaya de poursuivre sa lecture puis s'arrêta.

– Le livre de bord du *Minden* s'arrête là. Ça pourrait être lui. L'heure correspond ainsi que la description : huit sabords pour les canons, comme pour le *Shenandoah.*

– Et si c'était lui, insista Remi. La dernière mention figurant sur le livre de bord du *Minden* date de deux heures avant l'éruption finale du Krakatoa. Le navire qu'ils ont vu était sans doute en train de s'enfuir, et soit il s'en est tiré, soit il a été rattrapé par le tsunami ou par la nuée ardente.

– Il y a encore une possibilité, déclara Sam.

– Laquelle ?

– Il aurait pu connaître le même sort que le *Berouw*, qui a été entraîné par les flots jusque à l'intérieur des terres.

– Est-ce qu'on ne l'aurait pas retrouvé depuis ?

– Peut-être oui, peut-être non.

– Sumatra est une grande île, Sam. Par où proposes-tu que nous commencions ?

– Par le dernier endroit où il a jeté l'ancre, répondit Sam en montrant la photo.

– Bonjour, les Fargo, lança une voix derrière eux.

Sam et Remi se retournèrent et découvrirent Itzli Rivera planté à quelques pas.

– Nous nous rencontrons sans cesse. Franchement, nous nous en passerions.

– Je peux arranger ça.

– Mais seulement quand nous vous aurons aidé à terminer ce que vous avez été incapables de faire tout seuls.

– Vous lisez dans mes pensées.

– Ce plan-là pose un problème, rétorqua Remi. Il s'arrête une fois que vous nous aurez tués.

– Il peut ne pas s'achever de cette façon.

– Mais si, répliqua Sam. Vous le savez et nous le savons. Nous en savons déjà assez du vilain petit secret de Garza pour faire tomber son gouvernement et, concernant vos autres victimes, nous avons amassé une montagne de renseignements. Comme cette femme à Zanzibar que vous avez assassinée juste parce qu'elle avait découvert une épée.

– Et huit autres probablement pour beaucoup moins que cela, ajouta Remi.

– Que puis-je vous dire ?

– Par exemple : « Quel est l'immeuble le plus haut d'où je pourrais sauter dans le vide ? »

– J'ai mieux à vous proposer : Donnez-moi l'ensemble de vos découvertes et je dirai à mon patron que je vous ai tués.

– Après tout ce que nous avons traversé ensemble, vous croyez encore que c'est plausible ? Vous avez la tête dure, monsieur Rivera.

– Jusqu'à maintenant, vous avez eu de la chance. Elle ne se renouvellera pas.

– Vérifions un peu que je vous comprends bien, dit Sam. Première option, nous vous livrons tout ce que nous avons trouvé et vous nous tuez ; deuxième option, nous ne vous livrons rien du tout et nous verrons jusqu'où notre chance tient.

– Quand vous présentez les choses ainsi, répondit Rivera, je comprends ce que vous voulez dire. Alors, changeons un peu les termes : vous me donnez rapidement et sans souffrance ce que je veux et je vous promets de vous liquider rapidement et sans douleur. Ou bien, continuons à jouer au chat et à la souris et, quand je vous aurai attrapés, je torturerai votre femme jusqu'à ce que vous me donniez ce que je veux.

Sam fit un pas en avant et regarda Rivera droit dans les yeux.

– Vous auriez besoin de surveiller vos manières.

Rivera retroussa de quelques centimètres le bord de sa veste.

– Et vous de faire attention à ce que vous dites.

– Ma femme me le répète sans arrêt.

– Vous êtes entêtés. Tous les deux. Vous allez partir d'ici. Si vous essayez de résister ou d'attirer l'attention, j'abattrai votre femme, puis vous. En route. J'ai un bateau dehors. Nous allons sortir et…

– Non.

– Pardon ?

– Vous m'avez entendu.

– Je ne bluffe pas, monsieur Fargo, je vais vous abattre tous les deux.

– Je crois en effet que vous essaierez, mais ne croyez pas que je vous faciliterai les choses.

– Personne ne m'en empêchera et j'aurai disparu avant l'arrivée des autorités.

– Et alors ? Vous vous imaginiez vraiment que nous avions apporté ici toutes nos preuves ? Vous souffrez d'un grave problème : vous sous-estimez les gens. Vous avez fouillé notre chambre d'hôtel sans rien trouver, n'est-ce pas ?

– Oui.

– Nous n'avons avec nous que quelques photos qui ne représentent rien que vous n'ayez déjà vu. Si vous nous tuez ici, cela se saura et, à votre retour à Mexico, tous les supports d'information auront déjà colporté l'histoire.

– Votre présence ici atteste que votre moisson est incomplète. Vous n'avez pas ce qu'a découvert Blaylock ni ce qu'il recherchait.

– Nous sommes deux dans ce cas.

– Oui, mais vous oubliez que j'ai passé près de dix ans de ma vie à garder le secret sur cette affaire. Vous n'y avez consacré que quelques semaines. Quoi que vous découvriez, quelle que soit l'histoire que vous racontiez, nous la déformerons. Vous savez pour qui je travaille et vous connaissez l'étendue de son pouvoir. Même si vous réussissez à survivre, quand nous en aurons fini avec vous, vous ne serez qu'une paire de chasseurs de trésors avides d'argent et de réputation qui ont monté de toutes pièces un formidable mensonge pour en tirer profit.

– Nous aurons encore notre santé, glissa doucement Remi.

– Et notre sens de l'humour, ajouta Sam. Si vous êtes à ce point confiant, pourquoi ne rentrez-vous pas chez vous en laissant les dés tomber à leur guise ?

– Je ne peux pas faire ça. Je suis un soldat. J'ai reçu des ordres.

– Alors, nous sommes dans une impasse. Ou bien vous nous abattez, ou bien vous vous en allez.

Rivera réfléchit quelques instants, puis hocha la tête.

– Comme il vous plaira. Mais souvenez-vous, monsieur et madame Fargo, je vous ai offert une chance de faciliter les choses. Quelle que soit la tournure que prendront les événements, sachez bien que je vais m'assurer que vous mourrez en Indonésie.

Chapitre 43

Baie de Lampung, Sumatra

SAM RÉDUISIT LES GAZ DU CANOT et vira pour se placer travers au vent. L'embarcation ralentit puis, une fois arrêtée, commença à se balancer sur l'eau. À quelques centaines de mètres à bâbord, se trouvait Mutun, une des douzaines de minuscules îles boisées qui s'alignaient le long des rives de la baie ; à tribord, au loin, Indah Beach.

– Bon, encore une fois, dit-il.

– Nous en avons déjà discuté, Sam. Plusieurs fois. La réponse est toujours non. Si tu restes, je reste.

– Alors, rentrons à la maison.

– Tu n'en as aucune envie.

– C'est vrai, mais…

– Tu commences à m'agacer, Fargo.

Il en était conscient car Remi ne l'appelait par son nom de famille que lorsqu'elle avait épuisé ses réserves de patience.

Après leur rencontre avec Rivera au musée, ils avaient pris le premier ferry pour l'escale de Sol Marbella, à une vingtaine de kilomètres du port de Cartita Beach. En attendant le départ du ferry, Sam n'avait pas quitté des yeux la vedette de Rivera ; il l'avait perdue de vue lorsqu'elle avait passé Tanjung, cap au sud-ouest.

À Java, un taxi les ramena au Four Seasons ; là, ils s'empressèrent de boucler leurs bagages, filèrent à l'aéroport et embarquèrent sur le premier vol de Batavia Air pour franchir le détroit jusqu'à Lampung. Ils atterrirent peu avant la tombée de la nuit et trouvèrent à quelques kilomètres au bord de la baie un hôtel d'où ils appelèrent Selma.

Plus tôt ils atteindraient Pulau Legundi, se disaient Sam et Remi, mieux cela vaudrait. Certes voir Rivera sortir du bois ne les avait guère surpris, cependant sa soudaine apparition, assortie de menaces, les incitait à ne pas s'attarder. Selma déploya donc ses habituels talents de magicienne : le soleil n'était pas encore levé qu'un *pinisi* à moteur de huit mètres – une sorte de ketch étroit et à fond plat – chargé des provisions nécessaires les attendait au port. Et maintenant que midi approchait, ils avaient couvert un tiers de la distance qui les séparait de Pulau Legundi.

– Jamais encore nous n'avons laissé des types comme Rivera nous pousser à la fuite. Pourquoi commencer maintenant ?

– Tu sais pourquoi.

Elle s'approcha et lui posa doucement une main sur l'épaule.

– Conduis, Sam. Finissons cela ensemble.

Sam poussa un soupir puis sourit.

– Tu es vraiment une femme remarquable.

– Je sais. Maintenant, pilote.

En fin d'après-midi, ce qui n'était d'abord qu'une tache sur un horizon couvert commença à dessiner la côte escarpée et plus loin les pics couverts d'épaisses forêts de l'île. L'île de Pulau Legundi, une virgule dentelée d'environ six kilomètres de long sur trois de large, était inhabitée. Comme toutes les autres îles du détroit de Sunda et des alentours, elle avait jadis été recouverte par les cendres volcaniques du Krakatoa. Cent trente ans de pluie et de vent ainsi que le travail patient de la nature avaient ramené sur ce coin perdu une luxuriante forêt tropicale.

Juste vingt-quatre heures après avoir quitté Djakarta et alors que le soleil se couchait sur les montagnes de

Legundi, Sam engagea le *pinisi* dans une crique abritée de la côte est. Emballant le moteur, il échoua l'embarcation sur une plage de sable blanc et Remi sauta à terre. Sam prit leur paquetage et la suivit après avoir attaché une bouline à un arbre voisin.

Remi déplia la carte qu'ils avaient achetée à l'hôtel – c'était ce qu'ils avaient pu trouver de mieux – et l'étala sur le sable pour s'accroupir devant.

Avant de quitter le musée, Sam avait étudié quelques cartes numériques exposées dans le kiosque et avait retenu de mémoire la position du navire.

– D'ici, c'est à un peu plus d'un kilomètre à l'ouest, annonça-t-il. Et pour autant que je puisse dire, le *Shenandoah*...

– À supposer que ce soit bien lui.

– Je prie le ciel que ce soit le cas. Je le situerais alors ici, dans cette crique peu profonde. Si nous nous basons sur le sort du *Berouw*...

– Rappelle-moi son histoire.

– D'après la version reconnue, le *Berouw* a été le seul navire à être poussé dans les terres. Tous les bateaux plus petits ont été soit entraînés au fond du détroit, soit immédiatement détruits par le dernier tsunami. Voici ma théorie : la différence pour le *Berouw* s'explique par le fait qu'il était ancré à l'embouchure d'une rivière.

– À un point de moindre résistance, suggéra Remi.

– Exactement. Il a été poussé à l'intérieur des terres en suivant une crevasse qui existait déjà. Si tu traces une ligne partant du Krakatoa jusqu'au point de mouillage du navire et à l'intérieur des terres, tu aperçois...

– Un ravin, termina Remi penchée sur la carte.

– Un ravin profond et protégé de chaque côté par des éminences de cent cinquante mètres. Si tu regardes bien, il se termine au pied du troisième sommet, à quelques centaines de mètres de la côte opposée. Cela donne une longueur d'un kilomètre et demi sur quatre cents mètres de large.

– Le navire n'aurait donc pas été réduit en poussière ni plaqué au fond de la mer après avoir été bringuebalé par-dessus l'île ? demanda Remi. Nous sommes à quarante kilomètres du Krakatoa. Le *Berouw*, qui en était à quatre-vingts, s'est retrouvé à des kilomètres dans les terres.

– Pour deux raisons : la première étant la hauteur bien plus importante des pics autour du ravin, et la deuxième, le poids du *Shenandoah*, quatre fois plus lourd que le *Berouw* à cause de sa structure métallique et de sa coque faite d'une double épaisseur de plaques de chêne et de teck. Il était conçu pour résister à de grosses mers.

– Tu es très convaincante.

– Espérons que la réalité nous donnera raison.

– Pourtant un détail me préoccupe encore...

– Comment le *Shenandoah* aurait-il survécu à la nuée ardente ?

– J'ai justement une théorie là-dessus. Tu veux l'entendre ?

– Garde-la pour l'instant. S'il s'avère que tu as raison, tu pourras me l'exposer. Si tu te trompes, ça n'aura plus d'importance.

Cinq minutes leur suffirent pour réaliser que les forêts de Madagascar n'étaient qu'un jeu d'enfant comparées à celles de Pulau Legundi ; fréquemment, la densité de la végétation obligeait en effet Sam et Remi à se profiler entre les arbres ou à se dégager des lianes qui tombaient jusqu'au sol. Au bout de cent mètres à manier la machette, Sam souffrait déjà de crampes dans l'épaule.

Ils finirent par trouver une clairière, pas plus grande qu'un placard, qui leur permit de s'accroupir pour boire un peu d'eau. Des insectes tournoyaient autour d'eux, bourdonnant à leurs oreilles. Au-dessus d'eux, la canopée bruissait des cris d'oiseaux invisibles. Remi prit dans son paquetage une lotion insecticide pour en enduire la peau exposée de Sam et il fit de même pour elle.

– C'est un point positif pour nous, déclara soudain Sam.

– Quoi donc ?

– Observe : la plupart des troncs sont couverts d'une couche de mousse et de plantes grimpantes qui constituent une sorte d'armure. Ce qui est bon pour les arbres pourrait l'être aussi pour nous. (Il but une nouvelle gorgée d'eau puis passa la gourde à Remi.) Plus nous monterons, ajouta-t-il, plus ce sera facile.

– Qu'entends-tu par facile ?

– Plus de soleil, moins de lianes.

– Aller plus haut veut dire grimper, répondit Remi avec un vaillant sourire. Dans la vie, on n'a rien sans rien.

Sam regarda sa montre.

– Encore deux heures avant le coucher du soleil. Rassure-moi, tu n'as pas oublié le hamac moustiquaire ?

– Non, en revanche, j'ai oublié le réchaud, les steaks et le seau à glace.

– Pour cette fois, je te pardonne.

Ils marchèrent encore une heure et demie, gravissant lentement mais régulièrement le versant ouest de la colline, se hissant parmi les racines et les lianes jusqu'à ce que Sam décrétât une halte. Ils déployèrent leurs hamacs entre deux arbres, s'assurèrent de la solidité des mailles puis se glissèrent dans leur cocon pour partager un repas d'eau tiède, de hachis de bœuf et de fruits secs. Vingt minutes plus tard, ils sombraient dans un profond sommeil.

La symphonie naturelle de la jungle les réveilla juste après le lever du soleil. Après un rapide petit déjeuner, ils reprirent leur marche. Ainsi que Sam l'avait prédit, plus ils grimpaient, plus le feuillage s'éclaircissait, plus ils parvenaient à avancer sans s'aider d'une machette. À dix heures et quart, ils émergèrent de la forêt et débouchèrent sur un plateau granitique d'environ trois mètres de large.

– Voilà ce que j'appelle une vue, s'exclama Remi en se débarrassant de son sac.

Devant eux s'étendaient les eaux bleues du détroit de Sunda. À une quarantaine de kilomètres, ils distinguaient les falaises abruptes de l'île de Krakatoa et, plus loin, la côte ouest de Java. Ils avancèrent jusqu'au bord du plateau. Cent cinquante mètres plus bas, au pied d'une pente de soixante degrés, s'étendait le fond du ravin. De chaque côté, les sommets qui formaient les parois nord et sud. La cavité était plus ou moins droite, avec une légère courbe à l'approche du rivage, à quinze cents mètres de là.

Sam désigna le coin d'eau qu'on distinguait à l'embouchure du ravin.

– C'est à peu près là qu'il était ancré.

– Je peux te poser une question ? Pourquoi n'avons-nous pas commencé par là pour remonter sans trop d'effort la cavité ?

– Pour deux raisons. D'abord, c'est le côté du détroit exposé au vent. Je suis peut-être un peu parano, mais j'ai préféré me protéger des regards indiscrets.

– Et la seconde raison ?

– C'est un meilleur point de vue.

– Tu espérais un peu, dit Remi en souriant, que nous allions trouver là un mât pointant au-dessus de la voûte de feuillage, c'est ça ?

– Parfaitement, répliqua Sam en lui rendant son sourire. Mais je ne vois rien. Et toi ?

– Non plus. Ce serait peut-être le moment de m'exposer ta théorie : comment le *Shenandoah* aurait-il survécu à la nuée ardente ?

– Eh bien, tu connais sans doute le terme scientifique pour désigner le phénomène, je pense en effet à l'« effet Pompéi ».

La ville de Pompéi, victime elle aussi d'une éruption célèbre, celle du Vésuve en 79, était connue pour les « momies », les moulages, semblables à des natures mortes, de ses habitants figés dans les ultimes instants de leur existence. Comme le Krakatoa, le Vésuve avait projeté dans les airs un panache de cendres ardentes et de pierre ponce qui s'était abattu sur la ville, carbonisant et ensevelissant pratiquement tout sur son passage. Les êtres humains et les animaux qui avaient eu la malchance d'être ainsi surpris avaient instantanément été brûlés vifs et ensevelis. Comme les corps se décomposaient, les fluides et les gaz qui s'en échappaient s'étaient durcis à l'intérieur de cette coquille.

– Je crois que le terme est exact. Mais ici, le principe est un peu différent.

– C'est là-dessus que je comptais. À supposer que le *Shenandoah* ait été entraîné jusqu'ici, il aurait été inondé par le tsunami et recouvert de milliers de tonnes de plantes et d'arbres saturés d'eau. Quand la nue ardente est arrivée, toute cette humidité aurait été transformée en vapeur et, par chance, c'est la couverture de feuillage qui aurait été carbonisée au lieu du navire.

Remi hochait la tête.

– Tout alors aurait été enfoui sous des mètres de cendres et de pierre ponce.

– C'est ma théorie.

– Pourquoi ne l'a-t-on pas déjà avancée ?

– Personne n'a fait l'effort, dit Sam en haussant les épaules. Combien découvre-t-on d'objets dans des endroits où tout le monde fouille depuis des années ?

– Un nombre incalculable.

– Et puis, le *Shenandoah* ne faisait que quatre-vingts mètres de long sur dix de large. Ce ravin, dit Sam en faisant le calcul dans sa tête, est vingt-cinq fois plus long et quarante fois plus large.

– Bien raisonné, Sam Fargo. (Remi regarda la pente qui descendait à leurs pieds.) Qu'en penses-tu ? demanda-t-elle. On y va ?

Ce fut un peu lent mais pas particulièrement délicat. Se servant des troncs d'arbres inclinés comme de marches, ils descendirent la pente pour regagner la forêt tropicale. Bientôt, le soleil fut légèrement masqué par la canopée, les laissant dans une sorte de crépuscule.

Ils firent une halte pour boire un peu d'eau. Après quelques gorgées, Sam s'éloigna à flanc de colline en lançant par-dessus son épaule un « Je reviens » ; une minute plus tard, il réapparaissait avec deux gros bâtons bien droits dont il tendit le plus court à Remi.

– Un tisonnier ? demanda-t-elle.

– Oui. Si l'épave est là, nous ne la retrouverons qu'en marchant. Et, dans la couche de végétation pétrifiée et de cendre qui la recouvre peut-être, il doit bien y avoir des vides ou des brèches. En sondant le sol, nous sommes sûrs de trouver quelque chose.

– À condition…

– Tais-toi.

Six heures durant, tandis que l'après-midi s'achevait, ils marchèrent côte à côte dans le lit du ravin, montant et descendant de petits tertres dont ils sondaient le sol avec leurs bâtons, en faisant de leur mieux pour suivre malgré les lacets un tracé à peu près nord-sud.

– Six heures, dit Sam en jetant un coup d'œil à sa montre. On finit cette ligne et on s'arrête.

Remi eut un rire las.

– Pour retrouver le doux abri de notre hamac…

Elle trébucha et se retrouva par terre en poussant un grand « Ouf ! ».

– Ça va ? s'inquiéta Sam en s'agenouillant auprès d'elle.

Elle roula sur le flanc, fronça les lèvres et écarta une mèche de cheveux qui lui barrait la joue.

– Ça va, mais je suis fatiguée au point de ne plus tenir debout.

Sam se releva et l'aida à se remettre debout. Remi regarda autour d'elle.

– Où est mon bâton ?

– À tes pieds.

– Comment ? Où ça ?

Sam tendit le doigt. Le bout du bâton de Remi dépassait le terreau de cinq centimètres.

– Ou bien, dit Sam, c'est un formidable tour de magie, ou bien tu as trouvé une cavité.

Chapitre 44

Pulau Legundi, détroit de Sunda

ILS RECULÈRENT AVEC PRÉCAUTION et examinèrent le sol.
– Quelque chose ? demanda Sam.
– Non.
– Grimpe sur cet arbre.
– Nous n'avons pas encore glissé dans le trou, alors il est peu probable que cela arrive maintenant.
– Fais-moi plaisir.
Remi recula de manière à ce que ses fesses touchent le tronc puis se retourna pour se hisser sur la plus basse branche. Sam, de son côté, se débarrassa de son sac et le posa par terre. Tenant son bâton horizontalement, il avança prudemment, tel un funambule, jusqu'au repère laissé par Remi. Il s'agenouilla et remplaça le bâton de Remi par le sien. Il prit alors sa lampe frontale et en braqua le faisceau dans le trou.
– C'est profond, je ne vois pas la fin, constata-t-il.
– Que veux-tu faire ?
– Agrandir le trou et descendre dedans, mais on n'y voit presque plus rien. Campons sur place et attendons le jour.

*

Ils dormirent d'un sommeil agité, se réveillant sans cesse pour discuter et imaginer ce qui, peut-être, se trouvait à quelques pas de leur hamac. Ayant réfléchi, et en quelque sorte agi, pratiquement comme Winston Blaylock dans sa quête, Sam et Remi avaient le sentiment de traquer le *Shenandoah* depuis des années.

Quand le soleil levant filtra suffisamment à travers le feuillage pour les éclairer un peu, ils avalèrent un rapide petit déjeuner et remontèrent jusqu'au trou signalé par le bâton de Remi, équipés cette fois d'une dizaine de mètres de cordage provenant du *pinisi*.

Remi fit une double boucle autour de l'arbre le plus proche tandis qu'à l'autre extrémité, Sam improvisait une sorte de licol qu'il passa autour de ses épaules en le coinçant sous ses aisselles.

– Bonne chance, lui souhaita Remi.

Sam s'approcha de l'orifice, s'agenouilla puis commença à donner de petits coups prudents avec le bout du bâton, faisant tomber dans les profondeurs invisibles des mottes de terre et de cendre compressées. Petit à petit, tout en restant à la périphérie, Sam agrandit le trou qui, cinq minutes plus tard, fut assez large pour permettre à un homme de s'y glisser.

Sam alors se releva et cria par-dessus son épaule :

– Tu me tiens bien ?

Remi assura le filin entre ses mains, le tendit puis bloqua ses pieds contre le tronc.

– Très bien.

Sam, fléchissant alors les genoux, s'éleva de quelques centimètres, recommença, un peu plus haut, puis s'arrêta pour regarder alentour.

– Tu vois une fissure ?

– Aucune.

Sam frappa encore cinq ou six fois le sol du pied.

– Je pense que ça ira, dit-il.

Remi noua l'extrémité de la corde de manière à pouvoir rejoindre Sam près du trou. Ce dernier attacha un collier autour de sa lampe frontale, l'alluma et la fit descendre tout en comptant les longueurs de bras qu'il dévidait. Bientôt, la corde donna du mou : tout en bas, la lampe reposait sur le côté. Ils se penchèrent pour scruter les ténèbres.

– Est-ce que ce serait… Non, ce n'est pas possible, murmura Remi au bout d'un moment.

– Le pied d'un squelette ? Oui, ça se pourrait. (Il la regarda.) Je te suggère de passer le premier.

– Excellente idée.

Ils récupérèrent la lampe et firent des nœuds sur la corde avant de la relancer dans l'orifice. Sam glissa les pieds dans l'ouverture, se tortilla un peu et entreprit de descendre, une main après l'autre.

En examinant l'intérieur de la cavité en géologue, Sam eut l'impression de remonter le cours de l'Histoire. Après une soixantaine de centimètres d'une première couche – du terrain ordinaire –, la couleur, brun clair, passa au gris boueux.

– Je suis toujours dans la couche de boue, annonça-t-il.

Puis, parmi les cendres, commencèrent à apparaître comme des amas pétrifiés de bois et de végétation.

Arrivé au fond du puits qu'il avait dégagé, Sam tâta les parois du bout du pied pour assurer sa position et repéra sur le côté ce qu'ils avaient pris pour les os d'un pied.

– C'est une racine d'arbre, cria-t-il.

– Dieu merci.

– La prochaine fois, ce sera sans doute pour de vrai.

– Je sais.

– Passe-moi le bâton, s'il te plaît.

Remi le lui tendit. Travaillant à deux mains, il s'affaira d'abord comme pour planter un poteau, puis comme s'il touillait le contenu d'un pot ; ainsi, il parvint rapidement à élargir l'ouverture, faisant voler des nuages de cendre. Il attendit un moment, puis recommença l'opération jusqu'à ce qu'il eût élargi le puits de plus d'un mètre.

– Quelle profondeur pour l'instant ? lança Remi.

– Environ deux mètres cinquante.

Sam remonta le bâton et le glissa dans sa ceinture.

– Il va falloir évacuer ces débris.

– Je t'envoie un sac, annonça Remi quelques instants plus tard.

Sam reprit sa descente : les couches, de plus en plus compressées, changeaient encore de couleur, passant du gris au brun puis au noir. Sam s'arrêta brusquement, le cœur battant. Il tourna sa torche de côté, s'efforçant d'en braquer le faisceau sur ce qui avait arrêté son regard. Il retrouva ce qu'il cherchait et cala ses pieds contre les parois.

– J'ai trouvé du bois de charpente ! cria-t-il.

– Je suis abasourdie, Sam, répondit Remi d'une petite voix après quelques minutes de silence. Décris-le-moi.

– C'est une pièce horizontale d'environ huit centimètres d'épaisseur. J'en distingue une longueur d'à peu près vingt centimètres.

– Trop mince pour le pont. Le toit du rouf peut-être ? Les seules autres structures qui pourraient dépasser seraient la cheminée, le hublot du carré, de la salle des machines ou de la timonerie. Vois-tu des traces de verre ?

– Non. Attends, j'avance.

Une fois de plus, il se retrouva au fond de l'excavation. Il déblaya de nouveaux débris puis se remit à frapper avec son bâton. Au premier coup, il entendit le bruit sourd du bois contre le bois. Il creusa encore puis pencha le cou vers le bas, en éclairant le fond avec le faisceau de sa lampe.

– J'ai trouvé le pont ! cria-t-il.

Il se laissa glisser jusqu'à ce que ses pieds touchent le pont. Le bois craqua et ploya sous son poids. Après avoir repoussé du pied les débris, il donna un vigoureux coup de talon et obtint un craquement satisfaisant. En répétant une douzaine de fois l'opération, il pratiqua une ouverture d'une bonne soixantaine de centimètres où le reste des détritus s'engouffra.

– Je descends.

La clarté diminuant, il dut se contenter de l'éclairage de sa lampe, puis ses pieds touchèrent une surface dure. Il la tâta de la semelle de sa chaussure : elle était solide. Avec précaution, il lâcha la corde.

– Je suis au fond, annonça-t-il. Ça a l'air de tenir.

– J'arrive, répondit Remi.

Deux minutes plus tard, elle l'avait rejoint. Elle alluma sa lampe frontale et inspecta le trou au-dessus de leurs têtes.

– C'est probablement le toit de la timonerie.

– On devrait donc être au-dessus du poste d'équipage, observa Sam.

Un vrai cimetière, comprirent-ils rapidement en promenant autour d'eux le faisceau de leur lampe : par des interstices, ils distinguaient de chaque côté des rangées de hamacs pendus aux cloisons. Tous occupés. Par des squelettes, à l'exception de quelques lambeaux de chair desséchée aux endroits non protégés par des vêtements.

– Comme s'ils s'étaient simplement couchés pour attendre la mort, suggéra Remi.

– Ce fut probablement le cas, acquiesça Sam. Une fois le navire enseveli, ne les attendaient plus que la suffocation, la famine ou le suicide. Avançons. Je te laisse choisir le chemin.

Les seuls plans du bateau dont ils disposaient venaient du chantier de construction navale original ; ils ignoraient totalement si le sultan de Zanzibar ou Blaylock avaient apporté des modifications à l'agencement du navire. Le poste d'équipage semblait proche de l'original, mais que dire du reste du bateau ?

Remi décida de commencer par l'avant. Le pont était presque impeccable. S'ils n'étaient pas arrivés de cette façon, ils auraient été incapables de dire qu'ils se trouvaient sous cinq mètres de terre.

– Ce doit être l'absence d'oxygène, dit Remi. Cet endroit est resté hermétiquement clos pendant cent trente ans.

Le faisceau de leurs lampes balaya une colonne de bois qui leur barrait la route.

– Le mât de misaine ? demanda Remi.

– Sûrement.

De l'autre côté, ils découvrirent une cloison et deux marches donnant sur l'ancien quartier des seconds maîtres qu'on avait par la suite transformé en magasin pour entreposer des madriers et de la toile à voile.

– Allons à l'arrière, suggéra Sam. Sauf si Blaylock était sur le pont quand ils ont été touchés, je parierais qu'il était soit au carré des officiers, soit dans sa cabine.

– Je suis d'accord.

– J'adorerais pousser plus loin notre exploration, pourtant j'estime que nous nous trouvons dans un cas où, ainsi que disait Shakespeare, « le meilleur du courage, c'est le discernement ».

Remi hocha la tête.

– Cela va prendre des années de travail pour une équipe entière d'archéologues.

Ils se dirigèrent donc vers l'arrière, leurs pas éveillant un écho assourdi sur le pont et leurs voix résonnant contre les cloisons. Ils franchirent une écoutille et se trouvèrent devant un autre mât, cette fois le grand mât ; de l'autre côté, une cloison et une échelle menant au pont principal.

– Pas moyen d'aller plus loin, constata Remi. À moins de nous frayer un passage jusqu'au pont principal et de creuser un tunnel vers l'arrière jusqu'au carré des officiers.

– Appelons cela le plan B. D'après les plans du navire, de l'autre côté de cette cloison se trouvent les soutes à charbon, la partie supérieure de la salle des machines et la cale arrière. Le sultan – qui ne répugnait pas à transporter de temps en temps des cargaisons illicites – avait peut-être conçu d'autres aménagements discrets. Vérifions.

La cloison, de deux mètres de haut, courait sur toute la largeur du pont, soit dix mètres. Grâce à leurs lampes, Sam et

Remi l'examinèrent d'un bout à l'autre et, juste en dessous de l'endroit où l'échelle menait au pont, Remi repéra une indentation de quelques millimètres sur l'une des planches. Elle appuya dessus et fut récompensée par un petit *couic* : un panneau d'écoutille à charnière s'abaissa, Sam l'ouvrit complètement et, dressé sur la pointe des pieds, inspecta l'ouverture.

– Un passage, annonça-t-il.

– Dans la bonne direction.

Sam hissa Remi par les hanches et, grimpant à son tour, la suivit. Ils progressaient vers l'arrière, à quatre pattes.

– Je crois que nous sommes au-dessus des soutes, dit Sam.

Et, trois mètres plus loin, Remi annonça :

– Une cloison devant.

Ils s'arrêtèrent, ne percevant que le tâtonnement des doigts de Remi sur la cloison, puis il y eut un nouveau *couic*.

– Eurêka, s'exclama-t-elle. Encore une écoutille.

Elle se glissa par cette ouverture et disparut. Sam entendit le bruit de ses pieds sur l'acier grinçant. Il rampa jusqu'au panneau. Juste devant se trouvait un étançon : il l'empoigna et se hissa pour passer.

Ils avaient atteint une coursive protégée par une balustrade. Ils s'y engagèrent et, braquant le faisceau de leur lampe, éclairèrent dans l'ombre un amoncellement de machines, de poutrelles et de tuyaux.

Ils suivirent la coursive jusqu'à la cloison arrière et à une petite échelle qui les amena devant un autre panneau ; l'ayant franchi, ils se trouvèrent recroquevillés au-dessus d'une cale d'à peine un mètre de haut.

Sam promena autour de lui le faisceau de sa lampe, tentant de s'orienter.

– Nous sommes juste en dessous du carré. Il doit bien y avoir…

– Je l'ai trouvé, l'interrompit Remi, qui était plantée quelques mètres plus loin devant un panneau descendant du plafond. Pas bête, le sultan, déclara-t-elle. À ton avis, c'était pour son harem ?

– Ça ne m'étonnerait pas de lui, répondit Sam en s'avançant pour lui faire la courte échelle. Monte.

Au bout du couloir, une autre porte, à droite, les mena dans le corridor de bâbord avec, d'un côté, des postes d'équipage et, de l'autre, le carré.

– Tu as envie de regarder ? demanda Sam.

– Pas particulièrement. Ce ne sera guère différent.

– Alors, il reste une salle à inspecter.

Ils firent donc demi-tour et, quelques pas plus loin, ils aperçurent une lourde porte en chêne avec de solides gonds en acier sculpté et une serrure assortie.

– La cabine du capitaine, précisa Sam.

– J'ai le cœur qui bat.

– Moi aussi.

– Qui passe le premier ? demanda Remi.

– Les dames d'abord.

Sam braqua sa lampe par-dessus l'épaule de Remi pour lui éclairer le passage. Elle s'avança jusqu'à la porte, posa sa main sur le bouton et, après un instant d'hésitation, le tourna et poussa. S'attendant un peu à entendre crisser les gonds, ils furent surpris quand la porte pivota sans bruit vers l'intérieur.

Grâce à leurs recherches, ils savaient que la cabine du capitaine, à bord du *Shenandoah*, mesurait environ quatre mètres sur trois : près de douze mètres carrés, une pièce luxueuse comparée aux couchettes des officiers et aux bancs des matelots.

Sam et Remi l'aperçurent en même temps.

Posé juste devant eux, face aux quatre fenêtres à meneaux, un rocking-chair. Au-dessus de l'appuie-tête dépassait un crâne sur lequel ne restaient que quelques mèches blanches jaunissantes et de rares lambeaux de chair desséchée.

Remi franchit le seuil et Sam en fit autant. Le faisceau de leur lampe braqué sur le personnage tassé dans le fauteuil, ils avancèrent puis contournèrent le siège.

Winston Blaylock était vêtu ainsi qu'ils l'imaginaient depuis trois semaines : demi-bottes, pantalon kaki et veste de chasse. Même réduit à cet état squelettique, il gardait une stature impressionnante : larges épaules, longues jambes, torse puissant.

Dans ses mains posées, paumes ouvertes, sur ses genoux, était blottie, fixant Sam et Remi, la statuette d'une vingtaine de centimètres d'un maleo, l'oiseau des volcans, dont les facettes étincelaient dans le faisceau de leurs lampes.

*

Sans un mot, Sam se pencha et enleva délicatement l'oiseau des mains de Blaylock. Ils contemplèrent l'homme encore une longue minute, puis fouillèrent méthodiquement la cabine. Ils ne trouvèrent ni livre de bord ni documents à l'exception de trois feuilles de parchemin, couvertes sur chaque face d'une écriture soignée. Remi les examina.

– Trois lettres à Constance, dit-elle.

– Datées ?

– Du 14 août, du 20 août et… (Remi hésita.) La dernière du 16 septembre.

– Trois semaines après que le *Shenandoah* eut été enseveli ici.

Ils reprirent la coursive de tribord, repassèrent par le panneau d'écoutille, traversèrent la salle des machines et se glissèrent par l'étroit passage donnant sur le pont principal.

Remi escalada le puits qu'ils avaient creusé puis, quand Sam eut solidement attaché le maleo au bout de la corde, le remonta à la surface. Elle redonna alors du mou au filin et Sam la rejoignit.

Ils rassemblèrent ensuite une brassée de brindilles et de branchages pour former une sorte de treillage au-dessus du trou et le recouvrirent de terre.

– Je ne trouve pas correct de les laisser ainsi là-dedans, déplora Remi.

– Nous reviendrons, répondit Sam. Nous nous assurerons qu'on s'occupe de… qu'on s'occupe d'eux tous.

Chacun perdu dans ses pensées, ils remontèrent rapidement jusqu'au plateau. Trois heures après avoir quitté le *Shenandoah*, ils reprenaient la piste taillée par Sam dans la forêt, Remi marchant devant. À travers les arbres, Sam aperçut le sable blanc de la plage.

Leur *pinisi* avait disparu.

– Remi, arrête, murmura Sam.

Instinctivement, il se débarrassa de son sac et en sortit le maleo pour le lancer dans les broussailles. Ensuite il ramassa son sac et reprit sa marche.

– Qu'y a-t-il ? fit Remi en se retournant. (Découvrant alors l'expression de son mari, elle se crispa.) Que se passe-t-il ? chuchota-t-elle.

De quelque part sur la droite, au milieu des arbres, lui parvint la voix d'Itzli Rivera.

– C'est ce qu'on appelle une embuscade, madame Fargo. Reculez, ajouta Rivera d'un ton sans réplique. Encore un mètre cinquante et vous êtes sur le sable. Monsieur Fargo, un fusil est braqué sur votre femme. Encore un pas, madame Fargo.

Remi obéit.

– Posez votre sac à dos.

Remi s'exécuta.

– Maintenant, avancez, monsieur Fargo. Les mains en l'air.

Sam suivit le sentier et s'avança sur la plage. Sur sa droite, Rivera sortit du couvert des arbres, ainsi que, sur sa gauche, un homme armé d'un fusil d'assaut. Rivera porta à sa bouche un talkie-walkie et dit quelques mots. Dix secondes plus tard, une vedette contournait le cap et entrait dans la crique. Elle s'arrêta à deux mètres de la plage. À bord, deux hommes, également porteurs d'un fusil d'assaut.

– Vous l'avez trouvé ? demanda Rivera.

– Oui, répondit Sam ne voyant pas l'intérêt de mentir.

– Blaylock était à bord ?

– Oui.

Sam et Remi se regardèrent, chacun s'attendant à la question suivante.

– Vous avez trouvé quelque chose d'intéressant ?

– Trois lettres.

Rivera aboya en espagnol à l'intention de l'homme posté derrière Sam et Remi : « Fouille-les. » Ce dernier s'empara des deux sacs et les traîna à trois mètres de là. Il les fouilla l'un après l'autre et, découvrant leur iPhone et leur téléphone satellite, les écrasa avec la crosse de son fusil puis, d'un coup de pied, envoya les débris dans l'eau. Ensuite, il fouilla consciencieusement Sam et Remi.

– Rien, annonça l'homme à Rivera. Juste trois lettres.

– Vous pouvez les garder, déclara Rivera. En échange, je prends votre femme.

– Pas question, fit Sam en avançant d'un pas vers Rivera.

– Sam, non ! cria Remi.

L'homme qui se tenait derrière Sam se précipita pour lui asséner au creux des reins un coup violent avec la crosse de son fusil. Sam trébucha, se remit à genoux et commença à se relever.

– Rivera, dit-il en reprenant son souffle, vous pouvez...

– Vous prendre vous ? Non, merci.

Il prit dans sa poche un portable et le lança à Sam.

– Il est prépayé et impossible à localiser, avec encore trois minutes de conversation. Vous avez vingt-quatre heures pour déterminer où se trouve Chicomoztoc.

– Ce n'est pas suffisant.

– C'est votre problème. Quand vous aurez trouvé l'emplacement, composez sur ce téléphone le 69. Passé ce délai d'une minute, je tuerai votre femme.

– Tout va s'arranger, Remi, affirma Sam en se retournant pour regarder sa femme.

– Je sais, répondit-elle avec un sourire forcé.

– Emmenez-la, ordonna Rivera. (Les deux hommes escortèrent Remi sous la menace de leur fusil jusqu'à la vedette, la soulevèrent puis la poussèrent par-dessus la rambarde sur un des sièges à l'arrière.) Ai-je besoin, ajouta Rivera à l'intention de Sam, de vous déconseiller d'alerter la police ou de faire une autre bêtise de ce genre ?

– Non.

– Votre bateau est ancré de l'autre côté du cap.

– Je vous poursuivrai.

– Quoi ?

– Si vous lui faites du mal, je passerai le restant de mes jours et je consacrerai tout mon argent à vous traquer.

– Je vous en crois capable, lança Rivera avec un pâle sourire.

Chapitre 45

Vingt-quatre heures plus tard,
sud de l'île de Sulawesi

SAM INSPECTA LES CADRANS, vérifiant vitesse, altitude, pression d'huile, niveau de carburant... Comme tout le reste à bord de l'avion, les rares indications à ne pas être complètement effacées étaient en serbe.

Vétéran de l'armée de l'air serbe, l'hydravion Ikarus Kurir, d'un horrible gris-bleu, comptait soixante années de service. Les hublots n'étaient plus tout à fait étanches, le moteur avait des ratés, les flotteurs étaient cabossés et les commandes jouaient tellement que l'appareil ne réagissait que deux secondes après qu'on eut appuyé sur les pédales.

Pourtant, piloter n'avait jamais rendu Sam plus heureux.

À mille milles à l'est de Djakarta, l'Ikarus était le seul hydravion qu'on pût louer, acheter ou voler et, s'il ne s'écrasait pas dans l'heure qui suivait, il le conduirait auprès de Remi.

Survivraient-ils aux quelques heures ou jours à venir, voilà qui dépendrait de la manœuvre désespérée qu'ils avaient combinée, Selma et lui.

Dès que la vedette de Rivera avait disparu, Sam avait récupéré la statuette du maleo et ramassé son sac pour en trier le contenu et ne garder que l'essentiel ; les lettres de Blaylock, il les avait glissées dans un sac étanche. Sept minutes plus tard et à la nage, il avait regagné le *pinisi* et, en quatre-vingt-dix interminables minutes de navigation, atteint le point civilisé le plus proche, sur la côte est de la baie de Lampung. Il avait alors débarqué et couru un bon kilomètre et demi sur un chemin de terre jusqu'à un groupe de baraquements à côté d'une exploitation agricole. Il avait réussi à persuader quelqu'un de le laisser entrer dans les bureaux pour accéder à un téléphone d'où il avait pu appeler Selma.

– Nous n'avons pas assez de temps, avait-elle conclu après l'avoir écouté.

– Je le sais mais nous n'en disposons pas davantage.

– Nous devrions appeler Rube, non ?

– Il ne peut rien faire en si peu de temps. Que Pete et Wendy s'arrangent pour me ramener à Djakarta.

– Entendu.

– Maintenant, dis-moi où nous en sommes. Que savons-nous ?

– Pratiquement rien.

Cinq heures après avoir quitté Pulau Legundi, Sam se posait à Djakarta. Il prit une chambre dans l'hôtel le plus proche disposant d'une connexion Wifi et d'un ordinateur de location, puis il contacta de nouveau Selma.

– Peu importe que nous ayons repéré le bon emplacement, déclara Sam. J'ai juste besoin de le faire croire à Rivera et de le convaincre de me rencontrer.

– Fabriquons une preuve. Wendy pourrait bricoler ça sur Photoshop.

– En dernier ressort, fit Sam en consultant sa montre. Nous avons six heures pour examiner toutes les solutions possibles. Si nous n'arrivons nulle part, nous tenterons ton plan. Voyons ce que ça donne : Orizaga a traîné partout, sans doute à la recherche de Chicomoztoc. Est-il passé à Sumatra ?

– Nous n'en savons rien.

– Comme Blaylock, il se concentrait sur le maleo. Orizaga disait qu'il reconnaîtrait Chicomoztoc quand il découvrirait une « couveuse de grands oiseaux ». Il devait parler du maleo, non ?

– Ça semble probable.

– Où les trouve-t-on ?

– Ils figurent sur la liste des espèces en voie d'extinction. On n'en rencontre plus que dans les îles Sulawesi et Buton.

– Et il y a cinq cents ans ?

– Je n'en ai aucune idée.

– Est-ce que Pete et Wendy ont dressé une liste des spécialistes du maleo ?

– Nous ne savons même pas s'il en existe.

– Il existe des spécialistes pour tout. Qu'ils se renseignent sur les centres de couveuses, les concentrations d'oiseaux, les flux migratoires... Bon, pour en revenir à Sulawesi : c'est là où vivaient les Malagasy avant d'émigrer à Madagascar et c'est à Madagascar que nous avons trouvé le canoë de Blaylock. Deux voix pour Sulawesi donc. Que savons-nous de Sulawesi avant le VIe siècle ?

Sam entendit un froissement de papier.

– Traces de colonisation humaine remontant à trente mille ans avant notre ère. On pense qu'elles auraient constitué un pont entre l'Australie et la Nouvelle-Guinée...

– Et plus récent ? poursuivit Sam.

– Pour autant que j'aie pu chercher ces jours derniers, je n'ai pas trouvé grand-chose jusqu'au XVIe siècle, quand les Portugais sont arrivés.

– Et que sait-on de la langue ou de l'art ? Aucune ressemblance ni avec les Aztèques ni avec les proto-Aztèques de Blaylock ?

– Wendy fait des recherches, mais nous nous heurtons au même problème : à l'exception de quelques villes, Sulawesi ne compte que des milliers de kilomètres carrés de forêt tropicale, de volcans éteints et pas grand-chose d'autre.

Des régions entières de cette île n'ont même jamais été explorées. Il n'y a presque rien sur Internet et encore moins à propos de collections artistiques. Si nous avions quelques semaines...

– Nous ne les avons pas. Fais de ton mieux. Si tu découvres quelque chose qui a l'air ou qui a une résonance même vaguement aztèque, signale-le.

– Sam, il faut que tu souffles un peu.

– Quand j'aurai retrouvé Remi. Revenons au canoë. Tu as le rapport du labo. Rappelle-moi : que savons-nous du matériau utilisé ?

– Le bois utilisé était du durian. Nous savons où on en trouve aujourd'hui. Je cherche à savoir où il aurait pu pousser avant le VIe siècle. Même chose pour le reste : l'hévéa, la feuille de pandan, la palme de gebang...

– Laisse-moi deviner : les spécialistes ne se bousculent pas.

– Je n'ai pas pu en trouver.

– Et dans les lettres de Blaylock ?

– Nous les avons toutes décodées. À moins qu'il y ait un code derrière le code, rien d'autre à trouver. Idem pour le journal. Et dans les lettres à Constance que tu as trouvées sur le *Shenandoah* ?

– Elles ne sont pas codées. Les deux premières lettres concernent le voyage dans le détroit de Sunda. Probablement écrites peu avant sa mort. Tu la liras quand nous serons de retour. Il déclare à Constance qu'il aimerait rentrer pour l'épouser.

– C'est bien triste. Et la statuette de maleo ?

– De l'émeraude ou du jade, peut-être, ou encore d'autres pierres que je ne connais pas. Je ferai des recherches sur les minerais de Sulawesi, mais je ne pense pas que cela résolve notre problème. Je vais avoir besoin d'accéder à notre serveur pour pouvoir étudier tout d'ici.

– Bien sûr, donne-moi dix minutes.

– Bon, merci. Que nous manque-t-il, Selma ?

– Je ne sais pas, Sam.
– Il nous manque quelque chose.

Trois heures s'écoulèrent. Sam et Selma se parlaient toutes les vingt minutes, discutant des progrès de leurs recherches, de ce qu'ils savaient et de ce dont ils se doutaient.

À quatre heures, Selma rappela.

– Nous avons un peu avancé. Nous avons découvert le livre d'un botaniste norvégien qui parle à la fois du pandan et de la palme de gebang. Je lui ai parlé au téléphone. Selon lui, les deux plantes se trouvaient en forte concentration dans le tiers nord de Sulawesi au IVe ou Ve siècle.

– Mais pas exclusivement là.

– Non.

– Je viens de me rappeler ce que nous avons oublié.

– Quoi donc ?

– Le codex. Tu te souviens du buisson sur lequel est assis le maleo ?

– Oui, bon sang. Comment ai-je pu l'oublier ?

– Peu importe. Demande à Wendy de brancher son Photoshop. Qu'elle agrandisse l'image, qu'elle la nettoie et qu'elle la montre au Norvégien.

Sam raccrocha et retourna à son ordinateur. Comme il le faisait depuis près de trois heures, il faisait défiler sur l'écran la galerie d'images et de scans qu'ils avaient rassemblée. Il y avait des douzaines de lettres de Constance, des centaines de pages de journal, le codex d'Orizaga, les séquences de Fibonacci... Tout cela commençait à se mélanger dans sa tête.

Il passa sur Google Earth et reprit son scannage de Sulawesi, en cherchant le moindre détail susceptible d'éveiller quelque chose dans son esprit.

Il zooma sur une baie isolée de la côte nord-est de Sulawesi, en déplaçant la carte. Chaque coin de Sulawesi lui semblait constitué d'îlots et d'atolls répandus sur la mer comme des confettis.

Soudain, Sam s'arrêta et revint en arrière. Il zooma de nouveau, puis encore. Il regarda de plus près :
– Une fleur évidée, murmura-t-il.

Il tendait la main vers le téléphone quand la sonnerie retentit. C'était Selma.
– Tu avais raison, Sam, il y a des spécialistes pour tout. J'ai entendu parler d'une zoologiste de Makassar. Elle affirme que jusqu'au début du XVIIe siècle, les maleos étaient migrateurs. Tous les ans, ils se rassemblaient pour quelques mois dans la partie nord-est de l'île.
Sur son ordinateur, Sam passait de Google Earth à sa galerie de photos.
– Continue.
– J'ai également envoyé par e-mail à un conservateur du Jardin botanique de Cibodas à Djakarta une photo du buisson figurant dans le codex. Il pense qu'il pourrait s'agir d'un durian nain. J'ai un peu insisté et il a fini par me dire que le durian avait probablement émigré d'est vers l'ouest, ce qui l'aurait fait pousser à Sulawesi il y a environ seize cents ans.
– Fantastique, dit Sam d'un ton absent. Peux-tu passer sur Google Earth ?
– Attends un instant. Bon, je suis prête.
Sam lui donna quelques latitudes et longitudes.
– Zoome jusqu'à ce que l'île occupe presque tout ton écran.
– C'est fait.
– Cette forme ne te rappelle pas quelque chose ? Imagine ces ravins d'érosion plus marqués.
– Je ne vois pas ce que… Oh ! (Selma resta quelques instants sans rien dire.) Sam, ça ressemble aux illustrations agrandies du Chicomoztoc.
– Je sais.
– Ce n'est qu'une coïncidence. Forcément.

– Peut-être, mais c'est la partie nord-est de l'île – la région mentionnée par tous tes spécialistes. Même si ce n'est pas Chicomoztoc, je crois que je peux persuader Rivera du contraire.

– Et ensuite ?

– J'improviserai quand je serai en face de lui. Selma, j'ai besoin de toi pour me rendre à Sulawesi. Et puis il faut que tu me trouves un hydravion.

Chapitre 46

Sud de Sulawesi

SAM EFFECTUA UN VIRAGE EN DOUCEUR et amorça sa descente. En bas, sur la droite, le terrain d'atterrissage émergea de la brume. Sam s'aligna sur la piste et, après avoir traversé une couche peu importante de nuages, atterrit sans problème. Il roula vers les baraquements groupés au bord du tarmac et suivit les consignes de l'employé au sol. Il coupa les gaz et descendit de l'appareil. Selma s'étant déjà occupée de toutes les formalités, il n'eut qu'un formulaire à signer. Ensuite il composa sur son mobile le 69.

– Il était temps, répondit Rivera.

– Il me restait une soixantaine de secondes sur cet appareil. Vous êtes déjà là ?

– Nous sommes à dix minutes d'ici.

– Laissez-moi parler à ma femme.

– Vous m'indiquez d'abord l'emplacement du Chicomoztoc et ensuite je vous la passerai.

– Pas avant qu'elle soit devant moi.

– Ne forcez pas votre chance, répliqua Rivera.

– Vous avez déjà abattu vos cartes. Vous l'avez dit vous-même : vous ne nous laisserez pas la vie sauve. Vous voulez le Chicomoztoc, alors voici mes conditions. Passez-la-moi.

Il entendit dans l'appareil la voix de Remi :

– Sam ?

– Ça va ?

– Très bien. Où es-tu ?
– Tout près. Reste là.
– Nous vous attendons, reprit la voix de Rivera avant de raccrocher.

Dix minutes plus tard, il reprenait l'air et se dirigeait au sud-est vers l'île de Selayar. Encore vingt minutes et il plongea une nouvelle fois dans les nuages. Au-dessous, la mer était calme et bleue. Il descendit à deux mille pieds et suivit la côte jusqu'à ce qu'apparût la pointe sud de l'île. Il posa l'Ikarus à quelques centaines de mètres du rivage et avança jusqu'à la plage. Garés au bord d'un chemin de terre, deux 4 × 4 Isuzu. Au moment où les patins de l'Ikarus ratissèrent le sol, les portières d'un des 4 × 4 s'ouvrirent pour laisser sortir Rivera, Remi et les trois hommes de Pulau Legundi.

Sam coupa le moteur, descendit sur le ponton et pataugea jusqu'à la plage.

– Fouille-le, ordonna Rivera.

Un des hommes obéit, puis recula d'un pas en secouant la tête.

– Fouille l'appareil aussi.
– J'aimerais embrasser ma femme, dit Sam.
– Allez-y.

Sam laissa Remi s'avancer en espérant que Rivera la laisserait approcher suffisamment pour qu'il ne puisse pas les entendre. Mais ce ne fut pas le cas.

– Pas plus loin, cria-t-il.

Sam et Remi s'étreignirent. Il murmura :

– Prends la place numéro trois, attrape le sac de couchage et tiens-toi prête.

Malgré la nature énigmatique de ce message, elle se contenta de répondre :

– OK.

Ils se séparèrent. Sam lui adressa un sourire rassurant puis elle revint à côté de Rivera. L'homme que ce dernier avait envoyé fouiller l'hydravion regagna la plage.

– Il n'y a rien à bord. Pas d'armes. Rien que des sacs de couchage, des couvertures et du matériel de camping.
– Au cas, expliqua Sam, où nous devrions passer la nuit.
– C'est une pièce de musée, ce zinc, remarqua Rivera. Vous êtes sûr qu'il sera capable de nous emmener là où nous devons aller ?
– Absolument pas, répondit Sam, mais c'est ce qu'on trouve quand on ne dispose que de vingt-quatre heures seulement. Si vous préférez, on peut annuler le voyage.
– Non, nous partons.
– Je ne peux prendre que trois d'entre vous.
– Très bien. Quelle est notre destination ?
– Une baie sur la côte est. Pour autant que je sache, elle n'a même pas de nom. Il faudra compter deux heures et demie de vol.
– Si quelqu'un nous attend, je vous abats tous les deux.
– Pour mourir ensuite dans un accident d'avion ? répondit Sam. Je dois reconnaître que cela a un certain panache.
– Je sais piloter un avion aussi bien que vous un hélicoptère. En route.

Sam aurait dû tenir compte de l'âge de l'Ikarus : il s'était écoulé près de trois heures quand la côte apparut dans l'encadrement du pare-brise. Sam procéda à quelques contrôles sommaires et amorça sa descente. Il vira doucement au nord et mit le cap sur le croissant que formait la baie. Sur le siège arrière, à côté de Remi – qui, conformément aux instructions, occupait le siège derrière celui de Sam –, Rivera se pencha pour mieux voir le paysage.
– C'est une petite baie, observa-t-il.
– Quatre cents mètres à l'embouchure et douze cents à l'endroit le plus large. Avec six îlots.
– Et vous êtes certain que Chicomoztoc en fait partie ?
– Je n'ai jamais prétendu en être sûr. C'est à mes yeux l'hypothèse la plus vraisemblable, compte tenu de tout ce

que nous savons. Vous avez l'air d'oublier qu'en une semaine nous avons réussi à faire ce que vous n'avez pas pu accomplir en près de dix ans.

– Avec un peu de retard, toutes mes félicitations, répondit Rivera. Comment l'avez-vous découvert ?

– C'est une longue histoire mais, dans une minute, vous allez voir la cerise sur le gâteau. Le problème est : la reconnaîtrez-vous ?

Sam descendit de trois cents mètres et ils pénétrèrent dans la baie.

– Où est-ce ? demanda Rivera.

– Patience. (Une minute plus tard, Sam décala légèrement sa trajectoire pour laisser à bâbord une île couverte de forêt.) Par le hublot de droite, indiqua-t-il.

Rivera se pencha et regarda vers le bas.

– C'est ça ? demanda-t-il, incrédule. C'est minuscule.

– Trois cents mètres de large et soixante mètres hors de l'eau.

– Ce n'est pas assez grand pour être une île.

– Alors, disons un îlot. En tout cas, c'est ce que vous cherchez.

– Pourquoi le centre est-il concave ?

– C'est ce qu'on appelle une caldera : vous avez sous les yeux un volcan éteint, répondit Sam. Vous ne le voyez toujours pas ?

– Quoi donc ?

– Remi ?

Sur un signe approbateur de Rivera, Remi se pencha pardessus son épaule pour regarder par le hublot.

– Plissez un peu les yeux, Rivera, conseilla Sam. Pensez à « une grosse fleur évidée ».

Un sourire radieux s'épanouit sur le visage de Remi.

– Sam, tu l'as trouvé.

– Ça ne va pas tarder. Vous le voyez, Rivera ?

– Non.

– Vous connaissez l'illustration traditionnelle représentant Chicomoztoc ? Imaginez-la vue d'en haut. Maintenant, imaginez les pointes de l'île arrondies et plus nettes.

Au bout de quelques instants, Rivera murmura :

– Je le vois. Étonnant, vraiment étonnant ! Posez-nous !

– Vous êtes sûr ?

– Posez-nous, bon Dieu !

– Comme vous voudrez.

Plongeant à moins de soixante mètres, Sam effectua un dernier virage, suivant la rive ouest de la baie jusqu'à ce que le nez de l'appareil pointe vers le nord. Trente secondes plus tard, les flotteurs effleurèrent la surface, le fuselage de l'Ikarus trembla et les hublots se mirent à vibrer. Sam se posa au ralenti.

Il regarda l'aiguille tomber à soixante nœuds, puis à cinquante. Quand il passa au-dessous de quarante, il dit :

– Remi, combien avons-nous de sacs de couchage ?

Elle se pencha sur son siège, saisit la pile de sacs et les installa sur ses genoux.

– J'en ai trois.

– Et moi, un, répondit Sam en montrant le sac coincé entre son siège et la place du passager. Rivera, combien en avez-vous ?

– De quoi est-ce que vous parlez ?

Sam jeta un bref coup d'œil au tableau de bord. L'aiguille était sur trente-cinq nœuds. Il se tourna vers l'homme qui occupait le siège du passager.

– Et vous ?

L'homme ouvrit la bouche pour répondre mais n'eut pas le temps d'articuler un mot. D'un geste preste, Sam abaissa en diagonale sa main droite, pressa le cliquet de fermeture de la ceinture de sécurité de l'homme puis, d'un même mouvement, saisit le sac de couchage pour le plaquer contre sa poitrine et poussa en avant le manche à balai.

L'Ikarus piqua du nez et heurta l'eau.

Chapitre 47

SAM N'AVAIT JAMAIS EFFECTUÉ DÉLIBÉRÉMENT un atterrissage aussi brutal, mais il avait fondé son plan sur son instinct combiné à de bonnes connaissances en physique. Volant à trente nœuds – environ cinquante-cinq kilomètres à l'heure –, l'Ikarus développait une énergie cinétique suffisante pour projeter violemment tous les passagers contre leur ceinture de sécurité mais sans faire culbuter l'appareil.

Le choc fut assez fort pour dégager de leurs montants ceux des sièges que Sam avait pris soin de desserrer avant de décoller.

L'homme de Rivera assis à côté de Sam, n'étant plus attaché, fut projeté en avant tandis que Sam, qui tenait solidement le sac de couchage devant lui, heurtait le tableau de bord ; à l'arrière, Remi, protégée par les deux duvets qui avaient amorti le choc, fut la première à recouvrer ses esprits.

Elle déboucla sa ceinture, se faufila comme elle put entre les sièges, prit Sam par les épaules et le tira en arrière. L'eau s'engouffrait dans la cabine à travers le trou laissé dans le pare-brise par l'homme de Rivera. Piquant déjà du nez dans la mer, l'Ikarus se mit à basculer, entraîné par le poids de son moteur, et la queue émergea de l'eau.

– Sam ! cria Remi. Sam !

Il tressaillit, cligna un instant les yeux puis regarda autour de lui.

– Ça a marché ? s'inquiéta-t-il.

– Comme nous sommes tous les deux vivants, j'appellerai ça un succès.

– Et Rivera ?

– Sans connaissance ou mort, annonça Remi après avoir constaté que ce dernier gisait, plié en deux. Je ne sais pas et je m'en fous. Sam, il faut penser à partir.

– Pourquoi pas tout de suite ?

– Formidable.

Sam appuya ses pieds contre le tableau de bord, luttant contre la pesanteur, puis pressa le bouton pour libérer sa ceinture. Il essaya la porte : elle ne bougea pas. Il fit une nouvelle tentative.

– Ma porte est coincée. Essaie celle de Rivera.

– Il la bloque.

Sam prit appui sur ses jambes et cambra le dos pour glisser le haut de son corps contre le dossier.

– Détache sa ceinture.

Remi l'ouvrit et Rivera glissa en avant dans les mains tendues de Sam qui laissa la pesanteur faire le reste. Rivera s'écroula, la tête la première, sur les restes du siège du passager et le corps de son camarade mort.

Remi escalada le siège et saisit la poignée de la porte.

– Tu es prêt ?

– Quand tu voudras.

– Respire un bon coup !

Quand elle parvint enfin à ouvrir la porte, l'eau s'engouffra dans la cabine et, lorsqu'elle fut remplie, Remi se détendit et se mit à nager. Sam s'apprêtait à la suivre quand il se ravisa ; faisant demi-tour, il donna un coup de pied dans le siège avant et se mit à tâter le plancher. Sous la botte gauche du cadavre, Sam trouva ce qu'il cherchait, à savoir le pistolet semi-automatique de l'homme, et le glissa à sa ceinture.

Il remonta ensuite à la surface et retrouva Remi. À trois mètres sur leur droite, la queue de l'hydravion se dressait hors de l'eau.

– Il ne coule pas, observa Remi.

– Sans doute une poche d'air dans la queue. Je vais redescendre pour voir ce que je peux récupérer. Ce n'était pas prévu dans mon plan, mais je te retrouverai sur la plage.

Sam aspira une grande goulée d'air et plongea. Sa main tendue rencontra le bord de l'aile ; il suivit le fuselage et trouva la porte.

Il s'arrêta.

Rivera avait disparu. Sam regarda l'extrémité de l'appareil et, ne voyant rien, revenait vers l'avant quand, du coin de l'œil, sur sa droite, il perçut un mouvement : une ombre se précipitait sur lui. Un objet dur le frappa alors au front, il ressentit une violente douleur, puis tout devint noir.

– Sam ! entendit-il distinctement, la voix s'affaiblissant puis reprenant de la force. Sam !

Des mains sur son visage – le toucher de Remi : elle se penchait sur lui, ses cheveux châtains ruisselant sur lui. Elle souriait.

– Combien vois-tu de doigts ?

– Très drôle. Aucun. Ça va. Aide-moi à m'asseoir.

– Reste tranquille. Tu as une vilaine entaille au front.

– Rivera... Où est...

– Je suis ici, monsieur Fargo.

Sam se renversa en arrière. Rivera, la tête en bas, était assis à trois mètres de là sur le sable noir de la plage.

– Bon sang, murmura Sam, je vous accorde une chose, Rivera, vous êtes un increvable salopard.

Sam se souleva sur ses coudes puis, aidé par Remi, il parvint à s'asseoir. Il se tourna. Rivera était assez mal en point : il avait le nez cassé, un œil fermé et la lèvre inférieure fendue. Mais il tenait fermement un revolver dans sa main droite.

– Et vous, rétorqua Rivera, vous avez tort de faire le malin. Dès que vous vous sentirez mieux, je vous tuerai, votre femme et vous.

– J'ai peut-être essayé de vous tuer, mais je n'ai pas menti à propos de cet endroit. Je pourrais me tromper, mais je ne crois pas.

– Parfait. Je trouverai bien l'entrée moi-même – l'île n'est pas si grande –, alors je commencerai par vous tuer.

– Elle n'en a pas l'air, pourtant, une fois qu'on entre dans cette jungle, elle paraît tout d'un coup bien plus étendue. La découvrir vous demanderait des mois.

– Et à vous, combien de temps ?

Sam consulta sa montre.

– Huit heures à partir du moment où on entre dans la caldera.

– Comment calculez-vous ça ?

– À vue de nez.

– Vous ne chercheriez pas à gagner du temps ?

– Ça en fait partie. Et puis, nous avons envie autant que vous de trouver Chicomoztoc. Peut-être davantage. Seulement notre motif est différent.

– Je vous donne quatre heures.

Rivera se leva.

Remi aida Sam à se remettre debout. Il s'appuya sur elle comme s'il avait le vertige.

– La migraine, dit-il à haute voix avant de chuchoter à l'oreille de Remi : j'ai une arme.

– Tu avais, fit-elle en souriant. C'est moi qui l'ai maintenant.

– Tu l'as prise sous ma ceinture ?

– Oui.

– Si tu en as l'occasion, abats-le.

– Avec plaisir.

– J'essaierai de détourner son attention.

S'étant endurcis au cours des dernières semaines, d'abord à Madagascar, puis à Pulau Legundi, Sam et Remi trouvèrent relativement facile le trajet sur la pente de la forêt. Rivera, lui, avait du mal. Son nez cassé l'obligeait à respirer par la bouche ; de plus, il boitait. Malgré tout, en bon soldat qu'il était, il suivait leur cadence, trois mètres derrière eux, et les tenait sans cesse en joue.

Ils atteignirent enfin le sommet. À leurs pieds, les pentes du cratère dévalaient d'une trentaine de mètres jusqu'au fond de la vallée. Sa forme de bol, en recueillant la pluie pendant des siècles, avait permis aux arbres et à la végétation en général de se développer plus rapidement que leurs frères à l'extérieur.

– Et maintenant ? demanda Rivera.

Sam tourna en rond pour s'orienter.

– Sans ma boussole qui était dans l'hydravion, je dois faire une estimation... Ce devrait être à peu près ici.

Il se dirigea vers la droite, se frayant un chemin entre les arbres sur encore une quinzaine de mètres, puis s'arrêta.

– Ici ?

– Plus bas.

– Expliquez-vous.

– Pour que vous nous abattiez juste après ? Non, merci.

Rivera serra les dents et, sans quitter Sam des yeux, déplaça légèrement sur la droite son revolver dont il pressa la détente. Touchée à la jambe gauche, Remi s'écroula en poussant un hurlement. Rivera braqua aussitôt son arme sur Sam, l'arrêtant dans son élan.

– Laissez-moi l'aider, dit Sam.

Rivera jeta un coup d'œil à Remi, boitilla jusqu'à l'endroit où elle s'était affaissée, s'accroupit et ramassa le revolver qui était tombé de sa ceinture. Puis il recula d'un pas.

– Vous pouvez vous occuper d'elle maintenant.

Sam se précipita. Elle lui saisit la main, fermant fort les yeux pour lutter contre la douleur. Sam prit dans une de ses poches un foulard et le pressa contre la blessure.

– Vous m'écoutez maintenant ?

– Oui, bon Dieu.

– La balle l'a touchée au quadriceps. Elle ne perdra pas tout son sang et, à condition de ne pas rester ici plus d'un jour ou deux, elle ne risque pas vraiment d'infection. Avec ces deux revolvers, je dispose encore de plus de trente balles. Tâchez de vous montrer coopératifs, sinon je continue à tirer.

Chapitre 48

ILS GAGNÈRENT LE FOND DE LA VALLÉE, Sam ouvrant la marche, Remi blottie dans ses bras, et Rivera les suivant tant bien que mal. À peu près au milieu de la cuvette, se présenta soudain une petite clairière : Sam déposa Remi par terre et Rivera s'assit à côté sur une souche. Sans cesser de braquer son arme sur la poitrine de Sam, Rivera souleva sa chemise : sur le côté gauche de l'abdomen, se voyait une contusion aussi grosse qu'une balle de cricket.

– Ça doit faire mal, dit Sam.

– Ce n'est qu'un bleu.

Sam s'agenouilla auprès de Remi et souleva le foulard qu'il lui avait appliqué sur la cuisse. La plaie ne saignait presque plus.

– Rivera a une hémorragie interne, lui glissa-t-il.

– Grave ? s'informa Remi sans desserrer les dents.

– Je ne suis pas sûr.

– Fais traîner les choses jusqu'à ce qu'il s'écroule, mort.

– Je vais essayer.

– Assez de messe basse ! cria Rivera. Ne restez pas près d'elle. (Sam obéit.) Expliquez-moi votre théorie sur l'entrée.

Sam hésita. Rivera pointa son arme sur Remi.

– Elle se base sur les illustrations, s'empressa de répondre Sam. Chicomoztoc est toujours représenté dans une caverne entouré de grottes plus petites… comme une fleur. La caverne est située au-dessous d'une montagne. Les dessins varient, mais les détails principaux sont toujours les mêmes – y compris l'emplacement de l'entrée.

– En bas, avança Rivera.

– Exact. Mais, si je ne me trompe pas et si c'est bien l'endroit, cela signifie que la forme de l'île est pour eux aussi importante que l'intérieur.

– Comment auraient-ils pu avoir d'elle une vue d'en haut ?

– Ils n'en avaient pas : ils ont navigué autour et ont dressé une carte. Pour une aussi petite île, c'était facile de le faire avec exactitude.

– Continuez.

– Si vous regardez l'illustration de face sur une image à deux dimensions, l'entrée vers Chicomoztoc est en bas. Si vous la regardez d'en haut – et, comme la plupart des cultures, ils s'orientaient sur les quatre points cardinaux –, alors l'entrée est au sud.

Rivera réfléchit, puis hocha lentement la tête.

– Bon. Maintenant, trouvez-la. Vous avez quatre heures : si vous n'y êtes pas arrivé d'ici là, je vous abats tous les deux.

Rivera expliqua alors clairement les règles du jeu : Sam chercherait l'entrée pendant que lui, Rivera, garderait Remi. Rivera appellerait de temps en temps Sam. Si ce dernier ne répondait pas dans les dix secondes, Rivera tirerait de nouveau sur Remi.

De la même façon qu'avec Remi sur Pulau Legundi, Sam dut se contenter de ce qu'il avait : un solide bâton de près de deux mètres et de la patience. Se tournant vers ce qu'il estimait être plein sud, il attaqua la pente de la caldera, pointant le bâton devant lui.

Il lui fallut vingt minutes pour atteindre le premier passage vers le sommet. Arrivé au bord, il s'écarta vers la droite et commença à descendre le flanc de la caldera. Il se sentait ridicule : la gravité de la situation, l'importance de ce qu'il cherchait et le fait que chaque minute les rapprochât d'un dénouement peut-être fatal pour Remi, tout lui inspirait un lancinant sentiment d'impuissance.

L'après-midi avançait. Peu avant cinq heures, alors que le soleil descendait vers l'horizon à l'ouest, il se frayait un chemin dans un bouquet d'arbres particulièrement dense quand il s'arrêta pour reprendre haleine.

Au début, le son qu'il surprit n'était qu'un léger sifflement. Sam retint son souffle en essayant de repérer sa provenance mais le bruit semblait venir de partout.

– Fargo ! hurla Rivera.

– Ici ! répondit Sam.

– Encore trente minutes !

Sam descendit encore de quelques mètres le long de la pente puis s'arrêta. Le sifflement s'était légèrement atténué. Il fit trois mètres vers la gauche, écouta encore : le bruit était plus fort. Il répéta l'expérience, montant et descendant jusqu'à ce qu'il se trouve devant une petite butte. Il enfonça son bâton : l'extrémité disparut.

Son cœur se mit à battre.

Il s'agenouilla et plongea sa tête dans l'ouverture.

Le sifflement avait doublé de volume.

– Des vagues, murmura-t-il.

Il se redressa, fouilla dans ses poches et trouva sa mini lampe torche. Il pressa le bouton, mais rien ne se passa.

– Allons, s'encouragea-t-il.

Il dévissa le fond du boitier, enleva les piles puis les essuya avec sa chemise avant de les remettre en place et de faire une nouvelle tentative : un brillant pinceau lumineux le récompensa.

Il passa la tête dans l'ouverture et promena devant lui le faisceau de la lampe. Un puits d'un mètre de large aux parois bien lisses s'enfonçait en diagonale dans la pente. Plus loin, le faisceau lumineux butait contre une courbe du tunnel qui s'enfonçait dans les ténèbres.

– Fargo !

Sam sortit la tête.

– Ici !

– Vingt-cinq minutes !

Il avait une décision à prendre. Sans avoir la moindre idée de la direction que suivait le tunnel et sans le moindre outil, il risquait de se trouver trop loin pour entendre Rivera ou, pis encore, il l'entendrait mais sans pouvoir répondre dans les dix secondes imparties. Il était convaincu que dans l'un ou l'autre cas, Remi écoperait d'un nouveau coup de feu.

– De toute façon, se dit Sam, il va nous tuer. Prenons le risque.

Les pieds en avant, Sam se glissa dans l'ouverture et commença à descendre.

Il n'avait pas fait trois mètres que Rivera cria :

– Fargo !

Sam remonta un peu et passa la tête dans la lumière.

– Ici ! répondit-il. (Il regarda sa montre : dix-neuf minutes.)

Il revint dans le trou et se laissa glisser, freinant des pieds et des paumes jusqu'au tournant où il dut se recroqueviller pour négocier la courbe. Le couloir se fit plus abrupt sur quelques mètres puis soudain s'élargit. Sam sentit ses jambes pendre dans le vide. Il se cramponna aux parois pour tenter de ralentir sa glissade, mais la pesanteur était plus forte. Il dérapa et commença à tomber.

Chapitre 49

SA CHUTE DURA MOINS D'UNE SECONDE.

Il atterrit sur quelque chose de mou, roula en arrière dans une espèce de saut périlleux à l'envers et se retrouva à genoux, sa torche à quelques mètres. Il rampa pour la ramasser et promena le faisceau lumineux autour de lui.

Le tas sur lequel il avait atterri était d'un blanc presque pur. Il crut d'abord à du sable puis, en le flairant, il reconnut l'odeur piquante du sel. Le bruit des vagues dont l'écho déferlait autour de lui résonnait et se répercutait comme dans un train fantôme.

Sam regarda sa montre : plus que seize minutes. Le toboggan par où il était tombé s'arrêtait à trois mètres au-dessus de sa tête. Il éclaira la paroi la plus proche : elle étincelait comme si elle était incrustée de minuscules miroirs. Il s'approcha.

– Du sel, murmura-t-il.

Sous ce vernis superficiel, il distinguait une couche plus sombre, verte, d'un vert translucide. La zébrure s'élevait le long de la paroi, s'élargissait en une bande d'une trentaine de centimètres, puis tournait pour se scinder en une multitude de veines et former un gigantesque treillis sous le vernis de sel blanc.

La caverne elle-même avait une forme vaguement ovale et son diamètre ne dépassait jamais une douzaine de mètres. Le regard fixé au plafond, il s'avança pour la traverser.

L'orifice d'un peu plus d'un mètre creusé dans le sol était parfaitement masqué par une croûte de sel, ponctuée de petits trous par lesquels passait l'air. Sam regarda autour de lui et en aperçut des douzaines à la lumière de sa lampe.

Parvenu au centre de la caverne, il distingua, séparés par des intervalles réguliers, des sortes de stalagmites recouverts d'une croûte de sel, hauts chacun d'environ un mètre cinquante. Il en compta sept. Il réalisa qu'il s'agissait de cairns de cérémonie, chacun symbolisant peut-être quelque chose.

– La place des Sept Cavernes, murmura Sam. Chicomoztoc.

Marchant avec précaution, il s'avança jusqu'au cairn le plus proche, s'agenouilla et posa le bout de sa torche contre la surface. Sous les cristaux de sel, il perçut une sourde lueur verte. Il utilisa alors le cylindre de sa torche pour marteler délicatement la surface. Au troisième coup, une croûte de sel se détacha suivie d'un éclat de rocher de la taille d'une balle de ping-pong. Il le ramassa : il était d'un vert translucide, tout comme la statuette du maleo. La pierre absorbait la lumière de sa torche, la reflétant si bien que l'intérieur semblait étinceler spontanément. Sam fourra la pierre dans sa poche.

– … argo ! appela la voix assourdie de Rivera.

– Bon sang ! marmonna Sam.

Il pivota sur ses talons, balayant les parois du faisceau de sa lampe. Il lui fallait un plan. Il fallait trouver quelque chose… Le rayon de sa torche tomba sur le tas de sel. L'embryon d'une idée commençait à se former. Un peu vague, mais c'était tout ce qu'il avait.

Évitant les trous, il courut jusqu'au tas de sel. Il en prit une poignée qu'il fourra dans sa poche. Il éclaira la paroi à côté de lui : elle s'incurvait sur la droite. Il la suivit. Le sol descendait, puis remontait avant de virer sur la gauche. Derrière lui, le murmure des vagues s'affaiblissait. Sur sa droite, il perçut une faible source lumineuse. Il se précipita. Les parois se rapprochaient et la voûte descendait, l'obligeant à courir en courbant le dos.

Il trébucha sur un mur de feuillage et s'affala de tout son long.

– … argo !

Sam roula sur le dos, reprit son souffle.

– Ici !

– Onze minutes !

Sam resta trente secondes immobile, ruminant son plan jusqu'à l'estimer réalisable. Encore une fois, il y avait là une solution possible, mais de là à la mettre en pratique… De toute façon, il n'avait pas le choix, pas d'autres options et pratiquement plus de temps.

Il revint jusqu'au fond de la caldera et regagna la clairière.

– J'ai trouvé quelque chose, annonça-t-il.

– Vous dites la vérité ? répliqua Rivera.

– Oui.

– Allons-y, ordonna Rivera en se levant.

– Donnez-moi une minute.

Sam s'approcha de Remi et s'assit auprès d'elle. Elle ouvrit les yeux et lui sourit.

– Salut.

– Salut. Ça fait mal ?

– Non, c'est une douleur sourde. Je prenais mon pouls pour passer le temps.

– Tu trouves toujours quelque chose à faire pour te distraire, s'esclaffa Sam.

– Toujours.

– J'ai fait une découverte. J'y emmène Rivera maintenant.

– Est-ce que…

– Je crois que oui. Je crois que nous l'avons trouvé. (Il se pencha et l'embrassa sur la joue.) Je l'y emmène, chuchota-t-il, et avec un peu de chance je reviendrai seul.

– Alors, à tout à l'heure.

Sam se releva et se tourna vers Rivera.

– Prêt ?

– Passez devant.

Sam conduisit Rivera jusqu'à l'entrée, puis lui tendit la torche et s'écarta tandis que Rivera baissait la tête pour entrer dans la caverne avant de rendre la lampe à Sam.

– Qu'est-ce qu'il y a là-dedans ?

– Je ne suis pas allé aussi loin.

Rivera ne dit rien. Sam savait qu'il se demandait si les Fargo n'étaient pas devenus soudain des bagages encombrants.

– Mais en chemin, je me suis quand même perdu trois fois. Sur un côté du tunnel, il y a une descente assez raide ; de loin, j'ai vu quelque chose sur la paroi. Une sorte de symbole.

Ce fut suffisant : Rivera fit signe à Sam de pénétrer dans le tunnel. Ce dernier s'avança, courbant le dos jusqu'à l'endroit où le passage s'élargissait. Rivera suivait, à quelques pas.

– Quelle direction ?

Sam feignit la confusion quelques secondes, puis prit à droite et suivit descentes, montées et tournants jusqu'au moment où ils émergèrent dans la grotte de sel.

– Des vagues ? interrogea Rivera en regardant autour de lui.

– Je crois que oui. Il y a sans doute tout un dédale de grottes marines là-dessous.

– Et les parois ? Des cristaux de sel ?

– Du sel marin provenant des grottes. Vous voyez les traînées sombres ? ajouta Sam en braquant le faisceau de sa torche sur la paroi. Continuant de pointer son revolver sur la poitrine de Sam, Rivera se rapprocha.

– C'est une sorte de dépôt minéral, de l'émeraude ou du jade, avança Sam.

Hochant la tête d'un air absent, Rivera suivit des yeux les veines qui montaient le long de la paroi et jusqu'au plafond.

– Où est ce tunnel latéral ?

Prenant bien soin de ne pas tourner la torche vers le sol, Sam balaya la caverne. Il retint son souffle, s'attendant un peu à ce que Rivera remarquât les cairns et leur disposition, mais il n'en fit rien.

– Continuez.

Sam avança. Le cœur battant, il s'efforçait de marcher calmement, en surveillant où il posait les pieds quand il enjambait les trous ou les rebords. Alors qu'il traversait le centre de la grotte, un craquement – comme la glace d'un étang gelé se rompant – retentit et Rivera poussa un juron.

Sam se retourna.

– Ne m'envoyez pas cette lumière dans les yeux, bon sang !

Rivera avait marché sur un trou et y était tombé jusqu'à l'aine. Il se débattait pour s'en extraire en tendant sa jambe libre sous son corps. Il fit deux nouvelles tentatives puis s'arrêta.

– Il va falloir que vous veniez me donner un coup de main. Si vous...

– Je sais, répondit Sam. Vous me tirerez dessus.

Sam s'approcha, sa torche dans la main gauche. Il dirigea le faisceau en plein dans les yeux de Rivera, puis le baissa. En même temps, il plongea sa main droite dans sa poche et en ressortit une poignée de sel.

– Bon Dieu, grommela Rivera. Ne m'envoyez pas la lumière...

– Désolé.

– Ça suffit. Tendez-moi votre poignet et tâchez de ne pas me rejoindre.

Sam tendit son poignet. Rivera le saisit et, Sam faisant contrepoids, se dégagea. Sam sentit le poids de Rivera basculer en avant. Il fit tourner la torche entre ses doigts, braquant le faisceau droit dans les yeux de Rivera.

– Désolé, dit une nouvelle fois Sam.

Il profita néanmoins de l'aveuglement momentané de Rivera pour faire un pas sur la gauche de manière à ne plus se trouver dans la trajectoire du revolver. Il lança alors sa main droite en avant. Le sel aspergea les yeux de Rivera. Sachant ce qui l'attendait, Sam se laissa tomber à plat ventre.

Rivera poussa un hurlement et pressa la détente. Des balles frappèrent la paroi et le plafond. Des cristaux de sel tombèrent en pluie, faisant jaillir des étincelles dans la lumière de la torche. Rivera tourna sur lui-même, essayant de retrouver son équilibre, il trébucha mais ne lâcha pas son arme.

Sam se mit à genoux, fléchit les jambes tel un coureur dans les starting-blocks puis se détendit et chargea. Rivera entendit le crissement des pas de Sam et pivota dans sa direction en tirant. Courant toujours, Sam se laissa tomber sur le ventre et dérapa sur le sol, les cristaux de sel lui labourant la poitrine et le menton. Il s'arrêta enfin, retenant son souffle.

Rivera pivota encore, tentant de repérer d'où venait le son. Il perdit une nouvelle fois l'équilibre, trébucha et tomba tout droit dans un autre trou, ses jambes s'y enfonçant dans un terrible craquement. Le revolver lui échappa des mains et glissa sur le sol tapissé de sel avant de s'arrêter à côté du visage de Sam.

Il s'en saisit aussitôt et se remit debout.

– Fargo ! cria Rivera.

Sam se dirigea vers le trou. Rivera avait écarté les bras. Seules les paumes de ses mains touchaient un terrain solide. Déjà ses bras tremblaient, les tendons de son cou se crispaient. Toujours aveuglé, Rivera tournait frénétiquement la tête d'un côté à l'autre.

Sam s'accroupit auprès de lui.

– Fargo !

– Je suis juste ici. Vous êtes dans un sale pétrin.

– Sortez-moi de là !

– Non.

Sam éclaira le trou avec sa torche. Des saillies de roche incrustées de sel pointaient des parois comme des barbillons, ne laissant libre qu'une brèche de soixante centimètres au centre. Tout au fond, Sam entendait distinctement les vagues qui déferlaient contre les rochers. Il prit une pierre grosse comme une balle et la laissa tomber dans l'ouverture ; il l'écouta ricocher sur la roche jusqu'à ce que le bruit s'éteignît.

– Qu'est-ce que c'était ? demanda Rivera.

– L'appel du karma, répondit Sam. Sur une trentaine de mètres, selon la seconde loi de Newton.

– Bon Dieu, qu'est-ce que ça veut dire ? Sortez-moi de là !

– Vous n'auriez pas dû tirer sur ma femme.

Rivera eut un grognement exaspéré. Il essaya de se hisser plus haut, mais ne parvint à gagner que quelques centimètres. Il retomba plus bas. Sa tête s'enfonça au-dessous du niveau du sol. Sous sa chemise, on voyait ses muscles trembler.

– Je viens de comprendre quelque chose, dit Sam. Plus vos paumes transpirent, plus le sel fond sous elles. Je crois que les experts appellent cela des rendements décroissants. Ce n'est pas une métaphore parfaite, mais je crois que je me fais comprendre.

– J'aurais dû vous tuer.

– Cramponnez-vous à cette idée. Bientôt, ce sera tout ce qu'il vous restera.

La main gauche de Rivera glissa sur le bord. Pendant une fraction de seconde, sa main droite se crispa sur le sol, ses ongles griffant la terre ; puis il lâcha prise et commença à déraper. Enfin, il tomba, heurtant d'abord une des excroissances de la roche contre laquelle il se brisa les vertèbres. Hurlant de douleur, il culbuta d'une paroi à l'autre, sa tête se fracassant de roche en roche avant de disparaître complètement.

Épilogue

Deux semaines plus tard,
Goldfish Point, La Jolla, Californie

REMI ARRIVA EN BOITILLANT dans le solarium et s'installa sur une chaise longue auprès de Sam. Sans lever les yeux de son iPad, celui-ci dit :

– Tu devais te servir de ta canne pendant encore au moins une semaine.

– Je n'aime pas ma canne.

Sam la regarda.

– Et c'est toi qui dis que je suis entêté ? Comment va ta jambe ?

– Mieux. Le médecin dit que je serai bonne pour le service d'ici quelques semaines. Étant donné l'autre alternative peu plaisante qui se présentait, je devrais m'estimer heureuse.

– Tu veux dire par « peu plaisante » mourir de faim au fond du cratère d'un volcan éteint.

– C'est exactement ce que je veux dire.

Même si elle n'avait pas failli perdre tout son sang sur ce qu'ils appelaient maintenant l'île de Chicomoztoc, Sam savait pertinemment que les risques d'infection n'étaient que trop réels. Il n'avait le choix qu'entre deux solutions : rester là et attendre que Selma envoie de l'aide, ce qu'elle ne manquerait pas de faire. Mais combien de temps faudrait-il pour que sa demande d'assistance suive les bons canaux dans le dédale des services indonésiens ? La seconde alternative était de laisser Remi seule et de partir pour chercher du secours. En fin de compte Remi, connaissant son mari, l'encouragea à lui laisser le revolver et à partir. Restait pour Sam à trouver dans quelle direction.

Le lendemain matin, il dit au revoir à Remi et monta jusqu'au bord de la caldera où il resta un moment à scruter l'horizon. Il allait se décider à faire route vers le sud quand il aperçut un petit filet de fumée qui s'élevait de la forêt, à quelques kilomètres au nord.

D'un bon pas, il descendit en zigzaguant la pente, pataugea dans l'eau du marais puis fit à la nage les quelque huit cents mètres qui le séparaient de la rive. Là, il se dirigea vers le nord jusqu'à ce qu'il atteignît une rivière. Il en suivit la berge, ses yeux ne quittaient pas la colonne de fumée, et il finit par déboucher dans une petite clairière au centre de laquelle se tenait un homme avec une veste de safari et une casquette de base-ball bleue de la BBC.

En voyant Sam tout dépenaillé arriver hors d'haleine, l'homme, qui tournait un documentaire, cria « Coupez ! » et voulut savoir qui venait de lui gâcher son plan.

Deux heures pus tard, Sam retrouvait Remi dans la caldera et, une heure après, l'hélicoptère de la BBC se posait sur la plage. Le lendemain, ils étaient de retour à Djakarta, Remi douillettement installée dans son lit.

– Nous avons quelques décisions à prendre, déclara Sam.

– Je sais.

Ils détenaient quelques énormes secrets. Étant donné la nature incroyable de ce qu'ils avaient trouvé, après avoir récupéré par hasard la cloche du *Shenandoah*, cela avait été un choc de s'apercevoir qu'à part eux, Selma, Pete, Wendy, les professeurs Milhaupt et Dydell, ainsi que le Kid, personne n'était au courant de leurs découvertes. Le canoë de Madagascar était toujours juché sur son autel dans la grotte de la Gueule du lion ; le *Shenandoah* gisait toujours dans le ravin de Pulau Legundi enseveli sous cinq mètres de cendres du Krakatoa ; la statuette du maleo qu'ils avaient retrouvée sur le *Shenandoah* était bien cachée dans le coffre de la salle de travail et la caverne sacrée sous la caldera demeurait inviolée.

S'ils avaient l'intention de remettre ces trouvailles à diverses communautés archéologiques et anthropologiques, il leur semblait sage aussi de prendre quelques semaines pour envisager les implications de leurs découvertes et pour se préparer à la tempête médiatique qui ne manquerait pas de suivre ces révélations.

Sam et Remi comprenaient maintenant pourquoi Garza n'avait jamais laissé personne examiner le symbole de Mexica Tenochca, la statuette en jade de Quetzalcoatl. Si cet objet avait pu être analysé, Sam et Remi étaient convaincus qu'on obtiendrait les mêmes résultats qu'avec leur maleo. Ce joyau en forme d'oiseau n'avait pas été créé à partir de jade ou d'émeraude, mais plutôt d'un type de roche volcanique, connue sous le nom de « grenat démantoïde ». Ses caractéristiques étaient identiques à celles de la pierre que Sam avait rapportée de la caverne.

Peu importaient les circonstances dans lesquelles Blaylock avait découvert le maleo, son étonnant état de conservation et l'incroyable sort qu'avait connu le *Shenandoah*. Tout concordait à laisser une preuve encore plus convaincante : des traces microscopiques de pigments d'incontestable origine indonésienne montraient que la statuette avait jadis été peinte – peut-être pour mieux représenter l'aspect du maleo.

Dans les jours qui suivirent leur retour, un certain nombre de secrets mineurs qui tracassaient Sam, Remi et les autres s'expliquaient : le journal de Blaylock, dont les excentricités continuaient à se révéler peu à peu, avait résolu le mystère de la cloche quand Peter avait découvert deux pages collées ensemble. Blaylock donnait une description dramatique de l'attaque lancée contre lui par les pirates alors que le *Shenandoah* était mouillé au large de l'île de Chumbe, deux jours avant son départ pour le détroit de Sunda. Pour éviter que la cloche, « le cœur d'Ophélie », tombe en de mauvaises mains, Blaylock l'avait jetée à la mer après avoir conservé comme souvenir le battant, avec l'intention de réunir les deux lors de son retour à Bagamoyo. Au cours de la même attaque, Blaylock avait perdu son épée d'artilleur, une arme dans le style glaive, la même que Sylvie Radford avait trouvée en faisant de la plongée cent vingt-sept ans plus tard.

Son bien-aimé journal et sa canne, dont il se séparait rarement, Blaylock les avait laissés à une de ses concubines la veille du départ du *Shenandoah* pour l'Indonésie : ils avaient fini par se retrouver entre les mains de Morton, au Musée Blaylock, avec son magasin de curiosités. Sam et Remi ne pouvaient s'empêcher de se demander si l'énigmatique Winston Blaylock ne s'était pas douté au fond de lui-même qu'il ne reviendrait pas.

Au bout du compte, ce fut la paranoïa du président Quauhtli Garza qui allait décider de son sort. En bon soldat qu'il était, Rivera n'avait laissé aucune trace susceptible d'incriminer son patron, aussi Sam et Remi concoctèrent un scénario de désinformation fondé sur le fait que le corps de Rivera demeurait introuvable. Ils furent quand même surpris de voir leur plan connaître une telle réussite.

S'appuyant sur leurs soupçons concernant l'assassinat des touristes à Zanzibar par Rivera et sur les preuves de leur théorie sur l'origine des Aztèques, ils se servirent des relations de Rube Haywood pour répandre le bruit qui ne tarda pas à s'amplifier : Itzli Rivera était vivant et, pour ne pas risquer d'être extradé en Tanzanie, il s'était confié aux autorités qui possédaient maintenant des détails à propos des meurtres et des efforts de Garza pour dissimuler la vérité sur sa statuette de Quetzalcoatl et les manœuvres pour porter au pouvoir le Mexica Tenochca. En quelques heures, les chaînes d'information américaines diffusaient l'histoire, reprise aussitôt par les réseaux mexicains. Quelques jours plus tard, les partis d'opposition mexicains réclamaient une enquête et des centaines de milliers de manifestants envahissaient les rues de Mexico, entourant les bâtiments gouvernementaux et paralysant toute la ville.

Après avoir consacré près d'une décennie à protéger un secret qui avait le pouvoir de le glorifier et de le détruire, Quauhtli Garza comprenait maintenant que tout était perdu. En quelques semaines, tout cela s'était écroulé, anéanti par un couple de chasseurs de trésors. Des Américains – des impérialistes comme Cortés et ses hordes. C'était injuste. L'Histoire se répétait. Comment les Fargo s'y étaient-ils pris ? Et si rapidement ?

Maudits soient-ils et Rivera aussi, le salaud qui l'avait trahi, se disait Garza.

Il ne subirait pas le même sort que ses ancêtres. Il était peut-être seul, mais il tenait encore son destin entre ses mains.

Cela faisait cinq jours que l'affaire avait éclaté. Enfermé dans son bureau alors que des manifestants criaient « Montre-toi ! » et « Garza doit partir ! », il congédia sa garde et ses collaborateurs et contempla par la fenêtre ce qui, quelques heures plus tôt, était son public fidèle – transformé en hordes déchaînées venues abattre ce qu'il avait édifié.

À la tombée du jour, un Garza hagard quitta son bureau pour monter sur le toit de l'immeuble dominant le Templo Mayor, jeta un dernier coup d'œil à sa ville et à ce qui aurait pu être et, sans autre cérémonie, sauta dans le vide.

Entouré de spectateurs abasourdis, son corps disloqué gisait en haut des marches de la pyramide, dernier vestige de l'Empire aztèque disparu.

La voix stridente de Selma retentit dans le haut-parleur au-dessus de la chaise longue de Remi.

– Quand vous voudrez, je suis prête.

– Nous arrivons, répondit Remi.

Ils trouvèrent Selma dans la salle de travail.

– Je viens de finir de connecter les derniers éléments : un scénario similaire proposé voilà quelques années par l'Institut fédéral d'études géologiques, annonça Selma. Ils ont recueilli en outre des informations d'autres organismes et universités du monde entier.

– Tu l'as vu ? demanda Sam.

– Pour nous gâcher le plaisir ? Pas question.

Une des questions les plus embarrassantes qui restait sans réponse – ou du moins sans réponse qui les satisfît – était de savoir pourquoi, après avoir parcouru près de vingt mille kilomètres à travers le globe, les proto-Aztèques avaient choisi de s'installer au bord du lac Texcoco. A en croire la légende, ils avaient été guidés jusque-là par un aigle perché sur un cactus avec un serpent dans son bec, mais le professeur Dydell, du DIDM, le Département iconographique des Déplacements migratoires, affirmait que cette image représentait au début un maleo perché au sommet d'un durian.

– Continue, Selma.

Elle braqua la télécommande sur le téléviseur et, un instant plus tard, apparut à l'écran une image de l'île de Chicomoztoc vue du ciel. La caméra zooma pour montrer les îles voisines et l'ensemble de la baie.

Selma pressa un autre bouton.

D'abord lentement, puis plus vite, l'image commença à se transformer à mesure que, dans la marge, une chronologie remontait le temps par tranches de dix ans. Le niveau de la mer s'élevait et retombait ; le dessin des côtes se modifiait ; des jungles reculaient et avançaient. Une colonne de fumée dériva au-dessus de la baie, bientôt suivie d'une seconde.

– Arrête,fit Sam et Selma bloqua l'animation. Des volcans ?

– On dirait, acquiesça Selma.

Elle remit l'appareil sur « marche ». Le niveau de la mer montait et redescendait. Et puis le sol se mit à bouger.

– Nous y voilà, murmura Remi.

– Peux-tu ralentir, Selma ? demanda Sam.

Elle appuya sur une touche de la télécommande.

L'indicateur chronologique indiquait l'an 782. L'animation ralentit à des intervalles d'un an par seconde. Sam et Remi regardaient, fascinés, les cornes de la baie commencer à pointer hors de la mer pour se rapprocher l'une de l'autre comme pour toutes les îles à l'exception de Chicomoztoc qui disparut sous la surface. Lorsque l'indicateur parvint à l'an 419, la baie s'était refermée. Il ne restait plus qu'une île isolée dont les contours avaient la même forme de fleur de la caverne sur l'illustration de Chicomoztoc, au milieu de ce qui s'était transformé en lac.

– Pas étonnant qu'un bout de terre marécageuse au milieu du lac Texcoco leur ait paru si attirant. Ils se retrouvaient chez eux.

Sam et Remi remercièrent Selma et regagnèrent le solarium.

– Par quoi veux-tu commencer ? demanda Sam.

– Comment cela ?

– Par quelle excavation : le canoë de Madagascar, l'île de Chicomoztoc, ou le *Shenandoah* ? Une fois que nous l'aurons annoncé, je me doute qu'il ne faudra pas longtemps pour voir des expéditions se préparer. Alors, j'aimerais me dire que nous serons les premiers à choisir.

Remi réfléchit un moment, puis haussa les épaules.

– Et toi ?

– Chacun a son attrait, dit Sam en souriant.

Il plongea la main dans sa poche et en ressortit une pièce de vingt-cinq cents. Il serra le poing et posa la pièce sur son pouce.

– Pile ou face pour désigner le gagnant ?

Remi acquiesça de la tête.

Sam Fargo lança la pièce qui tournoya dans le ciel.

Remerciements

Je tiens à remercier tous ceux sans qui ce livre ne serait pas ce qu'il est :

Sam Craghead, du Musée de la Confédération, dont la perspicacité s'est toujours révélée précieuse ; John Koivula et Tim, pour leurs connaissances en gemmologie et en géologie ; Rich Hartney qui nous a permis des atterrissages forcés sur des terres inconnues ; Doug Lyle et C.J. Lyons pour répondre avec pertinence à nos questions médicales ; Geoff Irwin et Peter Bellwood pour la gentillesse avec laquelle ils ont répondu à des conjectures hasardeuses dans le domaine de l'anthropologie ; Tim Roufs et Sandra Noble pour leur connaissance approfondie du monde méso-américain ; Jurgen Theiss dont la connaissance de Zanzibar et de la Tanzanie nous ont beaucoup aidé ; Tom Chaffin, l'auteur de *Sea of Gray*, qui nous a permis de fantasmer sur ce qui aurait pu se passer ; Victoria Lisi pour sa plume alerte ; Neil, Peter, Tom, Sara et Pam pour leur patience, leur détermination et leur précieuse contribution ; le Kid et son épouse pour leur amitié et leur soutien ; et enfin Steve Berry : je te dois vraiment beaucoup, mon ami.

Cet ouvrage a été imprimé par
CPI BRODARD ET TAUPIN
72200 La Flèche
en septembre 2013
pour le compte des Éditions Grasset

Ce volume a été composé
par COMPO-MECA

Grasset s'engage pour l'environnement en réduisant l'empreinte carbone de ses livres.
Celle de cet exemplaire est de :
950 g Éq. CO_2
Rendez-vous sur www.grasset-durable.fr

Dépôt légal : octobre 2013
N° d'édition : 17979 – N° d'impression : 3001964
Imprimé en France